Die Katze,
die zu
viel wusste

Marian Babson

Die Katze, die zu viel wusste

Deutsch von Ralph Sander

Weltbild

Originaltitel: *The Cat Who Wasn't A Dog*
Originalverlag: Thomas Dunne Books/St. Martin's Press, New York

Besuchen Sie uns im Internet:
www.weltbild.de

Die Autorin

Marian Babson wurde in der alten Siedlerstadt Salem im amerikanischen Bundesstaat Massachusetts geboren. Den größten Teil ihres Lebens hat sie inzwischen jedoch in England verbracht. Marian Babson hat mehr als 30 Kriminalromane veröffentlicht. Viele sind von dem typisch britischen Humor geprägt, der auch *Die Katze, die zu viel wusste* zu einem besonderen Lesevergnügen macht.

1

Wenn Sie mich fragen, dann übertrieb Dame Cecile Savoy es gewaltig. Oder besser gesagt: Sie kostete es bis zum Letzten aus. Ich bin so mitfühlend wie jeder andere Mensch – wie jeder andere außer Evangeline –, aber sie begann mir allmählich auf die Nerven zu gehen.

Sicher, Witwentrachten waren zu ihrer Zeit vermutlich angemessen gewesen, aber ich kann mir nicht vorstellen, wo sie heutzutage überhaupt noch eine hatte auftreiben können. Bestimmt handelte es sich um die Überreste einer uralten Bühnenproduktion – vermutlich etwas in der Art des viktorianischen Bestsellers *East Lynne.* Vor allem galt das für den langen, alles verhüllenden, schwarzen Mantel.

Ihr Gesicht wurde von dem drapierten schwarzen Schleier verdeckt, aber nach dem Wimmern und Schniefen zu urteilen, das durch den Stoff drang, war das auch ein Segen. Von Zeit zu Zeit verschwand ein schwarzer Handschuh mit einem schwarz gesäumten Taschentuch unter dem Schleier, um Tränen abzutupfen.

Evangeline sah mich an und verdrehte die Augen; ich schaute zu ihr und folgte ihrem Beispiel. Beide versuchten wir, den reglosen Körper in dem Tragekorb zu ignorieren, der mit der Öffnung zu uns auf dem Klappsitz stand. Dame Cecile hatte sich beharrlich geweigert, ihn in den Kofferraum zu stellen.

Das würde ein langer Tag werden.

»Also dann …« Eddie schloss die Wagentür und nahm hinter dem Lenkrad Platz. Wir hatten sein Taxi für den ganzen Tag gemietet, damit er uns von London nach Brighton fuhr. »Wohin soll's gehen? Zum Tierfriedhof, wie? Ich kenne mich hier unten nicht so gut aus. Sie müssen mir schon sagen, wohin …«

»›Klappe‹!«, antwortete Dame Cecile mit erstickter Stimme.
»Was?« Eddie drehte sich zur Seite und sah über die Schulter zu uns. Seine Augenbrauen schossen so hoch, dass sie in seinem Haaransatz verschwunden wären – hätte er noch einen solchen gehabt. »Das ist nicht besonders nett.«

»›Klappe‹!«, wiederholte Dame Cecile.

»Ich bitte Sie, Cecile«, presste Evangeline verbissen heraus. »Uns ist ja klar, dass Sie aufgewühlt sind und dass das alles schrecklich traurig ist, aber das verdammt- ähm ... süße Geschöpf war auf einen Menschen umgerechnet zweihundertfünfzig Jahre alt. Es ist ja nicht so, als wäre es in der Blüte seines Lebens dahingerafft worden.«

»›Klappe‹!«

»Wie Sie meinen«, begann Evangeline, die nun auf ihre pedantische Ader umschwenkte, »aber ich glaube, korrekt formuliert heißt das ›*Halt die ...*‹«

»›Klappe‹!«, trompetete Dame Cecile so gellend heraus, dass es die Operngläser auf den Sessellehnen im zweiten Rang hätte zerspringen lassen können. »Oder genauer gesagt: zur ›Letzten Klappe‹ – der Tierpräparator, Sie Dummkopf!«

Dieser Tag würde noch viel länger werden, als ich es erwartet hatte.

Begonnen hatte alles gestern Morgen mit diesem Anruf. Eines Tages werde ich mir angewöhnen, nicht jedes Mal dranzugehen, wenn das Telefon klingelt. Allerdings rechnete ich damit, dass meine Tochter Martha am Apparat wäre, die mir seit Tagen ankündigte, sie müsse mir etwas ganz Wundervolles erzählen – und deshalb griff ich zum Hörer.

»Hallo? ... Hallo?«

Im ersten Moment kam es mir so vor, als befinde sich der Anrufer unter Wasser, denn die glucksenden, gurgelnden Geräusche vom anderen Ende der Leitung hörten sich eher nach einer undichten Sauerstoffleitung in einem Aquarium an, nicht aber nach einer menschlichen Stimme.

»Ev-uuu-huu … Evan-uuu-huu … vangel-uuu-huu …«, schniefte es aus der Leitung.

»Wollen Sie Evangeline sprechen?«, fragte ich aufs Geratewohl. »Wer ist denn da?« Es klang nicht nach einem Anruf, über den sie sich freuen würde.

»Lassen Sie mich mit ihr reden!« Die Frau am anderen Ende der Leitung bekam ihre Stimme weitestgehend in den Griff und sprach nun einigermaßen verständlich. »Ich bin verzweifelt! Ich brauche menschliche Wärme, Mitgefühl, Verständnis …«, jammerte sie.

»Und da wollen Sie Evangeline sprechen?« Sie musste wirklich verzweifelt sein. Oder es gab noch eine andere Evangeline in der Stadt, und sie hatte sich schlicht verwählt. »Welche Nummer wollten Sie denn wählen?«

»Trixie! Hören Sie auf, sich dumm zu stellen, und holen Sie sie!« Der plötzliche Kommandoton in ihrer Stimme – die allmählich etwas vertrauter klang – fiel einem erneuten *Uuu-huu* und einem Schniefen zum Opfer. »Das ist ein Notfall!«

»Das muss es wohl sein«, murmelte ich und rief: »Evangeline! Es ist für dich!«

»Um diese Zeit?« Es war noch nicht einmal zehn Uhr, und obwohl wir beide längst nicht mehr im Bett lagen, waren wir noch nicht ganz wach. Stattdessen saßen wir da und warteten darauf, dass das Koffein unserer ersten Tasse Kaffee Wirkung zeigte und wir in die Lage versetzt wurden, uns eine zweite Tasse einzugießen.

»Die Frau sagt, sie braucht …« Um diese Zeit schaffte ich es noch nicht, die ganze Wendung von Wärme, Mitgefühl und so weiter zu wiederholen. »Sie will dich sprechen.«

Evangeline riss mir den Hörer aus der Hand und warf mir einen wütenden Blick zu, als hätte ich diesen Anruf arrangiert, nur um sie zu ärgern.

»Wer ist da?«, fauchte sie. »Wissen Sie eigentlich, wie spät es ist? Oder hat Ihnen noch nie jemand erklärt, was die beiden Zeiger auf einer Uhr zu bedeuten haben?«

O ja, aus ihrem Tonfall sprach unglaublich viel menschliche Wärme, wenn nicht gar Hitze – vor allem weil Evangeline vor Wut kochte. Allerdings hatte ich das Gefühl, dass die Anruferin eine andere Art von Wärme gemeint hatte.

Dass Evangeline dann aber lange Zeit schwieg und geduldig zuhörte, ließ mich stutzen. Und noch ungewöhnlicher erschien es mir, dass sie plötzlich zu lächeln begann. Aber es war kein freundliches Lächeln, und das passte nun doch wieder zu ihr.

»Oh, meine arme, arme Cecile«, säuselte sie übertrieben und bestätigte damit meine Vermutung, dass der Anruf von Dame Cecile Savoy kam. »Ach, ist das tragisch. Nein, machen Sie sich darüber im Moment keine Gedanken. Selbstverständlich werden wir das für Sie erledigen.«

»Worüber soll sie sich keine Gedanken machen?«, erkundigte ich mich argwöhnisch. Ihr blasierter Gesichtsausdruck weckte mein Misstrauen. »Was werden wir erledigen?«

»Ruhe!«, zischte Evangeline mir zu. »Nein, nein, Sie meinte ich nicht, Cecile. Trixie hat ... hat eine Tasse fallen lassen. Sie kann ja so tollpatschig sein – und so laut. Erzählen Sie doch weiter.«

Ich griff nach dem nächstbesten Teller und vollführte damit eine drohende Geste. Den würde ich *ganz sicher* fallen lassen – und zwar auf ihren Kopf.

»Ja, ja, natürlich erledigen wir das. Morgen? Ja, versprochen. Wir werden morgen ganz früh bei Ihnen sein. ... Ähm, nein, um die Zeit werden wir uns auf den Weg machen. Wir müssten etwa gegen Mittag bei Ihnen sein. Nein, nein, nichts zu danken. Wie könnten wir einer alten Freundin in der Stunde ihrer Trauer nicht beistehen?«

»Wieso Trauer? Was ist passiert?«

»Dann bis morgen.« Evangeline legte den Hörer auf und sah mich mit einem triumphierenden Strahlen in den Augen an. »Trixie, wir haben unser Stück zurück.«

»Welches Stück? Was läuft hier?«

»*Wir* laufen – und zwar zur Höchstform auf! Und zwar im

Royal Empire Theatre in Brighton in einer Wiederaufführung von *Arsen und Spitzenhäubchen.* In den Rollen, die uns von vornherein zugestanden hatten! Die Show muss weitergehen, aber Cecile ist zu aufgewühlt, um in absehbarer Zukunft auf die Bühne zurückzukehren. Also werden du und ich einspringen und das Stück retten, Trixie!«

»O nein, das werden wir nicht«, widersprach ich sofort. »Für uns wird ein eigenes, ganz neues Stück geschrieben.«

»Oh, stimmt.« Evangeline war einen Moment lang kleinlaut. »Das hatte ich im Eifer des Gefechts ganz vergessen.«

»Um was geht es überhaupt? Wieso kann Cecile nicht auftreten?«

»Ach, ihr ist dieser abscheuliche Wischmopp gestorben, an dem sie so hing. Fleur-de-Mal oder wie das Vieh hieß. Es hat den Futterlöffel abgegeben, und jetzt ist Cecile untröstlich.«

»Fleur-de-Lys ist tot?«, rief ich erschrocken. »Ach, die arme Cecile! Kein Wunder, dass sie so aufgelöst war. Sie hat diesen süßen kleinen Pekinesen über alles geliebt, und sie hatte ihn doch schon seit einer halben Ewigkeit!«

»Eben.« Evangeline goss sich die zweite Tasse Kaffee ein. »Darum verstehe ich auch gar nicht, warum sie sich so aufregt. Das Ding ist mindestens zehnmal so alt geworden wie jeder normale Hund. Allmählich war ich zu der Überzeugung gelangt, diese verdammte Kreatur müsse unsterblich sein. Und das hat Cecile wohl auch geglaubt.«

»Und was hat das mit morgen zu tun?«, wollte ich wissen.

»Ich habe ihr versprochen, dass wir ihren Liebling auf seinem letzten Weg begleiten.« Evangeline kam mir verschlagener vor als üblich. »Und gleich danach können wir rübergehen zum Theater und noch ein wenig proben. In einer Woche ist Premiere.«

»Was heißt hier *wir?* Cecile kann oder will also nicht auftreten. Und was ist mit Matilda Jordan? Sie hat die andere Hauptrolle, und ich kann mir nicht vorstellen, dass sie in tiefe Trauer verfällt, weil Dame Ceciles Hund tot ist. Sie wird ihren Part spielen wollen.«

»Das ist ein Problem«, räumte Evangeline ein. »Daran müssen wir noch arbeiten.«

»Woran wir arbeiten werden«, entgegnete ich kühl, »ist Dame Ceciles Rückkehr auf die Bühne. Wir waren uns einig, dass es keine gute Strategie ist, wenn wir uns als zwei schrullige alte Schachteln präsentieren, weshalb wir ja einen neuen Autor verpflichtet haben, damit er uns ein Musical auf den Leib schreibt. Und angenommen wir treten in *Arsen und Spitzenhäubchen* auf, und es wird zu einem Erfolg – dann kommen wir da vielleicht nicht so schnell wieder raus, und am Ende verlieren wir das neue Stück *und* das Theater, mit dem Nigel für uns verhandelt. Außerdem möchte ich nicht mal darüber nachdenken, wie Matilda Jordan reagieren würde, wenn sie gefeuert würde.«

»Mit uns in den Hauptrollen würde es ganz sicher ein Erfolg werden.« Evangeline geriet unüberhörbar ins Wanken. »Aber ich bin mir sicher, Nigel könnte seinen Onkel überreden, dass er uns für eine gewisse Zeit ein Vorrecht auf das Theater garantiert. Er ist ein so lieber und hilfsbereiter Junge – und er wird so oft verkannt.«

»Hmmm …« Meiner Meinung nach verstanden die Menschen Nigel nur zu gut. Deshalb hatte er auch die meisten seiner Kunden verloren, für die er als Finanzberater tätig war. Sagen wir es mal so: Solange man nicht in Geldangelegenheiten mit ihm zu tun hatte, war er ein ganz angenehmer Kerl, und sein Onkel besaß offensichtlich ein Juwel von einem Theater, dessen Existenz er uns jahrzehntelang verschwiegen hatte, das er uns aber eventuell überlassen würde. Doch das war noch Zukunftsmusik, im Augenblick plagten uns andere Probleme.

»Also gut«, sagte ich. »Wir fahren nach Brighton und helfen Dame Cecile, die schwersten Stunden ihres Lebens zu überstehen – aber wir werden sie überreden, wieder auf die Bühne zurückzukehren. Auf keinen Fall legen wir uns vertraglich auf *Arsen und Spitzenhäubchen* fest. Wir haben Besseres zu tun!«

* * *

»›Letzte Klappe‹«, verkündete Dame Cecile. »Da wären wir.« Sie gab einen unterdrückten Schluchzer von sich.

Eddie hielt vor einem düsteren Ladenlokal am Ende einer Sackgasse. Durch die verschmutzte Schaufensterscheibe waren zahlreiche Wild- und Haustiere zu sehen, die für alle Ewigkeit in mutmaßlich lebensechten Posen erstarrt waren.

»Ich kann nicht weiterleben«, stöhnte Dame Cecile und sank auf ihrem Sitz in sich zusammen. »Nicht ohne meinen Liebling Fleur.«

Ich musste mich zwingen, sie nicht auf der Stelle mit einem Tritt aus dem Taxi zu befördern. Was im Übrigen auch nicht so leicht ist, wenn man sitzt.

»Seien Sie tapfer, Cecile.« Evangeline zeigte sich der Lage gewachsen. »Fleur hätte gewollt, dass Sie tapfer sind.«

»O ja, ja, Sie haben ja so recht.« Dame Cecile tupfte ein paar Tränen weg und beugte sich mühsam nach vorn. »Sie war so ein lieber und reizender Schatz. So muss ich sie immer in Erinnerung behalten.«

»Ganz genau«, pflichtete Evangeline ihr bei und fügte dann – wie ich fand, ein wenig taktlos – noch an: »Außerdem werden Sie sie bald wiederhaben, wenn auch nicht ganz im alten Zustand.«

Während Dame Cecile herzerweichend schluchzte, öffnete Eddie die Tür und nahm den Tragekorb vom Klappsitz, der prompt hochschnellte.

»Passen Sie doch auf!«, herrschte Dame Cecile ihn an.

»Warum?«, wunderte sich Evangeline. »Der Hund merkt doch ni… autsch!« Der Stoß, den ich ihr mit dem Ellbogen verpasste, erinnerte sie daran, dass man ihr zur Not immer noch wehtun konnte. Hastig und kein bisschen würdevoll kletterte sie aus dem Taxi.

»Sieht geschlossen aus.« Eddie spähte durch das Schaufenster in das menschenleere Geschäft.

»Das kann nicht sein! Man erwartet mich!« Dame Cecile stürmte an ihm vorbei und rüttelte am Türgriff. Die Tür ging auf, und wir betraten einen Ort der Düsternis und der Stille.

»Wollen Sie das wirklich durchziehen?« Eddie schaute sich unbehaglich um, was ich ihm nicht verdenken konnte.

Wir waren von toten Tieren umgeben, die uns aus dunklen Ecken mit ihren Glasaugen anstarrten. Vögel saßen unter Glasstürzen auf Felsbrocken, ein Fuchs lauerte im Schatten hinter einem Tisch, darauf gab es eine nach Größen geordnete Mäuseparade zu sehen, ergänzt durch eine große weiße Ratte. In einer beleuchteten Vitrine fand sich ein Diorama im viktorianischen Stil, das eine Gruppe junger Eichhörnchen bei einer Teeparty zeigte. Daneben hatte sich eine Kobra in Position gebracht, als wollte sie jeden Moment zum Angriff übergehen.

»Mein Gott!« Eddie schauderte. »Da krieg ich ja glatt 'ne Gänsehaut, wenn ich das sehe.«

»Ganz meine Meinung«, pflichtete ich ihm bei. All diese kleinen Geschöpfe, die einmal vor Leben gesprüht hatten und nun bis in alle Ewigkeit zur Schaukastendekoration erstarrt waren, machten mir Angst. Allerdings nicht nur die kleinen, sondern auch die großen: Unwillkürlich wunderte ich mich, wie ich das Pferd hatte übersehen können, das eine ganze Ecke des Raums einnahm. Genauso wie den großen Steinadler, der mit ausgebreiteten Schwingen an der Decke hing.

Eddie stellte den Tragekorb mit der dahingeschiedenen Fleur-de-Lys auf die Theke und schüttelte den Kopf.

»Wo ist Mr ›Letzte Klappe‹?« Ungeduldig schaute Dame Cecile sich um. »Er hat mir versprochen, sich persönlich um mich zu kümmern.«

Mir kam ein solches Versprechen aus dem Mund eines Präparators ehrlich gesagt mehr wie eine Drohung vor, aber Evangeline ließ sich weder davon noch von dem Ambiente beeindrucken.

»Bedienung!« Sie machte einen Schritt nach vorn und schlug mit der flachen Hand auf die altmodische Klingel auf dem Tresen. Ein schrilles *Ping* zerriss die Stille und würde hoffentlich die Aufmerksamkeit des Ladenbesitzers auf uns lenken. »Bedienung!«

Das Echo verhallte, die Staubpartikel schienen in der Luft stehen zu bleiben, und im Geschäft wurde es noch stiller als zuvor.

»Vielleicht hat er den Termin vergessen«, gab ich zu bedenken.

Es war ein Fehler, so etwas zu sagen. Sowohl Evangeline als auch Dame Cecile wandten sich mit einem Blick zu mir um, der mich eigentlich umgehend im Erdboden hätte versinken lassen müssen. Einen Termin mit einer *Grande Dame* des britischen Theaters wahrnehmen zu dürfen war eine solche Ehre! – wahrlich nichts, was ein gewöhnlicher Präparator vergessen konnte.

»Oder …« – ich weigerte mich beharrlich, im Erdboden zu versinken – »es ist etwas Wichtigeres dazwischengekommen.«

»Wichtiger als Fleur?« *Und wichtiger als ich?*, war der unausgesprochene Teil von Dame Ceciles Frage, der dennoch im Raum hing. »Das ist absurd! Er weiß, wie wichtig dieser Termin ist.« Und wie wichtig ich bin! »Am Telefon war er so unterwürfig, dass ich dachte, jeden Moment müsste das Schmalz aus dem Hörer tropfen. Er würde niemals …«

»Vielleicht hat er 'ne Notiz hinterlassen. ›Bin in fünf Minuten wieder da‹ oder so was«, warf Eddie ein. »Könnte doch sein, dass der Zettel von der Theke geweht wurde, als wir reinkamen. Warum sehen wir uns nicht mal um, ob wir so was finden können?«

»Gute Idee.« Gleich hinter der Ladentheke befand sich eine Tür, die halb geöffnet war. Ein kräftiger Windstoß konnte einen Zettel dort hingeweht haben.

Ich begab mich in diese Richtung, während Eddie auf eine Tür im hinteren Teil des Geschäfts zusteuerte. Dame Cecile legte ihren Mantel ab und drückte ihn Evangeline in die Hand, als sei die ihr Dienstmädchen. Evangeline sah sie nur ungläubig an und ließ das gute Stück dann zu Boden fallen.

Ich legte einen Schlenker ein, um den Umhang aufzuheben, bevor Dame Cecile etwas davon mitbekam – wir hatten für diesen Tag schon mehr als genug hysterische Anfälle miterlebt –, legte ihn über meinen Arm und ging weiter. Dame Cecile und Evangeline streiften derweil durch das Ladenlokal und spähten mal in diese, mal in jene staubige Ecke.

Die Tür hinter der Theke führte in ein sehr unordentliches Büro. Unterlagen quollen aus dem Aktenschrank und lagen auf dem Schreibtisch verteilt, der Papierkorb war so voll, dass ein Teil des Abfalls sich bereits auf dem Fußboden ringsum angesammelt hatte. Falls hier ein Zettel hineingeweht worden war, dann würde er wohl niemals wieder auftauchen. Ich konnte die Suche genauso gut aufgeben; aber das bedeutete nicht, dass ich gleich wieder nach nebenan zurückkehren musste. Die Stille in diesem Büro war nicht ganz so erdrückend, und es war ein Segen, ein paar garboeske Augenblicke ganz allein genießen zu können. Womöglich würde sich für den Rest des Tages keine weitere Gelegenheit dazu bieten.

Ich ging um den Schreibtisch herum und ließ mich in den bequemen Drehsessel sinken, während mein Blick durch das Büro schweifte. Hier herrschte zwar Chaos, aber es hatte etwas sonderbar Beruhigendes und Vertrautes an sich. Vielleicht lag es daran, dass die Büros von mindestens der Hälfte aller Agenten und Drehbuchautoren ganz genauso aussah.

Okay, vielleicht nicht *ganz* genauso, denn hier und da lagen Arbeitsgeräte dieses beunruhigenden, fremden Handwerks herum. Ich wandte den Blick ab, weil ich lieber nicht darüber nachdenken wollte, welchem Zwecke sie dienen mochten.

Ich wurde auf ein Aststück auf einem Tisch in der gegenüberliegenden Ecke aufmerksam. Daneben stand ein Käfig aus Drahtgeflecht, in dem irgendein totes Tier lag. Auf der anderen Seite stand schon ein Schaukasten bereit.

Neugierig stand ich auf und ging dort hin, obwohl mein Verstand mich warnte, weil ich es vielleicht bereuen würde, wenn ich mir das Fellknäuel zu genau ansah.

An dem Käfig war ein Schild befestigt worden, darauf stand geschrieben:

CHO-CHO-SAN
Japanese Bobtail

Auf Ast setzen, rechte Vorderpfote in die Höhe gestreckt, Kopf hoch erhoben und nach rechts gedreht, Schwanz halb zusammengerollt.

Lieferung an:

Den Rest der Karte hatte man abgerissen.

»Arme kleine Cho-Cho-San«, seufzte ich. »Du siehst so jung und hübsch aus. Was ist dir nur zugestoßen?«

Das Knäuel aus schildpattgemustertem und weißem Fell regte sich plötzlich und rollte sich auseinander, zwei schmale goldene Augen öffneten sich und musterten mich. Die Katze schnurrte mir eine freudige Begrüßung entgegen.

»Du lebst ja!«, stieß ich erschrocken hervor.

Sie blinzelte bestätigend und hustete einmal kurz und fast reumütig.

»Aber was hast du hier zu suchen?«

Was für eine dumme Frage. Die Anweisungen, was mit ihr geschehen sollte, hingen an ihrem Käfig.

»Aber warum das alles?«, wunderte ich mich. Vielleicht war sie todkrank, und ihr herzloser Besitzer hatte sie hergebracht, damit der Präparator sofort an die Arbeit gehen konnte, sobald sie … sobald sie … dafür bereit war.

Mit ihren leuchtenden Augen sah sie mich fragend und hoffnungsvoll an. Sie erweckte nicht den Eindruck, dass sie bereits in den letzten Zügen lag.

Vorsichtig schob ich meinen Zeigefinger durch das Drahtgeflecht, sofort kam die Katze nach vorn, um sich freudig an mir zu reiben. Ihre Bewegungen waren mühelos und fließend, ihre kleine Nase war kalt und feucht, das Fell glatt und glänzend, und die Augen nahmen aufmerksam die Umgebung auf.

»Du liegst nicht im Sterben. Du bist nicht mal krank!«

Sie schnurrte zustimmend, legte den Kopf schräg und schaute mich an. Dann hustete sie ein weiteres Mal.

Plötzlich roch ich, was diesen Hustenreiz verursachte. Ein seltsamer, beißender Geruch und … Rauch!

»Hier«, hörte ich Eddie aus einem anderen Zimmer rufen. »Hier liegt ein Toter!«

In einer Schublade des Aktenschranks flackerte etwas Rötliches auf, ein Knistern war zu hören, und plötzlich stieg dichter grauer Qualm auf, gefolgt von einem Funkenregen und einer Stichflamme. Im gleichen Moment bemerkte ich eine dunkle Rauchfahne aus dem hoffnungslos überfüllten Papierkorb aufsteigen.

»Feuer!«, schrie ich. »Feuer!« Instinktiv warf ich Dame Ceciles Mantel über Cho-Cho-Sans Käfig und nahm ihn an mich, um sofort in den Ausstellungsraum zurückzulaufen.

»Alle raus hier! Es brennt!«

Evangeline war vor uns allen an der Tür und besaß dann die Nerven, so zu tun, als würde sie sie für uns aufhalten.

»Und was ist mit dem Toten?« Eddie kam aus dem Hinterzimmer und erfasste mit einem Blick das flammende Inferno, das aus dem Büro auf das Geschäft übergriff. »Raus!«, brüllte er. »Sofort raus!«

»Fleur!«, jammerte Dame Cecile. »Meine arme kleine Fleur! Wir können sie nicht hier zurücklassen!«

»Schon gut!« Eddie fasste sie an den Schultern und schob sie durch die Tür. »Trixie hat Fleur.«

Durch den dichter werdenden Rauch bemerkte Dame Cecile ein großes, handliches Etwas, das ich in ihren Mantel eingehüllt nach draußen brachte, woraufhin sie das Geschäft bereitwillig verließ.

Wir zogen die Tür zu und mussten hilflos mitansehen, wie sich die Flammen weiter ausbreiteten.

»Die Feuerwehr!« Evangeline suchte in ihrer Handtasche nach dem Mobiltelefon.

»Nein, du nicht! Deine Stimme erkennen sie!« Eddie griff

nach dem Telefon. »Ihr seid zu bekannt. Was wir brauchen, ist ein guter alter anonymer Anruf, denn wenn das Feuer gelöscht ist und sie den Toten gefunden haben, werden sie Fragen stellen – auf die wir keine Antworten wissen.«

Das tosende Geräusch der Flammen und das Knistern des brennenden Holzes waren eine wirkungsvolle Untermalung für Eddies knappen Anruf bei der Feuerwehr. Fassungslos sahen wir mit an, mit welch ungeheurer Geschwindigkeit das Feuer um sich griff. Alles fiel rasend schnell den Flammen zum Opfer. Der beißende Geruch im Büro musste irgendeine Art von Brandbeschleuniger gewesen sein – und das Feuer war im Aktenschrank und im Papierkorb gleichzeitig ausgebrochen. Ich fragte mich, wie viele andere Stellen in diesem Geschäft auf ähnliche Weise präpariert worden waren.

»Okay.« Eddie klappte das Mobiltelefon zu und gab es Evangeline zurück. »Jetzt nichts wie weg hier.«

»Fleur! Meine kleine Fleur!« Dame Cecile zog an dem Mantel, während ich vergeblich zu verhindern versuchte, dass sie zu sehen bekam, was sich tatsächlich in dem Käfig befand. Ihrer Beharrlichkeit hatte ich nichts entgegenzusetzen, und im nächsten Moment rutschte der Mantel herunter.

Cho-Cho-San betrachtete mit Interesse die neue Umgebung, in der sie sich so plötzlich wiederfand.

»Fleur!«, kreischte Dame Cecile voller Entsetzen. »Das ist nicht Fleur! Mein Baby ist noch da drinnen und wird eingeäschert!« Sie machte einen Satz auf das brennende Geschäft zu.

»O mein Gott!« Eddie griff nach dem Mantel und warf ihn Dame Cecile über den Kopf, dann bugsierte er sie auf den Rücksitz seines Taxis. Evangeline und ich stiegen ein und setzten uns zu ihr, während Eddie um den Wagen lief, sich auf seinen Platz plumpsen und den Motor aufheulen ließ.

Wir rasten davon, während in einiger Entfernung bereits die Sirenen der Feuerwehr zu hören waren.

2

Irgendwann im Verlauf der Fahrt zu Dame Ceciles Wohnung schob sich eine kleine Pfote durch das Gittergeflecht des Käfigs und legte sich vertrauensvoll um meinen Zeigefinger. Mit dem Daumen streichelte ich über die Pfote, und mein Herz schmolz dahin. Wer hatte eine solche kleine Schönheit nur umbringen wollen?

Von der uns zugewandten Gestalt im schwarzen Mantel ging nur ein unheilvolles Schweigen aus. Dame Cecile saß uns gegenüber auf dem Rücksitz, Evangeline und ich dagegen kauerten auf den Klappsitzen.

»Cecile?« Sogar Evangeline verspürte ein gewisses Unbehagen. »Cecile … geht es Ihnen gut?«

Schweigen.

»Cecile … es blieb uns nichts anderes übrig. Das Feuer geriet so schnell außer Kontrolle, dass wir zuerst an uns denken mussten …«

Schweigen.

»Cecile …« Zwar rechnete ich mir keinerlei Chancen aus, aber ich fühlte mich verpflichtet, ebenfalls einen Versuch zu wagen. »Cecile, wir hätten für Fleur ohnehin nichts mehr tun können – aber Cho-Cho-San lebt …«

Ein erschütternder Schluchzer war ihre einzige Reaktion, und ich musste erkennen, wie viel lieber mir Ceciles Schweigen war.

»Verdammt, Cecile, jetzt reißen Sie sich endlich zusammen!« Evangelines ohnehin nicht sehr strapazierfähige Geduld war am Ende. »Nicht mal Sie können uns vorwerfen …«

In diesem Moment machte Eddie eine Vollbremsung, da aus einer Seitenstraße direkt vor uns ein weiterer Feuerwehrwagen geschossen kam und in Richtung des in Flammen stehenden Geschäfts fuhr.

Ich schrie vor Schreck auf und klammerte mich am Käfig fest, während ich auf meinem Sitz nach vorn rutschte. Cho-Cho-San gab ein Heulen von sich, das man durchaus als ladylike bezeichnen konnte, fuhr kurz die Krallen aus und zog sie gleich wieder zurück. Evangelines verärgertes Murren vermischte sich mit Eddies saftigen Flüchen.

Nur Cecile schwieg beharrlich weiter, obwohl auch sie durch das Bremsmanöver beinahe von ihrem Platz gerutscht wäre.

Evangeline und ich setzten uns wieder richtig hin und sahen uns kurz an. Zu diesem Zeitpunkt war es vermutlich zu spät, um noch nach den Sicherheitsgurten zu greifen, selbst wenn sie nicht für einen sitzenden, sondern für einen liegenden Fahrgast entworfen gewesen wären. Außerdem hatte der Feuerwehrwagen uns längst passiert, und mit etwas Glück würde uns nicht noch einer die Vorfahrt nehmen, immerhin entfernten wir uns zügig von dem Brand.

Schweigen. Ich konnte sie nicht mal atmen hören, sondern nur davon ausgehen, dass sie trotzdem atmete.

Ich sah zu Evangeline, die mit den Schultern zuckte, die Augen himmelwärts verdrehte und deutlich machte, dass *sie* mit der ganzen Sache nichts mehr zu tun hatte.

Na ja, sie kannte Dame Cecile auch besser als ich. Also schnaufte ich einmal tief durch und sagte mir, dass der Mantel immer noch locker genug saß, um ihr nicht die Luft abzuschnüren.

Jedenfalls hoffte ich das.

»Da wären wir.« Eddie hielt vor einem Stadthaus aus der Regency-Ära und stellte den Motor ab. »Endlich daheim, wie?«

Schweigen. Tiefes Schweigen.

»Will jemand aussteigen?« Um Eddies Nerven war es nun auch nicht mehr so gut bestellt. Wir konnten uns die Hand reichen.

»Ja, ich!« Evangeline öffnete die Tür auf ihrer Seite und war mit einem Satz draußen. Ich machte meine Tür auf und verließ das Taxi nicht ganz so schnell, da ich Cho-Cho-Sans Käfig mitnahm.

Noch immer herrschte Schweigen, und noch immer kam keinerlei Reaktion von der reglosen, in Schwarz gehüllten Gestalt auf dem Rücksitz.

»O mein Gott!«, stöhnte Eddie. »Muss ich sie raustragen?«

»Tu, was du für richtig hältst«, rief Evangeline, die den Bürgersteig bereits zur Hälfte überquert hatte und keinen Zweifel daran ließ, dass sie sich zu mehr nicht verpflichtet fühlte.

Ich folgte ihr und warf Eddie einen entschuldigenden Blick zu, aber wenigstens konnte er sehen, dass ich keine Hand frei hatte.

Cho-Cho-San saß geduckt in ihrem Käfig, die Augen weit aufgerissen und von einem ängstlichen Ausdruck erfüllt, während sie mich flehend ansah. »Schon gut, mein Schatz«, redete ich beschwichtigend auf sie ein. »So etwas wie diesen schrecklichen Ort wirst du niemals wieder zu Gesicht bekommen. Du bist jetzt in Sicherheit.«

Hinter uns hörte ich Eddie mit tiefer, monotoner Stimme fluchen, immer wieder unterbrochen von dumpfen Schlägen.

Ich zwang mich dazu, mich nicht umzudrehen. Ich wollte es nicht wissen, erst recht nicht, als ich dann auch noch einen hysterischen Aufschrei hörte.

Evangeline hatte mit der Situation keine Probleme, denn ich sah, wie sie sich umdrehte und genüsslich zu grinsen begann.

Ich würde nicht hinsehen … nein, das würde ich nicht tun … ich würde …

Eddie kämpfte sich unerbittlich Schritt um Schritt vorwärts; in seinen Armen trug er ein sich windendes, schwarzes Bündel. Offenbar hielt er Dame Cecile kopfüber, da zwei wild strampelnde Beine oben aus dem Bündel herausragten. Das beharrliche Schweigen hatte ein Ende, stattdessen hörte man sie nun entrüstet nach Luft schnappen, kreischen und erstickte Flüche ausstoßen.

»Macht die Tür auf«, keuchte Eddie, der die Stufen zur Haustür hinaufwankte. »Um Gottes willen, macht bloß die Tür auf, damit wir sie nach drinnen schaffen können, bevor die Nachbarn die Polizei rufen.«

»Hat sie den Schlüssel dabei?«, fragte Evangeline. »Dreh sie um, damit … ach was, schüttel sie einfach, dann werden wir sehen, ob ihr etwas aus der Tasche fällt.«

Ich streckte die Hand aus, griff nach dem Türknauf, drehte ihn um und … die Tür ging auf.

»Sie hat nicht abgeschlossen«, verkündete ich überflüssigerweise.

»Ein Glück!« Eddie wankte vor uns her ins Haus, steuerte zielstrebig auf den Salon zu und lud seine Fracht auf dem roten Plüschsofa ab.

Sofort wurde die Gestalt wieder schlaff und stumm. Vielleicht hing das auch mit dem unangenehmen dumpfen Geräusch zusammen, das ich hörte, als Dame Cecile beim Abladen die hölzerne Armlehne berührte.

»So! Ich habe meinen Teil erledigt.« Eddie sah uns vorwurfsvoll an. »Jetzt seid ihr an der Reihe.«

Ich steuerte mit dem Käfig auf den großen, bequemen Sessel zu, sank hinein und nestelte dann an dem Haken herum, bis ich die Käfigtür endlich öffnen konnte.

Cho-Cho-San stürmte augenblicklich in die Freiheit hinaus und ließ sich von mir auf den Arm nehmen. Sie klammerte sich an mich, zitterte am ganzen Leib und tat mit leisem Miauen ihren Kummer kund.

»Schhhht … schhhht … es ist alles in Ordnung.« Ich drückte sie an mich. »Du musst nie wieder in diesen grässlichen Kasten zurück.«

Dabei fiel mir etwas ein, und ich sah zu dem dunklen Etwas auf der Couch. »Sollten wir sie nicht auspacken?«

»Wenn es sein muss«, meinte Evangeline mit einem Seufzer. Sie hatte sich im Sessel mir gegenüber niedergelassen und betrachtete ihre Fingernägel. »Aber auf deine Verantwortung.«

»Wir können sie doch nicht so liegen lassen«, wandte ich ein. »Warum denn nicht?«

»O mein Gott!« Eddie stand gegen den Kaminsims gelehnt da und wischte sich die Stirn ab. »Wer wird es denn nun übernehmen?«

Schweigen.

Na, na, na, nicht so viele Freiwillige auf einmal.

Wer würde sich der Gefahr stellen? Cho-Cho-San hatte sich mittlerweile an mich geschmiegt und schnurrte leise. Ich würde sie ganz sicher nicht runternehmen, wo sie es sich eben erst bei mir gemütlich gemacht hatte. Stattdessen drückte ich sie noch etwas fester an mich und ließ mich im gleichen Maß von ihr trösten, wie ich sie tröstete.

»Sie bewegt sich kein bisschen«, sagte Eddie verunsichert. »Meint ihr, sie hat sich vielleicht den Kopf angeschlagen, als ich sie aufs Sofa gelegt hab?«

»Solange sie sich nur den Kopf angeschlagen hat«, meinte Evangeline, »kann nichts passiert sein.«

Unter dem Mantel zuckte etwas unheilverkündend.

»Da«, rief Eddie. »Ich glaube, sie wacht auf.«

»Was meint ihr« – Evangeline stand auf und schaute sich nachdenklich um –, »wo hier der Brandy versteckt ist?«

»Gute Idee«, erwiderte Eddie. »Das sollte helfen …« Er ließ seinen Satz unvollendet, als er sah, wie Evangeline die Flasche fand, ein Glas großzügig füllte – und es dann selbst austrank.

Das schwarze Bündel begann auf einmal wild um sich zu schlagen. Dame Cecile kannte Evangeline länger als jeder andere von uns. Sie wusste offenbar ganz genau, was in diesem Moment passierte.

»Hier …« Da Eddie offenbar fand, sich schon viel zu sehr auf die ganze Sache eingelassen zu haben, gab ich es auf. Ich erhob mich, übergab ihm Cho-Cho-San und machte mich daran, Dame Cecile zu befreien.

Leicht war das nicht. Durch ihr anhaltendes Gezappel hatte sich der Stoff eng um ihren Körper gewickelt, außerdem setzte ich mich der Gefahr aus, mir ein blaues Auge einzuhandeln, wenn ich ihren unablässig fuchtelnden Armen zu nah kam. Also zog ich vorsichtig an einem locker sitzenden Stück des Mantels, trat aber sofort ein paar Schritte zurück, als eine geballte Faust an genau der Stelle hervorgeschossen kam und mich nur knapp verfehlte.

Evangeline hatte mich mit kritischem Blick beobachtet. Jetzt trank sie ihr Glas aus, stellte es auf den Wohnzimmertisch und schritt zur Tat.

»So wird das nie was«, erklärte sie mir. »Du musst das so machen wie bei einem von diesen alten Pflastern. Einmal kräftig ziehen und …«

Mit diesen Worten fasste sie ein loses Ende des Mantels und zog mit aller Macht daran, sodass Dame Cecile herumgewirbelt wurde und schließlich auf dem Boden landete.

Meine Güte, was waren das für Flüche! Der arme Eddie zuckte zusammen – obwohl er selbst ganz gut austeilen konnte, ertrug er es nicht, sich so etwas anzuhören, schon gar nicht aus dem Mund einer Frau. Wäre da nicht Cho-Cho-San gewesen, die sich an ihn schmiegte, hätte er sich zweifellos die Ohren zugehalten. Und hätte er genug Hände gehabt, wäre er sicher auf die Idee gekommen, auch der Katze die Ohren zuzuhalten. Die war nämlich noch viel zu jung und unschuldig, um sich so etwas anzuhören.

»So geht das!« Zufrieden sah Evangeline Dame Cecile an. »Auf mit Ihnen, Cecile, werden Sie Ihrer Gastgeberinnenrolle gerecht. Falls Sie es noch nicht bemerkt haben: es sind Gäste im Haus. Bieten Sie uns etwas zu trinken an.«

»Das werde ich Ihnen niemals vergeben«, stieß Dame Cecile heiser hervor. »Niemals!«

Eddie war der Einzige, der darauf eine betroffene Miene machte. Ich nahm ihm Cho-Cho-San ab und setzte mich wieder hin.

»Kümmern Sie sich erst mal um Ihr Haar, Cecile«, sagte Evangeline ungerührt. »Im Moment könnten Sie mit Ihrem

Aussehen auf der Stelle als *Die Irre von Chaillot* auf die Bühne gehen.«

»Niemals werde ich Ihnen vergeben! Haben Sie verstanden? Niemals!« Dame Cecile mühte sich damit ab, aufzustehen und warf Evangeline einen zornigen Blick zu. »Und Sie können sich auch Ihre Idee abschminken, mich in *Arsen und Spitzenhäubchen* zu ersetzen. Ich werde die Rolle höchstpersönlich weiter spielen!«

Dafür dankte ich dem Himmel und stieß einen erleichterten Seufzer aus. Auch wenn ich das Gefühl hatte, Evangeline annähernd davon überzeugt zu haben, ihr diese Rolle nicht abzuluchsen, war es gut, zu wissen, dass der Part gar nicht länger zur Verfügung stand.

»Ich nehme einen Brandy«, wechselte Evangeline das Thema. »Trixie? Eddie? Cecile wartet.«

»Brandy ist okay.« Schlagartig wurde mir bewusst, dass ich wirklich eine Stärkung gebrauchen konnte.

Eddie stimmte mit einem schwachen Nicken zu. Das Adrenalin war aufgebraucht, und so langsam begannen wir zu begreifen, was wir da eigentlich erlebt hatten. Ich wusste nicht, ob sich Eddie genauso erschlagen fühlte wie ich, aber sein Gesicht war bleich, und hin und wieder durchlief ihn ein Zittern.

Ich lehnte mich zurück und schloss die Augen, aber sofort sah ich im Geiste Flammen emporlodern und riss die Augen wieder auf. Cho-Cho-San sah mich bedeutungsvoll an und begann, ihre mit Asche gesprenkelte Brust zu putzen.

Sie hatte vollkommen recht. Sie sah schrecklich aus – so wie wir alle. Ruß hatte sich auf unseren Gesichtern und in unserer Kleidung festgesetzt. Ich beobachtete, wie eine große Aschenflocke sich von Evangelines Ärmel löste und auf dem weißen Teppich landete. Sie selbst sah mit ihrer verschmierten Stirn aus, als hätte sie einen zweiten Satz Augenbrauen. Eddie hatte rings um die Ohren ähnliche Flecken, die bei flüchtiger Betrachtung an einen Backenbart erinnerten. Ich wollte gar nicht erst darüber nachdenken, wie mein Gesicht aussehen mochte. Es wurde Zeit, dass ich mich im Spiegel betrachtete – am besten in einem Spiegel über einem Waschbecken.

Nicht einmal Dame Cecile war verschont geblieben. Ihr Mantel hatte, nachdem Eddie ihn über sie geworfen hatte, eine Menge Schmutz abbekommen. Für mich stand fest, dass ich lieber nicht in ihrer Nähe sein wollte, wenn sie die zahllosen winzigen Brandlöcher in ihrem seidenen Kleid entdeckte.

»Ich glaube, ich sollte mich ein wenig frisch machen.« Ich setzte Cho-Cho-San auf den Boden und stand vorsichtig auf, damit ich mit meinen rußgeschwärzten Händen nicht die Sessellehnen schmutzig machte. »Das könnte übrigens keinem von euch schaden.«

»Mein Gott, du hast recht. Sobald ich ausgetrunken habe, werd ich mich auch daranmachen.« Eddie sprach für uns alle, während wir uns mit den Getränken versorgten, die Cecile schmollend verteilte.

»O Gott!« Eddie kippte seinen Drink mit einem Schluck zur Hälfte runter und schüttelte sich. »Das war verdammt knapp.«

»Eingeäschert!«, begann Dame Cecile so plötzlich zu jammern, dass ich beinahe mein Glas fallen ließ. »Meine kleine Fleur … eingeäschert!«

»Eddie zufolge erging es nicht nur ihr so«, sagte ich. »Im Hinterzimmer lag ein Mann. Ein toter Mann.«

»O mein Gott!« Sofort schüttete Eddie auch noch den Rest in sich hinein und wankte zu den Spirituosen, um sich noch ein Glas einzuschenken. »Kannst du das nicht einfach vergessen?«

»Ich darf doch annehmen, du weißt mit Sicherheit, dass er tot war, oder?« Man konnte sich darauf verlassen, dass Evangeline stets etwas Erbauliches zu einer Unterhaltung beitrug.

»O mein Gott!« Eddie wirbelte zu ihr herum. »Fang nicht damit an! Es reicht jetzt! Geht und wascht euch die Gesichter, ich fahre euch zurück nach London.«

»Klingt gut.« Ich war mehr als bereit, diesen Ort hier hinter mir zu lassen.

»Sie können jetzt doch nicht gehen!«, rief Dame Cecile in

erbärmlichem Tonfall. »Sie können mich nicht allein lassen, wo ich vor Trauer unter Schock stehe und in einer Woche auf die Bühne zurückkehren soll.«

»Ausnahmsweise hat sie damit sogar recht«, meinte Evangeline. »Wir können sie nicht allein hier zurücklassen. Sie braucht moralischen Rückhalt.«

»Also wenn sie von euch irgendwas Moralisches erwartet, dann ist sie aber wirklich arm dran«, murmelte Eddie.

»Wie war das?«, fauchte Evangeline ihn an.

»Nichts. Vergiss, dass ich was gesagt habe.« Eddie wusste, wann er verloren hatte. Stattdessen schenkte er sich noch einmal nach und prostete uns zu. »Cheers.«

»Ich habe meinen Text vergessen«, kreischte Dame Cecile. »Ich kann mich an kein einziges Wort erinnern.«

»Das konnten Sie doch noch nie«, konterte Evangeline. »Trinken Sie noch ein Glas. Bis zur Premiere wird wieder alles in Ordnung sein.«

»Das wird nicht der Fall sein! Das ist die größte Lüge im Showbusiness!« Dame Cecile war nur noch ein hysterisches Häufchen Elend. »Meine Frisur! Mein Gesicht! Mein Text! Meine Fleur – meine arme, liebste Fleur. Sie war mein Glücksbringer, mein Maskottchen, meine Freundin! Ohne sie kann ich nicht weitermachen!«

»Also wir werden nicht einspringen.« Allmählich wurde ich sauer. Wenn sie uns schon eine Abfuhr erteilte, dann war es doch wohl das Mindeste, nicht gleich wieder ihre Meinung zu ändern. Wenn sie uns niemals vergeben wollte, warum sagte sie dann, wir sollten noch bei ihr bleiben?

»Egal was wir machen oder nicht machen«, sagte Evangeline, »schlage ich vor, dass wir erst mal zu Mittag essen. Es war ein aufregender Morgen, und ich für meinen Teil bin völlig ausgehungert.«

Mittagessen? Ungläubig sah ich auf meine Armbanduhr und musste feststellen, dass sie recht hatte. Obwohl es mir so vorkam, als dauere der Tag bereits eine halbe Ewigkeit, war es in Wahrheit erst halb zwei. Und wenn ich so darüber nachdachte, musste ich sagen, dass ich inzwischen auch ziemlich hungrig war.

»O Mann, ich könnte ein ganzes Pferd verspeisen«, stimmte Eddie mit Nachdruck zu.

»Nein, ich habe keinen Appetit«, ließ Dame Cecile uns wissen. »Ich werde keinen Bissen runterbekommen. Nicht wenn ...«

»Sie müssen essen, um bei Kräften zu bleiben«, erklärte Evangeline in einem ebenso pathetischen Tonfall wie Dame Cecile. »Sie stehen dem Publikum gegenüber in der Pflicht.«

»Ja ...« Sie ließ es tatsächlich zu, überredet zu werden. »Vermutlich haben Sie recht.«

»Dann wären wir uns ja einig«, warf Eddie ein. »Hier oder draußen?«

»Was?« Dame Cecile verstand nicht, was er damit sagen wollte.

»Essen wir hier, oder gehen wir irgendwohin?«, präzisierte er. »Ich meine, gibt es hier eine Küche?«

»Woher soll ich das wissen?«, antwortete Dame Cecile mit einer Gegenfrage und schaute ihn verärgert an. »Das hier ist Matilda Jordans Haus, ich bin nur zu Gast, während wir proben und solange anschließend das Stück läuft. Das ist wesentlich bequemer, als jeden Abend nach London zurückzufahren.«

›Solange anschließend das Stück läuft‹ klang nur dann beeindruckend, wenn man nicht wusste, dass das Royal Empire ein Theater für Stücke war, die nur kurze Zeit auf dem Spielplan standen, weil bereits etwas anderes auf sie wartete: entweder das Londoner West End oder eine Tour durch die Provinz.

»Komm mit, Trixie«, forderte mich Evangeline auf, die bereits den halben Weg zur Haustür zurückgelegt hatte, wobei ihr Dame Cecile dicht auf den Fersen war. Automatisch ging ich los, doch dann zögerte ich, weil ich ein leises, ängstliches Miauen aus Richtung meiner Füße hörte. Ich sah nach unten und schaute in zwei vorwurfsvoll dreinblickende Augen. Die Katze hatte ich völlig vergessen.

»Nimm sie mit«, schlug Eddie vor. »Sie kann im Taxi bleiben, während wir essen, und danach geben wir ihr die Reste.«

Ein leises Schaudern schien den zierlichen Körper zu erfassen, und Cho-Cho-San blickte mich flehend an.

»Ich glaube, sie ist für heute genug herumgekommen«, gab ich zurück. Wer wusste schon, wo sie gewesen war und was sie Schreckliches ausstehen hatte müssen, bevor man sie zum Präparator brachte. »Sie ist verängstigt, und wenn wir sie aus dem Haus lassen, läuft sie womöglich weg.«

»Das wäre ja auch ein Jammer«, murmelte Evangeline.

»Ich bleibe bei ihr, bis ihr zurück seid«, erklärte ich entschieden. »Vielleicht finde ich ja die Küche. Vorausgesetzt, es stört Matilda Jordan nicht.«

»Bedienen Sie sich ruhig«, entgegnete Dame Cecile. »Matilda wird das wahrscheinlich gar nicht bemerken. Im Moment hat sie ganz andere Sorgen als die paar Happen, die ihr jemand wegessen könnte.«

»Ach ja?« Plötzlich war Evangeline ganz Ohr, völlig versessen auf den neuesten Klatsch – vorzugsweise etwas Skandalöses. »Gibt es etwas, das wir wissen sollten?«

»Familie und Theater.« Dame Cecile seufzte vernehmbar. »Wir haben Probleme mit unserem Teddy Roosevelt. Er ist ein hoffnungsloser Fall. Immer wieder ruft er ›Auf geht's‹, als würden die nächsten Worte ›aber ohne mich‹ lauten.«

»Ist es zu spät, um ihn auszutauschen?« Das war ein Problem, das Evangeline tatsächlich aus tiefstem Herzen nachvollziehen konnte. »Oder gibt es einen wasserdichten Vertrag?«

»Schlimmer. Es ist der Ehemann der Regisseurin.«

»Mein Gott! Dann steckt ihr aber in Schwierigkeiten.« Sogar Eddie erfasste den Ernst der Lage.

»Wer führt denn Regie?«, fragte Evangeline.

»Frella Boynton.«

»Oh! Hat sie nicht …? Ist *er* nicht derjenige?«

»Ganz genau. Damit ist Ihnen klar, dass sie unmöglich …«

»Aber auf gar keinen Fall.«

Mit ernstem Nicken bestätigten sie sich gegenseitig. Sie wussten, wovon sie sprachen, aber kein Außenstehender konnte verstehen, um was es ging.

Es macht mich jedes Mal wahnsinnig, wenn Evangeline mit einer ihrer alten Bekannten so zu reden beginnt, dass ich ahnungslos danebenstehe. Man bekommt nur heraus, über was sie reden, wenn man völlige Gleichgültigkeit vortäuscht. Ich bückte mich, hob Cho-Cho-San hoch und begann sie zu ihrem großen Vergnügen zu kraulen.

»Gut«, meinte Eddie. »Erst das Essen, danach alles andere.« Er hielt den beiden die Tür auf, folgte ihnen, und wenige Augenblicke später hörte ich, wie der Motor des Taxis angelassen wurde.

»Na, sollen wir uns hier umsehen?« Ich trug Cho-Cho-San in den rückwärtigen Teil des Hauses, da sich dort üblicherweise die Küche befand.

Tatsächlich war sie genau da, wo sie auch sein sollte. Ein großer, freundlicher Raum mit einer Tür zu einer kleinen Veranda, die mit grünweißen Gartenmöbeln vollgestellt war. Am Ende der Veranda gelangte man über ein paar Stufen auf einen von Blumenbeeten gesäumten Rasen. Alles war sehr schön anzusehen, vor allem mit dem blauen Himmel und der strahlenden Sonne. Vielleicht würde ich mich auf der Terrasse an den Tisch mit dem großen Schirm setzen, sobald ich etwas Essbares entdeckt hatte.

Die Küche selbst war recht altmodisch eingerichtet, aber daran war nichts auszusetzen. Ehrlich gesagt war es mir sogar lieber. Nach dem High-Tech-Monstrum, das unsere Wohnung in den Docklands beherrschte, war es ein echtes Vergnügen, in einer Küche zu stehen, bei der ich wusste, dass ich nicht durch einen falschen Tastendruck ins All geschleudert werden würde.

Auf der Fensterbank über der Spüle standen sogar Blumentöpfe mit verschiedenen Kräutern. Ich erkannte Schnittlauch, Basilikum, Petersilie, Dill und Koriander – und sie alle sahen ziemlich kläglich aus.

»Ihr Ärmsten.« Ich goss sie schnell, und es dauerte nicht lange, da begannen sie sich sichtlich zu erholen. Vom Basilikum wehte mir wie zum Dank eine aromatische Wolke entgegen.

Der Kühlschrank war nur mäßig bestückt, aber ich stieß auf ein paar Eier, Butter und ein hartes Stück Parmesan. Ich war fast so glücklich wie die schnurrende Cho-Cho-San, die auf einen Stuhl gesprungen war und die Vorderpfoten auf den Tisch gestellt hatte, um mich zu beaufsichtigen, während ich ein wenig Parmesan rieb und einige Blätter Basilikum abpflückte, um dem Rührei etwas Pfiff zu geben.

Wir beide waren so in diese Arbeit vertieft, dass wir sie nicht ins Haus kommen hörten. Plötzlich tauchte eine Gestalt in der Tür zur Küche auf, und eine unheilvolle Stimme wollte wissen: »Was machen Sie da mit Cho-Cho-San?«

3

Sie kennen sie?« Es war offensichtlich, dass ich eine dumme Frage gestellt hatte. Cho-Cho-San drehte den Kopf zur Seite und begrüßte die Frau mit einem freundlichen kurzen Schnurren.

»Was macht sie hier?« Die Frau kam zum Tisch und nahm die Katze auf den Arm, gleichzeitig schaute sie mich vorwurfsvoll an. »Was machen *Sie* hier? Wer sind Sie? Matildas neue Haushälterin?«

Na toll. So viel zum Thema Ruhm. Vielleicht war mein letzter Film doch schon länger her, als ich dachte. Oder Job war nicht jener tolle Agent, für den er sich ausgab.

»Wer sind Sie denn?«, gab ich zurück. Immerhin war klar, dass sie Cho-Cho-San bestens kennen musste, wenn sich das Tier ohne jeden Protest von ihr auf den Arm nehmen ließ. Als ich das sah, wollte ich ihr eigentlich gar nicht sagen, was ich mit der Katze zu tun hatte – und erst recht nicht, wo ich auf sie gestoßen war.

»Ich bin Soroya Zane.« Sie warf sich in eine dramatische Pose und wartete auf eine Reaktion, die aber nicht kam. Sie kannte mich nicht, ich kannte sie nicht. Damit waren wir quitt.

»Und Cho-Cho-San ist meine Katze«, fügte sie nicht ganz so dramatisch an.

Ich nickte betrübt. Damit war bereits zu rechnen gewesen.

Offenbar taugte ich in ihren Augen nicht viel, weshalb sie ihre Aufmerksamkeit auf den Tisch richtete, um die Zutaten für mein Mittagessen zu begutachten.

»Wenigstens etwas«, meinte sie zähneknirschend. »Ich schätze, zu viel kann man nicht erwarten, wenn Sie sich erst noch einarbeiten. Ich nehme dazu Toast und schwarzen Kaffee. Sie können es mir ins Esszimmer bringen.« Mit diesen Worten machte sie kehrt und stolzierte aus der Küche. Ich hatte noch immer keine Ahnung, wer sie war.

Und auch nicht, *was* sie war. Nach ihrer Aufmachung und dem unmöglichen Namen zu urteilen, konnte sie eine Wahrsagerin von einem der Stände auf dem Pier sein. Vorausgesetzt, auf dem Pier gab es immer noch Wahrsagerinnen.

Ich betrachtete meine Kleidung. Soroya sah nun wirklich nach einer überkandidelten Wahrsagerin aus, aber konnte man mich allen Ernstes mit einer Haushälterin verwechseln? Aus Rücksicht auf Dame Ceciles Trauer hatte ich ein langärmeliges schwarzes Kleid von der Art angezogen, das man schick oder dezent tragen konnte. Wie es schien, war meine Aufmachung wohl etwas zu dezent geraten.

Von ausgesprochen schlechter Laune erfasst, knallte ich eine Bratpfanne auf den Herd und gab ein Stück Butter hinein. Ich würde mir mein eigenes Mittagessen zubereiten, und Madame Soroya – oder wie auch immer sie sich nennen mochte – konnte im Esszimmer warten, bis sie schwarz wurde.

Allerdings war da noch Cho-Cho-San, die nach all den Strapazen ausgehungert sein musste. Immerhin hatte sie sich sichtlich auf eine Portion Rührei gefreut und voller Begeisterung am Parmesan geschnuppert. Wäre sie ein Hund gewesen, hätte sie zweifellos mit dem Schwanz gewedelt. Aber sie war eine Katze. Eine hungrige Katze. Soroyas Katze.

Schließlich fügte ich mich in mein Schicksal, toastete eine Scheibe Brot und häufte das Rührei darauf, ausgenommen von ein paar Stücken, die ich für Cho-Cho-San auf einen separaten Teller anrichtete. Im letzten Moment begann ich mich zu fragen, ob ich für sie nicht besser nur Ei, aber keine weiteren Zutaten genommen hätte.

»Was ist denn das?« Mit ihrer Gabel stach Soroya auf ein Stück von einem grünen Blatt ein, während Cho-Cho-San sich auf ihre Portion stürzte, ohne sich an dem Gewürz zu stören.

»Basilikum. Es wird Ihnen schmecken«, erklärte ich ihr.

»Und mein Kaffee?« Sie hatte bereits ein Stück Rührei in den Mund genommen und offenbar nichts daran auszusetzen, sodass sie sich etwas anderes suchte, worüber sie sich beklagen konnte.

»Schon unterwegs.« Und wenn sich deine Manieren nicht bessern, dann werde ich ihn dir über den Kopf schütten! Ich stolzierte zurück in die Küche, zerkleinerte noch mehr Basilikumblätter für mein eigenes Mittagessen und wartete darauf, dass das Wasser kochte. Ein Instant-Kaffee würde für diese Frau vollkommen genügen.

Bis der Wasserkessel zu pfeifen begann, hatte ich auch eine weitere Portion Parmesan abgerieben. Ich gab zwei Löffel Kaffeepulver in die Tasse, schüttete Wasser darüber und rührte einmal um, dann brachte ich den Kaffee ins Esszimmer.

Ich erwartete keinen Dank, und er wurde mir auch nicht zuteil. Bevor sie sich etwas anderes überlegen konnte, was ihr nun nicht passte, kehrte ich schnell in die Küche zurück. Dort angekommen, blieb ich wie erstarrt stehen.

Eine andere Frau stand am Küchentisch und betrachtete nachdenklich die Eier. Wo kamen nur all diese Leute her? Ich dachte, Dame Cecile sei der einzige Gast im Haus.

»Oh.« Die Frau bemerkte mich und wirkte einen Moment lang erschrocken, ehe sie sich wieder im Griff hatte. »Sind Sie etwa …? Ja, das ist als Mittagessen genau richtig. Sieht ziemlich gut aus.«

»Ja, nicht wahr?« Eine Stimme in meinem Kopf machte mir klar, dass ich mich abermals von meinem Essen verabschieden konnte. Vielleicht hätte ich die anderen doch ins Restaurant begleiten sollen.

Noch immer ein bisschen verwirrt, nickte die Frau und ging zur Tür, die ins Esszimmer führte. Eben wollte sie nach nebenan gehen, da machte sie plötzlich einen heftigen Satz nach hinten.

»Was macht die denn hier?« Sie stand mitten in der Küche und schaute mich vorwurfsvoll an.

Sie isst mein Mittagessen. Ich zuckte mit den Schultern. »Weiß ich nicht. Ich dachte, sie wohnt hier.«

»Nie im Leben!« Sie wich ein Stück vor mir zurück und warf mir einen entrüsteten Blick zu. »Ich weiß nicht, wie Sie auf diese Idee kommen können. Beim Einstellungsgespräch habe ich Ihnen klar zu verstehen gegeben, dass …« Plötzlich stutzte sie. »Sie sind ja gar nicht Mrs Temple! Wer sind Sie? Und was machen Sie hier?«

»Im Moment scheine ich die Aushilfsköchin zu sein.« Das Rührei war fertig, und ich ließ es aus der Pfanne auf den Teller gleiten. Dann ging ich zum Kühlschrank, um die letzten beiden Eier zu holen, und fragte mich, ob ich diesmal Glück haben würde.

»Gott, ich habe grässliche Kopfschmerzen!« Sie ließ sich behutsam auf einen Stuhl sinken und stocherte in ihrem Rührei herum. »Warum muss sie ausgerechnet jetzt wieder herkommen? Ich kann das nicht. Ich kann das einfach nicht!«

»Kater?«, fragte ich mitfühlend. Wenigstens hatte sie keine Scheibe Toast bestellt. Vielleicht ist sie ja auf Diät.

»Wenn es doch nur das wäre!« Sie ließ die Gabel fallen und vergrub das Gesicht in ihren Händen. »Es ist alles zu viel.«

Ungefragt stellte ich ihr eine Tasse Kaffee neben den Teller.

»Danke.« Sie trank den heißen Kaffee zur Hälfte aus, ehe sie die Tasse zurückstellte und mich ansah, als würde sie mich nun erst richtig wahrnehmen. »Jetzt weiß ich, wo ich Sie einsortieren muss. Sie sind Trixie Dolan.«

»Und Sie sind Matilda Jordan.« Ich hatte sie ebenfalls erkannt, und jeder noch verbliebene Zweifel wurde in dem Moment ausgeräumt, als sie den Mund aufmachte. Das war die warme, tiefe, cremige Stimme, die ein Publikum selbst dann in ihren Bann schlagen konnte, wenn sie einfach eine Seite aus dem örtlichen Telefonbuch vorlas.

»Dann stimmt es also! Sie übernehmen Ceciles Part. Oder«, korrigierte sie sich vorsichtig, »Evangeline Sinclair tut es.«

»Nur die Ruhe«, beschwichtigte ich sie. »Evangeline hat

ihren üblichen Zauber wirken lassen und Dame Cecile so in Rage gebracht, dass sie notfalls auch auf allen vieren auf die Bühne kriechen wird, nur damit Evangeline nicht für sie einspringt. Die Aufführungen werden wie geplant ablaufen.«

»Ah.« Sie schloss kurz die Augen, dann trank sie die Tasse aus. »Und wieso sind …«

Sie unterbrach ihren Satz, da Cho-Cho-San in die Küche geschlendert kam und hoffte, von mir noch Nachschlag zu bekommen.

»Wo kommt denn die Katze her? Und was hat sie hier zu suchen?«

»Soroya sagt, sie gehört ihr.«

»Das ist gelogen.«

»Wirklich?« Meine Miene hellte sich auf, denn das war die beste Neuigkeit des ganzen Tags.

»Na ja, vielleicht nicht ganz. Sie glaubt, dass sie ihr gehört. So wie sie glaubt, dass ihr auch alles andere gehört – oder dass es ihr gehören sollte. Sie ist eine Träumerin. Diese Katze gehört ihr so wenig wie Ihnen.«

Meine Laune sank gleich wieder. So hätte sie es nicht ausdrücken müssen. Cho-Cho-San strich mir um die Beine und machte mich darauf aufmerksam, dass sie noch hungrig war und gern noch etwas gehabt hätte – als könnte ich das vergessen.

Ich bückte mich und streichelte die Katze gedankenverloren. Mir stand nicht mehr der Sinn danach, den Kühlschrank nach weiteren brauchbaren Resten zu durchsuchen, wenn ich dabei von der Hausherrin beobachtet wurde.

»Hast du Hunger, mein Schatz?«, fragte ich und hoffte, dass mein Wink mit dem Zaunpfahl verstanden wurde. »Möchtest du auch dein Mittagessen?«

»Oh, machen Sie ihr doch eine Dose Fisch auf.« Matilda erkannte sofort, wenn das Stichwort für ihren Einsatz fiel. »Da stehen ein paar kleine Dosen im …«

»Sie können jetzt den Tisch abräumen!«, wies mich Soroya

hochtrabend an, die plötzlich in der Tür stand. Soroya, der alles gehörte, was ihr Auge erblickte. Bis sie Matilda bemerkte und sich nicht mehr ganz so sehr aufspielte. Dennoch wartete sie beharrlich darauf, dass ich ihren Befehl sofort in die Tat umsetzte.

»Sie ist nicht die Haushälterin, Soroya«, stellte Matilda klar und setzte eine verbissene Miene auf. »Sie ist eine Freundin von Cecile.«

»Tatsächlich?« Es war offensichtlich, dass ich durch die Erwähnung Ceciles in Soroyas Meinung keine Aufwertung erfuhr. »Und wieso steht sie dann in der Küche und kümmert sich um das Mittagessen?«

Das war eine berechtigte Frage, aber ich hatte einfach keine Lust, darauf zu antworten. Stattdessen sah ich zu Matilda, die jedoch die Augen schloss und sich auf eine tiefe, gleichmäßige Atmung zu konzentrieren schien.

»Also?« Soroya nahm eine Schwäche in meiner Abwehr wahr und fokussierte sofort ihre Energie darauf. »Was machen Sie hier? Und wie kommen Sie dazu, meine Katze zu streicheln und meine Tochter aufzuregen?«

Tochter? Soroya mochte zwar im mittleren Alter sein, aber sie musste immer noch mindestens fünfzehn Jahre jünger sein als Matilda. Vielleicht sogar zwanzig.

»Sie hat mich nicht aufgeregt.« Matilda schlug die Augen auf und betrachtete das restliche Rührei auf ihrem Teller.

»Aber natürlich hat sie das! Sieh dich doch an! Du bist leichenblass, und ich sehe, wie diese Ader an deiner Stirn pulsiert – du bekommst Kopfschmerzen. Wer immer diese Frau auch ist, sie regt dich auf.«

Ich konnte mir ein Dutzend Gründe vorstellen, wieso Matilda aufgeregt sein sollte, aber ich war keiner davon. Soroya dagegen …

»Soroya, das ist Trixie Dolan.« Matilda schien sich an ihre Manieren zu erinnern. »Trixie, das ist …« Sie zögerte, atmete noch einmal tief durch und überwand sich dann. »Das ist Soroya … Jordan. Meine Stiefmutter.«

Wieso überraschte mich das eigentlich? Über die Jahre hinweg hatte ich in Hollywood genug Geschichten von dieser Art mitbekommen. Dort war so etwas an der Tagesordnung. Solange sie noch irgendwie in der Lage waren, bis zum Standesbeamten zu kommen, heirateten manche Männer immer und immer wieder. Sie sammelten ihre Vorzeige-Ehefrauen so, wie sie Autos kauften, die sie alle paar Jahre gegen neuere Modelle eintauschten. Die Bräute wurden jedes Jahr ein bisschen jünger, bis der Mann an ihrer Seite ihr Vater oder – wie in manchen Fällen extremen Wohlstandes – ihr Großvater hätte sein können.

»Angenehm«, sagte ich, würde ihr aber nicht die Hand geben. Stattdessen nickte ich nur zurückhaltend, auch wenn ich es für unwahrscheinlich hielt, dass Soroya solche Feinheiten bemerkte und verstehen konnte.

»Ich dachte, du wärst außer Landes, Soroya«, sagte Matilda bedächtig. »Wann bist du zurückgekommen?«

»Vor ein paar Tagen.« Sie machte eine flüchtige Handbewegung. »Ich war geschäftlich in London, aber als ich sah, dass du hier in einem neuen Stück auftrittst, habe ich alles stehen und liegen lassen und bin sofort hergekommen. In einer solchen Zeit benötigst du die Unterstützung deiner Familie.«

»Und zufällig hattest du den Schlüssel für mein Haus dabei.« Das schien sie am meisten zu stören. »Also hast du dir gar nicht erst die Mühe gemacht, mich vorher anzurufen und mich wissen zu lassen, dass du herkommst.«

»Ich wollte dich damit nicht belasten, meine Liebe.« Oder ihr nicht die Chance geben, rechtzeitig die Schlösser auszutauschen, wenn ich nach Matildas Mienenspiel urteilte. »Du musst dich auf deine Texte konzentrieren, du sollst keine Zeit damit vertrödeln, mein Haus auf Vordermann zu bringen, bevor ich eintreffe.«

»Es ist *mein* Haus.«

»Oh, ich weiß, dein Vater hat dir immer gestattet, den Haushalt zu führen, und ich habe daran nichts geändert, nicht wahr? Ich weiß, du gibst gut auf das Haus acht.«

»Mein Vater hat mit diesem Haus nichts zu tun. Es gehört mir! Ich habe es von meinem eigenen Geld bezahlt, er hatte keinerlei Anrecht auf das Haus!«

»Ich bin mir sicher, du hast dir das über die Jahre hinweg einreden können.« Es gibt nichts Schlimmeres als Leute, die sich irren und dabei denjenigen nachsichtig anlächeln, der eigentlich im Recht ist. Matilda lief so dunkelrot an, dass ich fürchtete, Evangeline würde am Royal Empire ihren Part übernehmen müssen. Ich hoffte nur, Matilda würde nicht noch auf der nächsten Intensivstation landen.

»Du musst dir deswegen aber keine Gedanken machen«, redete Soroya auf sie ein, nachdem ihr Matildas Reaktion offenbar auch aufgefallen war. »Ich habe nicht vor, dich vor die Tür zu setzen. Ich bin mit dem, wie es ist, zufrieden. Du hast dich hervorragend um das Anwesen gekümmert, während ich meine Karriere in Indien vorangetrieben habe. Und ehrlich gesagt …« Soroya bückte sich und hob Cho-Cho-San hoch, dann ging sie zur Tür und warf uns ihren letzten Satz hin, als würde sie von der Bühne abtreten: »Ehrlich gesagt, es hat mich in stressigen Zeiten immer getröstet, dass du das Vermächtnis deines Vaters für mich hütest, bis ich mich hier zur Ruhe setze.«

Cho-Cho-San warf mir einen beunruhigten Blick zu, als sie aus der Küche getragen wurde. Wir hörten Schritte auf der nach oben führenden Treppe.

»Ich bringe sie um«, flüsterte Matilda. »Ich schwöre, eines Tages werde ich sie umbringen.«

4

Kein Geschworener hätte sie für schuldig erklärt. Jeder, der seine fünf Sinne beisammen hatte, würde ganz genauso empfinden. Eigentlich war es schade, dass sie es nur so dahinsagte, ohne es in die Tat umzusetzen.

»Das Vermächtnis meines Vaters!«, wiederholte die berühmte Stimme in einem Tonfall irgendwo zwischen Lachen und Schluchzen. »Sie ist das einzige Vermächtnis, das er mir hinterlassen hat. Ein richtiger Klotz am Bein, damit sichergestellt ist, dass ich ihn auch ja vermisse!« Sie schob den Teller zur Seite und vergrub den Kopf zwischen ihren verschränkten Armen, während sie weiter ein leises, halb hysterisches Glucksen von sich gab.

»Dass sie sagt, sie wird Sie nicht vor die Tür setzen«, versuchte ich sie aufzumuntern, »heißt doch nicht, dass es Ihnen unmöglich ist, *sie* rauszuwerfen.«

»Ach, nein?« Matilda hob den Kopf, sodass ich ihr tränenüberströmtes Gesicht sehen konnte. »Das war kein Versprechen, sondern eine Drohung. Sie benimmt sich nur so gut, weil Sie hier sind und alles hautnah mitbekommen. Das war eine Drohung. Wenn ich versuche, sie rauszuschmeißen, dann gibt sie eine Pressekonferenz und stellt mich vor aller Welt als die Böse hin. Das wäre für die Klatschspalten doch ein gefundenes Fressen, nicht wahr?«

Das wäre es ganz bestimmt. Mir lief ein Schauer über den Rücken. Man würde Matilda in der Luft zerreißen, alte Skandale wiederaufleben lassen – wieso war ich mir nur so sicher, dass Soroya und Matildas Vater darin eine wichtige Rolle spielen würden? – und sich auf ihre Kosten und vielleicht auch auf Kosten des Theaterstücks wichtig machen.

»Das Vermächtnis meines Vaters!«, wiederholte Matilda verbittert. »Sie war lediglich die letzten drei Jahres seines Lebens mit ihm verheiratet – mit diesem alten Dummkopf! Dabei kam sie ziemlich schnell dahinter, dass er gar nicht der tolle Fang war, für den sie ihn gehalten hatte. Ich weiß nicht, wie sie auf die Idee kommt, dass es da etwas zu erben gäbe.«

Viel konnte ich dazu nicht sagen, also gab ich ein paar Laute von mir, die von ihr hoffentlich als mitfühlend empfunden wurden. Insgeheim fragte ich mich, wann die anderen wohl zurückkommen würden. Vielleicht konnte ich ja einen dringenden Termin vorschieben.

»Allerdings«, fuhr Matilda widerstrebend fort, »nehme ich an, dass er ihr gesagt hat, es sei sein Haus. Er hat immer nur Lügen erzählt, warum sollte es in diesem Fall anders sein?«

Ich gab weitere verständnisvolle Geräusche von mir. Und da glauben die Leute, nur die Kinder von Hollywood-Stars hätten es schwer! Ich schätze, die Kinder von Schauspielern haben generell einige Probleme, aber ein paar von uns haben einen besseren Zugriff auf die Realität als andere.

»Na ja.« Matilda redete sich allmählich in eine bessere Laune. »Wenigstens ist sie nicht so oft hier. Durch ihre Arbeit ist sie die meiste Zeit außer Landes. Außerdem kann ich sie mir nicht im Ruhestand vorstellen, dafür liebt sie es viel zu sehr, im Mittelpunkt zu stehen. Natürlich könnte sie in Ungnade fallen oder durch eine andere Schauspielerin ersetzt werden, aber damit kann ich mich immer noch beschäftigen, wenn es so weit ist.«

»Schauspielerin?« Hatte ich da etwas nicht mitbekommen? Ich dachte, ich sei bestens informiert über alles und jeden in der Branche. »Ich kann nicht behaupten, dass sie mir bekannt vorkommt.« Eine Vermutung kam mir in den Sinn: »Ist sie vielleicht als Madame Arcati in *Fröhliche Geister* auf Tournee?«

»Viel besser.« Matilda sah wohl mittlerweile wieder einen Silberstreif am Horizont. »Sie ist ein großer Star in Bombay. In richtig großen Bollywood-Produktionen. Die Leute lieben sie, wenn auch aus dem falschen Grund. Sie beherrscht das Marktsegment für Memsahibs aus der Hölle.« Sie lachte glucksend. »Es ist wohl eine Typsache.«

Das passte. »Darin ist sie sicher gut«, sagte ich. »Ich stelle sie mir ähnlich vor wie Katisha, die rachsüchtige Hofdame in *Der Mikado*. Nur, dass sie einen Sari trägt.«

»Genau. Und das Schöne daran ist, es ist ihr selbst gar nicht bewusst. Sie glaubt, sie spiele eine mitfühlende Hauptfigur, die jungen Liebenden hilft, zueinanderzufinden. In Wahrheit terrorisiert sie die jungen Leuten und tut alles, um sie auseinanderzubringen.« Ein fast hysterisches Lachen kam über ihre Lippen.

»Hier, nehmen Sie noch einen Kaffee«, drängte ich. »Vielleicht mit einem Schuss Brandy?« Vorausgesetzt, Evangeline hatte noch welchen übrig gelassen.

»Danke, das hört sich ... Nein! Was rede ich denn da? Was tun Sie bloß? Sie sind doch bei mir zu Gast, da kann ich mich nicht von Ihnen bedienen lassen!«

»Das stört mich gar nicht«, ließ ich sie wissen. »Bleiben Sie einfach sitzen und genießen Sie die Ruhepause. Für mich hört es sich an, als hätten Sie in letzter Zeit einiges durchgemacht.«

»Es war die Hölle«, gestand sie mir. »Nach dem dem Tod des Hundes weigerte sich Cecile, sich auch nur in die Nähe des Theaters zu begeben. Ich musste mit der zweiten Besetzung proben, die ungefähr sechsundzwanzig ist und so viel Make-up auflegen muss, um so alt wie Cecile auszusehen, dass sie den Kopf kaum noch gerade halten kann. Alles geriet komplett durcheinander – als ob das mit Teddy nicht schon schlimm genug wäre. Und Cecile schloss sich die ganze Zeit mit dem toten Hund hier in ihrem Zimmer ein und heulte sich die Augen aus.«

»Das ist aber doch auch nachvollziehbar«, verteidigte ich Cecile, ehe ich mich versah. »Sie und Fleur haben gut zwanzig Jahre miteinander verbracht. So lange halten nur die wenigsten Ehen.«

»Auf Ceciles Ehe trifft das zumindest zu, genauso wie auf die Ehe meines Vaters. Es mag ja verständlich sein, aber es war auch sehr unprofessionell.« Matilda atmete tief durch und fügte bedauernd an: »Wäre mein Vater doch bloß ein paar Jahre später gestorben! Bis dahin hätte er sich längst von Soroya scheiden lassen, und mir bliebe dieser ganze Ärger erspart.«

»Hmmm ...«, machte ich, weil ich auf dieses Thema nicht näher eingehen wollte. Wenn ich an den Klatsch dachte, der über Mr Jordan im Umlauf gewesen war, dann hätte er sich zwar vielleicht von Soroya scheiden lassen, aber gleich danach eine eben erst volljährig gewordene Stripperin geheiratet.

Wo blieb nur Evangeline? Und Eddie? Und Dame Cecile? Ich sah mich verzweifelt im Zimmer um, ob mir nicht irgendetwas einen Anlass gab, das Thema zu wechseln. Wenn die Guten in einem Film in eine so missliche Lage gerieten, war das der Hinweis für die Kavallerie, am Horizont aufzutauchen und zu Hilfe zu eilen. Aber wo blieb die Kavallerie?

Plötzlich bemerkte ich auf dem Boden an der Küchentür eine Bewegung. Es war zwar nicht die erwünschte Verstärkung, aber eine andere willkommene Ablenkung.

»Cho-Cho-San!«, rief ich fröhlich. »Du bist ihr entwischt!«

»Was man von meinem Vater leider nicht sagen kann«, beklagte sich die nach wie vor trübselige Matilda.

»War Cho-Cho-San die Katze Ihres Vaters?« Mir fiel ein, dass sie Soroya eine Lügnerin genannt hatte.

»O nein«, antwortete sie mit einem verbitterten Lachen. »Ihn interessierten nur zweibeinige Kätzchen, für die vierbeinige Variante hatte er keine Zeit.«

»Sie erwähnten vorhin, es gäbe hier irgendwo Fischdosen.« Entschlossen lenkte ich die Unterhaltung zurück auf das Wesentliche.

»In dem Schrank da drüben ...« Matilda zeigte mit einer vagen Handbewegung die Richtung an. »Wir haben leider kein Katzenfutter im Haus, aber da finden Sie alle möglichen Sorten Fisch.«

›Alle möglichen Sorten‹ war ziemlich übertrieben, weil es nur eine Dose Thunfisch und zwei Dosen Lachs gab – eine davon war auch noch verbeult. Ich entschied mich für den Thunfisch.

»Ich teile mit dir«, sagte ich zu Cho-Cho-San, während mir erneut bewusst wurde, wie hungrig ich noch immer war. Ich hatte mich von dem Gedanken an Rührei verabschiedet, da ich allmählich ein ungutes Gefühl bekam. Wer würde wohl als Nächstes hier aufkreuzen, sobald ich die Eier in die Pfanne schlug?

Cho-Cho-San drückte sich in freudiger Erwartung gegen meine Knöchel, unterdessen kämpfte ich mit dem Ring am Deckel der Dose. In diesem Moment fiel mir ein, dass die letzte Scheibe Brot für Soroyas Toast draufgegangen war. Mein Blick fiel auf den Brotkasten unter dem Hängeschrank, aber da lag nur ein mehr als armselig aussehendes Vollkornbrot. Wenn ich allerdings die grünlich verfärbte Rinde abschnitt, war es vermutlich unbedenklich, etwas aus der Mitte des Laibs zu essen.

Ich widmete mich wieder dem Kühlschrank und musste erkennen, dass ich die restliche Butter für die zweite Portion Rührei aufgebraucht hatte. Das Glas Mayonnaise war leer, der Schmelzkäse stand in einer Lache aus trübem Wasser, die obere Hälfte ausgetrocknet und voller Risse, aus denen bläulicher Schimmel hervorquoll. Vom Chutney war nur ein dunkler, fester Klumpen am Glasboden übrig, und was dem fleckigen, klebrigen Etikett zufolge eine Art Relish sein sollte, sah schon so erschreckend aus, dass ich den Deckel erst gar nicht abschrauben wollte.

»Wie lange hatten Sie keine Haushälterin?«, fragte ich und verteilte ein wenig Öl aus der Thunfischdose auf einem trockenen Stück Brot.

»Oh … vielleicht zwei oder drei Wochen, vielleicht auch länger. Ich habe das Zeitgefühl dafür verloren. Wir waren so in unsere Proben vertieft, und anschließend sind wir immer irgendwo essen gegangen. Ich habe erst vor ein paar Tagen Zeit gehabt, ein Bewerbungsgespräch mit einer neuen Haushälterin zu führen. Wieso fragen Sie?«

»Ach, nur so.« Matilda war da ganz wie Evangeline: Solange noch ein Restaurant geöffnet war, scherte sie sich nicht um ihre eigene Küche.

»Da fällt mir ein …« Sie legte die Stirn in Falten. »Wo ist eigentlich Mrs Temple? Sie sollte heute Morgen hier anfangen.«

Die arme Matilda. Das Leben hielt wirklich ein Problem nach dem anderen für sie bereit. Die Premiere stand unmittelbar bevor, die unerwünschte Stiefmutter hatte sich bei ihr einquartiert, während die Haushälterin noch vor ihrem ersten Arbeitstag desertiert war – und es konnte kein großes Vergnügen sein, Dame Cecile um sich zu haben, seit die nach dem Ableben von Fleur-de-Lys die Tragödin gab.

Meine eigenen Probleme verblassten dagegen zur Bedeutungslosigkeit. Um ehrlich zu sein, so viele Probleme hatte ich im Moment gar nicht – toi, toi, toi.

Und wenn meine Tochter mich mit der Ankündigung überraschen sollte, mit der ich insgeheim rechnete, konnte es mir gar nicht besser gehen.

Cho-Cho-San hatte ihre Portion Thunfisch verputzt und strich mir wieder um die Beine, wobei sie fast lyrisch schnurrte. Ich bückte mich und nahm sie auf den Arm, um ihr seidiges Fell zu streicheln, was mir sofort ein immenses Wohlgefühl bereitete. Ich versuchte, Matilda daran teilhaben zu lassen.

»Keine Sorge, das renkt sich alles wieder von selbst ein. Cecile gibt ihre Rolle nicht ab, Soroya kann nicht ewig bei Ihnen bleiben, wenn sie in Bollywood so gefragt ist, und Ihre neue Haushälterin wird früher oder später schon noch auftauchen. Bestimmt hat ihr Zug Verspätung. Es gibt absolut keinen Grund, sich Sorgen zu ma…«

Ich brach mitten im Satz ab, da die Haustür zugeknallt wurde und eine Reihe schriller Schreie folgten.

»Meinen Sie wirklich?« Matilda hatte den Kopf schräg gelegt und sah mich ungläubig an, erst dann stand sie auf und wandte sich zur Tür, um sich der nächsten Krise zu stellen.

Abermals hörte man die Haustür zuschlagen, und eine laute,

wütende Stimme übertönte die Schreie. Dann flog die Tür erneut zu – sie mussten sie sich gegenseitig vor den Kopf schlagen –, und unheilvolle Stille setzte ein.

Das Mittagessen war wohl nicht allzu angenehm verlaufen. Vielleicht war die Entscheidung, die drei nicht zu begleiten, doch richtig gewesen.

»Ich habe rasende Kopfschmerzen!« Evangeline kam ins Zimmer gewankt und ließ sich auf den Stuhl sinken, von dem Matilda eben erst aufgestanden war.

»Und ich habe Magenschmerzen«, beklagte sich Eddie und lehnte sich gegen die Wand.

»Die Pizzeria war deine Idee!«, warf Evangeline ihm vor.

»Ja, ja, tut mir leid. Ich dachte, da würde sie keine Szene machen, weil es so gar nicht ihre gewohnte Umgebung ist.«

»Hah!«, spie Evangeline erzürnt aus. »Hah!«

Matilda und ich standen da und starrten gebannt auf die Küchentür, aber nichts geschah.

»Vielleicht ist sie ja direkt auf ihr Zimmer gegangen«, gab ich meiner Hoffnung Ausdruck, doch Matilda schüttelte den Kopf. Es wäre auch zu schön gewesen, um wahr zu sein.

Tatsächlich handelte es sich nur um die Ruhe vor dem Sturm. Ich erinnerte mich an den Spiegel im Flur, und dabei wurde mir klar, dass Dame Cecile wahrscheinlich lediglich stehen geblieben war, um ihre Frisur und ihr Make-up zu überprüfen sowie eine geeignete Mimik einzuüben, mit der sie gleich über neue potenzielle Opfer herfallen würde.

»Schaffen Sie diese Bestie weg!« Plötzlich stand Dame Cecile in der Tür und starrte mich an, als wollte sie mich mit ihrem Laserblick in Luft auflösen. »Verräterin.«

»Verräterin? Ich?« Schützend drückte ich Cho-Cho-San an mich. Dabei entging mir nicht, dass Evangeline und Eddie sich ein wenig entspannten, nachdem Dame Cecile ihren Zorn auf ein anderes Ziel gerichtet hatte.

»Sie!« Dame Cecile kam langsam näher und hielt den Zeigefinger anklagend ausgestreckt. »Sie! Meine arme Fleur einfach im Stich zu lassen, nur um dieses … dieses …« Cho-Cho-San machte einen langen Hals und schnupperte an ihrem Zeigefinger, dann versuchte sie, sich daran zu reiben. Cecile zog ihre Hand so hastig zurück, als hätte sie sich verbrannt.

»Sie!« Dabei wich sie ein paar Schritte zurück. »Das werde ich Ihnen nie verzeihen.«

Zu schade, dass sie ihre Drohung nicht auch noch um den Punkt erweiterte, nie wieder ein Wort mit mir zu reden.

»Trixie hat das völlig richtig gemacht.« Zu meinem Erstaunen teilte Evangeline ausnahmsweise meinen Standpunkt. »Die Katze lebt. Für Fleur konnte sowieso niemand mehr etwas tun. Die Lebenden müssen an erster Stelle stehen.«

Eddie schüttelte ungläubig den Kopf und gestikulierte stumm. In diesem Moment fiel mir ein, dass Fleur nicht der einzige Leichnam war, den wir in den Flammen zurückgelassen hatten.

»Was wird hier gespielt?« Matilda war nicht auf den Kopf gefallen. »Wo haben Sie die Katze her? Sie lebt am anderen Ende der Stadt.«

»Tatsächlich? Wer hat dann …?«

»Schaffen Sie diese schreckliche Bestie aus dem Raum!«, fiel mir Dame Cecile ins Wort.

»Vielleicht wäre es besser, sie in ein anderes Zimmer zu bringen«, sagte Matilda leise. »Wenigstens so lange, bis Cecile sich wieder beruhigt hat.«

»Das habe ich genau gehört!«, trompetete Dame Cecile heraus. »Ich bin die Ruhe selbst.«

»Natürlich sind Sie das.« Evangeline bedeutete mir mit einer hastigen Kopfbewegung, ich solle aus der Küche verschwinden, und ich war heilfroh, endlich das Weite suchen zu können.

»Verflucht!« Eddie war mir nach nebenan gefolgt. »Und ich dachte, schlimmer als mit euch beiden könne es nicht mehr kommen.«

»Sei nicht so unhöflich. Du weißt, wir sind zwei Miezekätzchen.«

»Das einzige Miezekätzchen ist die Kleine hier.« Er hielt Cho-Cho-San seine Hand hin, die ausgiebig daran schnupperte und schließlich den Kopf daran scheuerte. »Hübsches Ding, und so ruhig. Was hatte sie in dem Laden zu suchen?«

»Sie wartete darauf, ausgestopft zu werden.«

»Das kann nicht sein!« Eddie wurde blass. »Sie ist doch gar nicht tot.«

»Eben.«

»Aber ...« Eddies Gesichtsfarbe nahm einen grünlichen Ton an. »Du willst doch nicht sagen ...«

»Es stand ein leerer Schaukasten da, und an ihrem Käfig hing ein Zettel mit den Anweisungen, in welcher Haltung sie präpariert werden sollte.« Ich fühlte mich eine Spur besser, da ich mich jemandem anvertrauen konnte, auch wenn es Eddie mit jedem weiteren Wort übler wurde, während ihm klar wurde, was meine Beobachtungen zu bedeuten hatten.

»Wer würde denn so was tun?«

»Vermutlich der Ladenbesitzer – wenn jemand genug dafür bezahlt.«

»Dann will ich hoffen, dass er der Typ mit dem eingeschlagenen Schädel ist, den ich im Hinterzimmer entdeckt habe. Das hätte er mehr als verdient.«

Ich nickte zustimmend, während Eddie Cho-Cho-Sans Ohren zu kraulen begann und in besänftigendem Tonfall sagte: »Wie kann dir nur irgendjemand wehtun wollen, Süße?«

»Oder vielleicht wollte er es gar nicht.« Es war durchaus denkbar. »Womöglich hat er sich geweigert und wurde deshalb umgebracht.«

»Dann läuft da draußen ein Irrer frei rum!« Eddie machte keinen Hehl aus seinem Unbehagen. »Jemand, der total verrückt ist!«

»Das ist nicht ausgeschlossen.« Kein normaler Mensch konnte so abgebrüht und gehässig sein, sich für eine arme unschuldige Katze ein solch grässliches Schicksal auszudenken. War es vielleicht jemand, der sich an ihrem Besitzer rächen wollte? »Lieferung an« hatte auf dem Zettel gestanden, Name und Adresse waren abgerissen worden.

Lieferung an Soroya Jordan? Ich konnte mir durchaus vorstellen, dass jemand sie genügend hasste, um sich so etwas zu überlegen. Aber war ihr Cho-Cho-San überhaupt wichtig genug, als dass eine solche Zustellung sie hätte treffen können? Sie schien die meiste Zeit in Bollywood zu verbringen, sodass sich ohnehin jemand anders um die Katze kümmern musste. Aber wer? Abgesehen davon hatte Matilda bereits gesagt, es sei nicht Soroyas Katze. Vermutlich gab es jemanden, dem das Tier wichtiger war als ihr.

Ich musste mit Matilda reden, und zwar unter vier Augen. Das leise Murmeln aus der Küche sagte mir, dass ich im Moment nicht auf eine solche Gelegenheit hoffen durfte.

»Ist ziemlich ruhig geworden da drinnen.« Eddie sah zur Küchentür. »Meinst du, du kannst deine Freundin loseisen? Wir sollten möglichst bald in die Zivilisation zurückkehren.«

»Keine schlechte Idee.« Ich ging los, drehte mich dann aber um. »Hier, halt solange Cho-Cho-San für mich fest. Ich will nicht, dass Dame Cecile schon wieder explodiert.«

»So ist's fein, komm schön zu Onkel Eddie«, säuselte er, als sich das Tier vertrauensvoll an ihn schmiegte. »Mach dir keine Sorgen, wir kümmern uns um dich.«

In der Küche schien jemand einen plötzlichen Wutausbruch zu erleiden, und fast wäre ich mit Matilda kollidiert, die in dem Moment herausgestürmt kam, als ich eintreten wollte.

»Sie sind ja noch hier«, keuchte sie erschrocken. »Und die Katze auch! Schaffen Sie sie raus, bevor Cecile sie sieht.«

»Aber … Soroya wird nach ihr suchen, wenn …«

»Soroya muss nicht nächste Woche mit Cecile auf der Bühne stehen.« Sie packte mich an den Schultern und schob mich ein Stück nach hinten. »Ich kümmere mich um Soroya – behalten Sie nur die Katze, bis wir die Premiere hinter uns haben.«

Ich versuchte, meine Freude zu verbergen. »Na ja, wir könnten sie mit nach London nehmen …«

5

Am nächsten Morgen schliefen wir ziemlich lange. Jedenfalls traf das auf mich zu, weil ich über Cho-Chos Schlafgewohnheiten natürlich nichts wusste. In der Nacht hatte sie es sich zunächst der Länge nach an meinen Füßen bequem gemacht, aber als ich aufwachte, lag sie zusammengerollt in meiner Armbeuge. Als ich die Augen aufschlug, begrüßte sie mich mit einem freundlich geschnurrten »Guten Morgen«.

»Na, gut«, sagte ich. »Wollen wir doch mal sehen, was es zum Frühstück gibt.«

Wir trafen Evangeline und Nigel in der Küche an, wo die beiden in verschwörerischer Gemeinschaft am Tisch saßen. Als sie mich in der Tür stehen sahen, gingen sie sofort schuldbewusst auf Abstand zueinander.

»Ah!«, begrüßte mich Nigel. »Da bist du ja!« Er ließ es so klingen, als hätte er schon eine Weile nach mir gesucht, obwohl ich das untrügliche Gefühl hatte, dass ich der letzte Mensch auf Erden war, den er sehen wollte. Skeptisch beäugte er mich, als ich in die Küche kam.

Aber sein Blick war nicht halb so skeptisch wie der, den Cho-Cho-San ihm zuwarf. Sie kroch förmlich an ihn heran, schnupperte an seinen Schuhen und schaute ihn dann noch misstrauischer und verwirrter an. Schließlich kam sie noch etwas näher und untersuchte die Umschläge seiner Hose.

»Was ist denn das?« Nigel hatte das Tier bemerkt und brachte rasch die Beine außer Reichweite.

»Trixie hat einer Katze das Leben gerettet!«, erklärte Evangeline gequält. »Aber sie kann hier nicht bleiben«, fügte sie gehässig an. »Wir müssen sie nur ein paar Tage hier aushalten – ich wollte sagen, sie kann sich nur ein paar Tage hier aufhalten.«

»Aha.« Nigel betrachtete Cho-Cho voller Unbehagen. »Sie muss nicht Gassi geführt werden, oder?« Er war nicht der Typ, dem es gefiel, mit einem Irischen Wolfshund bei Wind und Wetter nach draußen zu gehen.

»Nein, das ist bei Katzen nicht nötig«, versicherte ich ihm und warf Evangeline einen wütenden Blick zu. »Sie wird niemandem zur Last fallen.« Ich nahm mir vor, am Nachmittag zu einer Zoohandlung zu gehen, um eine Katzentoilette und ein wenig Zubehör zu besorgen. Das eine oder andere Spielzeug war sicher auch nicht verkehrt.

Cho-Cho schnupperte ein letztes Mal an Nigels Socken und machte sich dann daran, die Küche zu inspizieren. Ich schaute in den Kühlschrank, um festzustellen, was ich für die Katze finden konnte. Wie erwartet, war die Auswahl reichhaltig.

Ich war schon immer stolz darauf, dass mein Kühlschrank üblicherweise gut gefüllt war. Im Gegensatz zu Matilda Jordans Kühlschrank war das hier das reinste Schlaraffenland. Es war nur zu hoffen, dass ihre neue Haushälterin sich bald blicken ließ und Ordnung in ihre Küche brachte. Ich hatte noch nie jemanden kennengelernt, der so dringend eine Hausangestellte benötigte wie sie.

Ich entschied mich für ein paar Streifen Hühnerfleisch vom gestrigen Abendessen für die Katze und ein Himbeerteilchen aus dem Gefrierfach für mich selbst.

Auf dem Weg zur Mikrowelle bemerkte ich aus dem Augenwinkel eine verstohlene Bewegung auf dem Küchentisch. Als ich den Kopf zur Seite drehte, sah ich noch, wie Evangeline Nigel ein längliches Stück Papier zuschob.

Ein Stück Papier von der Größe eines Schecks.

Nigel ließ es mit einer fließenden Bewegung in der Innentasche seiner Jacke verschwinden.

Na ja, wenn Evangeline dumm genug war, irgendwelche finanziellen Vereinbarungen mit Nigel zu treffen, dann war das ihre eigene Sache. Sie hätte das Geld ebenso gut im Kamin verheizen können.

Hätte ich das Letztere doch bloß nicht gedacht! Das Bild vom Kaminfeuer weckte prompt die Erinnerung an den Brand, dem das Geschäft des Tierpräparators zum Opfer gefallen war.

Gestern auf der Rückfahrt nach London hatte ich Eddie so taktvoll wie möglich von seiner Bürgerpflicht zu überzeugen versucht, die Polizei über den Toten im Hinterzimmer des Geschäfts zu informieren. Notfalls musste er es eben wieder per anonymem Anruf erledigen.

Seine Reaktion erinnerte mich an einen Haufen quasselnder Filmproduzenten – eine Mischung aus de Mille, Preminger, Selznick und Zanuck. Er hörte gar nicht mehr auf zu reden. Für mich stand eines fest: Ich würde einen solchen Vorschlag nie wieder machen. Einen Moment lang befürchtete ich sogar, er könnte uns aus dem Taxi werfen und uns den Weg nach London zu Fuß zurücklegen lassen.

Schließlich konnten wir ihn aber doch noch beruhigen und ihm glaubhaft versichern, dass wir beide nicht die Absicht hegten, uns an die Polizei zu wenden. Was sollten wir auch sagen? Immerhin hatte keine von uns den Toten gesehen. Eddie war der Einzige, der in der Lage war, den Mann zu beschreiben – und er wollte nicht in die Sache hineingezogen werden. Das konnte ich ihm nicht mal verübeln.

»Na, denn.« Nigel schob seinen Stuhl nach hinten, als ich der hungrigen Cho-Cho den Teller Hühnerfleisch hinstellte und mein inzwischen aufgetautes Teilchen aus der Mikrowelle holte. »Ich will euch nicht länger aufhalten. Ich weiß, ihr habt genug zu tun. Den Weg nach draußen finde ich allein.« Zügig verließ er die Küche, und nur Augenblicke später hörten wir, wie die Wohnungstür hinter ihm zufiel.

Ich goss mir einen Kaffee ein und nahm auf dem Stuhl Platz, auf dem er eben noch gesessen hatte.

»Schau mich nicht so an«, raunte Evangeline mir zu. »Ich weiß, was ich tue.«

»Mhmm …«

Cho-Cho hatte ihre Portion Hühnchen bereits verschlungen – können Katzen eigentlich Verdauungsstörungen bekommen? – und kam voller Hoffnung auf Nachschlag zu mir geschlendert.

»Braves Kätzchen.« Evangeline wusste jede Chance zu nutzen, um das Thema zu wechseln, wenn ihr Ärger drohte, und begann deshalb, Cho-Cho zu streicheln.

Die Katze ließ sie gewähren, interessierte sich aber viel mehr für die Plastiktüte mit dem exklusiven Logo, die neben Evangelines Stuhl stand. Sie streckte behutsam eine Tatze danach aus, woraufhin die Tüte umkippte und Cho-Cho hineinkroch.

»Hey, hör auf damit! Was machst du denn da?« Sie versuchte, die Katze festzuhalten. »Komm da wieder raus!«

Die Tüte bewegte sich hin und her, und auf einmal flog ein Wust Federn heraus. »Du ruinierst mir noch alles!«, rief Evangeline und packte die Tüte am Boden, um den Inhalt auszukippen. Die Katze rutschte in einem Nest aus Federn heraus. Cho-Cho schüttelte sich und trottete davon, wobei sie links und rechts einen Wust Federn hinter sich herzog. Sie freute sich sichtlich über das Spielzeug, auf das sie gestoßen war.

Ich dagegen schaute ungläubig drein, denn so seit der Zeit der großen Revuen war mir keine Straußenfederboa mehr untergekommen.

»Woher hast du die denn?«, fragte ich verblüfft.

»Nigel, der Gute, hat sie mir gekauft. Er sagt, das ist der letzte Schrei.«

»Kann schon sein.« Wir sahen Cho-Cho zu, wie sie sich auf den Rücken rollte und die Boa mit Tritten ihrer Hinterpfoten traktierte, sodass bunte Wedel durch die Luft flogen. »Aber meinst du wirklich, sie passt zu dir?«

»Vermutlich nicht«, räumte sie ein. »Sie passt eher zu Cho-Cho. Und« – fügte sie an, wobei sich ihre Miene sichtlich aufhellte – »wenn sie sie in Stücke reißt, dann ist es nicht meine Schuld, dass ich sie nicht tragen kann, wenn Nigel mit mir essen geht.«

»Wo du recht hast, hast du recht.« Ich bekam ein Ende der

Boa zu fassen und zog sie spielerisch über Cho-Chos Nase. Die Katze musste niesen, dann wand sie sich auf dem Boden, beschrieb einen verrückten Purzelbaum und landete auf den Füßen, um ihr Opfer erneut zu attackieren. Wieder und wieder wurden Federn aufgewirbelt.

»Braves Mädchen! Fass! Fass!«, spornte Evangeline sie an, nahm das andere Ende der Boa und legte es um Cho-Chos buschigen Schwanz, woraufhin sich die Katze wie wahnsinnig im Kreis drehte, um die Boa zu erwischen.

Evangeline kicherte plötzlich so ausgelassen wie ein Schulmädchen, und ich musste feststellen, dass es mir nicht anders erging. Cho-Chos Verrenkungen waren einfach unwiderstehlich. Wir befanden uns in einem Schneegestöber aus Federn, lachten hemmungslos und trieben die Katze zu immer wilderen Exzessen an. Ich hätte schwören können, sogar von Cho-Cho ein Kichern zu hören. Auf jeden Fall amüsierten wir drei uns köstlich.

Die Türklingel ließ uns alle abrupt innehalten. Wir sahen uns an und waren uns auch ohne Worte einig, dass keiner von uns Besuch erwartete.

»Vielleicht hat Nigel etwas vergessen.« Ich sah schuldbewusst zu dem Berg Federn auf dem Fußboden. Wo war denn nur der Besen?

»Ich hoffe, er will seine Boa nicht zurückhaben.« Unwillkürlich musste Evangeline erneut lachen.

»Juuhuu ... Mutter ...«, jodelte Martha durch den Briefkastenschlitz in der Tür. »Ich bin's. Bist du da?«

»Ich geh schon!« Ich stürmte in den Flur, während Evangeline sich erleichtert auf ihren Stuhl sinken ließ. Cho-Cho schüttelte sich, setzte sich hin und begann sich zu putzen, als seien das ringsum herrschende Chaos und die fast kahle Boa nicht ihr Werk.

Martha war nicht allein. Verdutzt tat ich einen Schritt nach hinten, denn die Frau neben ihr hatte ich noch nie gesehen.

»Mutter ...« Martha gab mir gedankenverloren einen Kuss,

als befinde sie sich in irgendeinem Traum. »Mutter, jetzt kann ich es dir endlich sagen. Es ist so weit! Alle Verträge sind unterzeichnet!«

»Ach, mein Schatz, ich freue mich ja so für dich ...« Moment mal – was hatte sie gerade gesagt? Ging es etwa nicht um das, was ich mir erhoffte? »Wovon redest du? Welche Verträge?«

»Für das Buch, Mutter.« Martha strahlte über das ganze Gesicht, allerdings aus dem verkehrten Grund. »Das Kochbuch, das ich schreiben werde.«

»Du meinst, du bist nicht ... ich werde keine ...« Ich konnte mich in letzter Sekunde zurückhalten, das auszusprechen, was mir auf der Zunge lag. Zum Glück bemerkte Martha nicht, was ich sagen wollte.

»Und das hier ist Jocasta Purley – vom Verlag. Sie wird mir bei dem Buch helfen.«

»Es freut mich ja so sehr, Sie kennenzulernen, Ms Dolan.« Die junge Frau trat vor und ergriff meine Hand. »Ich habe so viele Ihrer Filme gesehen – natürlich im Fernsehen.«

»Danke.« Ich befreite meine Hand aus ihrem Griff und war schon jetzt fest davon überzeugt, dass uns trotz Martha niemals eine enge Freundschaft verbinden würde. »Wir sind in der Küche, kommen Sie doch auf einen Kaffee rein.«

Martha zeigte ihr den Weg, während ich zurückblieb und mich davon überzeugte, dass die Tür auch richtig geschlossen war, da manchmal der Riegel klemmte. Als ich den beiden in die Küche folgte, ließ Jocasta soeben Evangeline wissen, wie unglaublich gut ihr diese ganz, ganz alten Filme im Fernsehen gefielen und wie begeistert sie von Evangelines frühen Rollen war. Ein flüchtiger Blick verriet mir, dass das Buttermesser die schärfste Klinge auf dem Küchentisch war, sodass ich mich beruhigt ans Kaffeekochen machen konnte.

»Setz dich doch, Jocasta«, forderte Martha sie nervös auf. »Möchtest du ein Plunderteilchen oder einen Muffin?« Doch die Frau war durch nichts zu bremsen.

»Vielleicht können Sie verstehen, wie aufregend das alles für mich ist, Miss Sinclair«, redete sie weiter, »wenn ich Ihnen sage, dass meine Großmutter einer Ihrer größten Fans war. Sie erzählte mir Gutenachtgeschichten, die sie sich auf der Grundlage Ihrer Filme ausdachte – na ja, natürlich in einer zensierten Fassung. Und sie konnte Sie unglaublich gut nachahmen. In unserer Familie verkörpern Sie eine richtiggehende Tradition.«

Es gelang mir, den Pfefferstreuer vom Tisch zu nehmen, ehe Evangeline nach ihm greifen konnte.

»Hast du die Aussicht gesehen?«, ging Martha beunruhigt dazwischen, packte Jocasta am Arm und zog sie hinter sich her. »Komm mit in den Salon, von dort ist sie am spektakulärsten.«

»Versuch höflich zu bleiben«, sagte ich zu Evangeline, nachdem Martha die Frau aus der Küche gelotst hatte. »Ein Fan ist ein Fan, vor allem, wenn die Verehrung Familientradition hat. Und hör auf, mit den Zähnen zu knirschen, sonst bricht dir noch eine Krone raus. Und du weißt, in diesem Land gibt es keine vernünftigen Zahnärzte.«

Evangelines Nasenflügel blähten sich, als sie mehrmals tief durchatmete. »Schaff diese Frau hier raus, bevor ich sie umbringe.«

»Nur die Ruhe«, beschwichtigte ich sie. »Sie ist eben überwältigt. Du weißt ja, wie das ist. Jetzt hat sie ihr Sprüchlein aufgesagt und wird sich bestimmt wieder einkriegen.« Dafür würde Martha schon sorgen.

Mir war nicht aufgefallen, dass Cho-Cho-San zwischenzeitlich das Zimmer verlassen hatte, und es wurde mir erst jetzt bewusst, als sie wieder auftauchte und einen ausgesprochen zufriedenen Eindruck machte. Kluge Katzen wissen eben, wann es ratsam ist, sich zurückzuziehen. Wenn sie aber wirklich so klug war, wie konnte sie dann bei diesem Präparator landen? Oder hatte sie den falschen Leuten vertraut?

»Wo bist du gewesen?«, fragte ich sie.

»Wo immer sie war, sie kann sich sofort wieder dahin zurückziehen.« Nachdem Evangeline die eine Schlacht verloren hatte, versuchte sie es an einer neuen Front. »Du kannst sie nicht behalten.«

»In ein paar Tagen kehrt sie zurück zu ihrem Besitzer.« Wer immer das auch sein mochte, da mindestens zwei Leute einen Anspruch auf sie anmeldeten. Ich musste aus Matilda eine klare Antwort herausholen.

»Oh, das ist einfach perfekt! Ich war schon immer der Auffassung, dass ein Haus ohne Katze kein richtiges Heim ist!« Jocasta war wieder da. Die Aussicht auf die Flusslandschaft konnte es offenbar nicht mit dem Reiz der Familientradition in der Küche aufnehmen. »Ich hätte mir eigentlich denken müssen, dass *Sie* sich eine exotische Katze halten.« Sie sah Evangeline bewundernd an.

Evangeline brachte ein steifes Lächeln zustande, aber mir fiel auf, dass sie ihre Beine nicht länger bewegte und es Cho-Cho gestattete, um ihre Füße zu streichen.

»Und diese Küche! Sie ist fantastisch!« Obwohl sie eine Kochexpertin war und eigentlich mit jeder Art von Küche hätte vertraut sein müssen, erschien mir Jocasta von Ehrfurcht ergriffen. »So etwas habe ich noch nie gesehen. Sie ist so … so … ultramodern.«

»Mindestens zweiundzwanzigstes Jahrhundert«, stimmte ich ihr zu, konnte aber der Versuchung widerstehen, sie herauszufordern und raten zu lassen, welches der Geräte der Einbau-Backofen war. Ich hatte dafür selbst zwei Tage gebraucht, und immerhin war das meine Küche.

»Ganz bestimmt bereiten Sie hier die wunderbarsten Gerichte zu«, redete Jocasta schnell weiter, als spüre sie unterbewusst eine gewisse frostige Atmosphäre. »Martha erzählte mir davon, dass Sie beide großartige Köchinnen sind.«

Ich bezweifelte zwar, dass Martha Evangeline tatsächlich in ihr Lob eingeschlossen hatte, lächelte aber freundlich. Evangeline plusterte sich regelrecht auf und nahm jede Anerkennung entgegen, die sie bekommen konnte, ganz gleich, wie wenig zutreffend sie war.

Den Blick noch mit fast schon Übelkeit erregender Bewunderung auf Evangeline gerichtet, setzte Jocasta erneut zum Reden an, doch ich kam ihr zuvor.

»Schatz«, wandte ich mich an Martha, »du hast mir noch kaum erzählt, um was es eigentlich geht. Wie bist du auf diese Idee gekommen? Und welche Art Kochbuch wird das werden? Gibt es ein bestimmtes Motto?«

»Wie klug von dir, Mutter. Natürlich gibt es ein Motto. So was braucht man heute schließlich, nicht wahr? Wir kamen bei den Lady-Lemmings-Treffen auf dieses Thema zu sprechen, als wir uns überlegten, womit sich Geld verdienen lässt. Du weißt ja, dass sie immer für ihre Wohltätigkeitsarbeit sammeln.«

Ich nickte. Die Lady Lemmings waren eine vor langer Zeit gegründete Organisation für die besseren Hälften der Männer, die im Showbusiness arbeiteten. Mit den Ehefrauen hatte es begonnen, und schon bald wurde der Kreis um aktive und ehemalige Schauspielerinnen, Bühnenbildnerinnen und alle möglichen anderen Frauen aus der Branche erweitert. Die Anlässe für Wohltätigkeit waren zahlreich, und die Meinungsverschiedenheiten waren Legende. Als Ehefrau eines der herausragendsten Produzenten des West End war Martha in die Reihen der Lady Lemmings aufgenommen worden, noch bevor die Blütenblätter an ihrem Brautstrauß hatten welken können. Als die amtierende Vorsitzende aus dem Amt gejagt wurde, war es so gut wie sicher, dass Martha zu ihrer Nachfolgerin gewählt würde – es sei denn (was Gott behüten möge!), in der Zwischenzeit wäre Hugh etwas Ernsthaftes zugestoßen.

»Wir haben uns für ein Kochbuch entschieden, zu dem von den wirklichen Stars bis hin zu den Neulingen jeder sein Lieblingsrezept beisteuert.« Sie ignorierte Evangelines Schnauben und fuhr fort: »Die meisten haben Rezepte für ein bis zwei Personen geliefert, oder für eine Person und Tipps, wie man aus den Resten einen kleinen Snack zubereiten kann. Einige machten mich darauf aufmerksam, dass es die früher üblichen typischen Schauspieler-Quartiere kaum mehr gibt, also Unterkünfte, bei denen die Vermieterin Frühstück und Abendessen serviert. An ihre Stelle sind Hotelzimmer und Apartments mit Kochzeile getreten. Also sollte es für ein solches Buch einen großen Markt geben …«

»Wir geben ihm den Titel *Aus dem Stegreif*«, warf Jocasta ein. »Alle Einnahmen aus dem Buch gehen an die Lady Lemmings für ihre wohltätige Arbeit.«

»Ich verstehe.« Im Geiste schloss ich mit mir eine Wette ab, dass Jocasta alle Einnahmen abzüglich ihres Honorars und ihrer Kosten meinte. »Das klingt großartig, Schatz.« Diesmal war ich diejenige, die Evangelines Schnauben überhörte.

»Und ich bin mir sicher« – wieder sah Jocasta Evangeline an –, »dass Sie beide wundervolle Dinge zu unserem Buch beisteuern können.«

»Ich werde auf jeden Fall darüber nachdenken.« Das würde ich tatsächlich machen, wenn auch nur Martha zuliebe. »Ich wünschte nur, meine Rezeptsammlung befände sich nicht auf der anderen Seite des Atlantiks.«

»Oh, wir interessieren uns nicht nur für richtige Mahlzeiten«, sagte Jocasta hastig. »Wir sind auch auf der Suche nach nützlichen Tipps, einfachen und schnellen Gerichten, also nach allem, was Schauspielern das Leben erleichtern kann, die auf einer Tournee ganz auf sich allein gestellt sind. Zum Beispiel spät am Abend in der Provinz nach der letzten Vorstellung, wenn alle Pubs geschlossen sind und man nicht schon wieder Indisch oder Chinesisch essen will – falls überhaupt noch ein Imbiss geöffnet ist.«

Eine Woge der Nostalgie überkam mich, als ich an meine erste Zeit in New York denken musste. Damals gehörte ich zu den jungen Tänzerinnen, die irgendwie zu überleben versuchten, und ganz gleich, mit wie vielen wir uns ein Apartment mit fließendem Wasser – natürlich kalt – teilten, die Kakerlaken waren uns zahlenmäßig immer im Verhältnis von mindestens fünfzig zu eins überlegen. Da kam es noch auf jeden Penny an, und bei Gewichtsfragen ging es nicht darum, wie viel wir abnehmen wollten, sondern nur darum, genug Kalorien zusammenzubekommen, damit wir die langen, anstrengenden Tanznummern durchstehen konnten, wenn wir das Glück hatten, einen Platz in einer Revue zu ergattern. Manchmal fiel es mir schwer, mir vorzustellen, dass der heutige Nachwuchs mehr oder weniger mit den gleichen Problemen konfrontiert war.

»Ich dachte, ich nenne das erste Kapitel ›Das zusammenklappbare Gewürzregal‹«, sagte Martha. »Du weißt schon, eine Liste von Gewürzen und getrockneten Kräutern, die man in kleinen Umschlägen aufbewahren kann und die jedem Gericht die besondere Note geben. Und natürlich die Fertigsuppen aus der Tüte, die man als Grundlage für aufwendigere Gerichte nehmen kann.«

»Und vergiss nicht die kleinen Portionspackungen, die es in der Cafeteria gibt«, ergänzte ich. In jenen Tagen hatte ich nur selten einmal ein solches Lokal verlassen, ohne meine Taschen mit allem vollzustopfen, was nichts kostete. »All diese Tütchen mit Senf, Mayonnaise, Worchestershire-Soße, Essig, Remoulade – o ja, und Tomatenketchup in rauen Mengen. Ich kann mich noch gut an meine Ketchupsuppe erinnern!« Ich seufzte wehmütig, doch dann fiel mir auf, wie kühl mich Jocasta betrachtete.

»Eigentlich«, kommentierte sie mit frostiger Stimme, »planen wir etwas Anspruchsvolleres als das.«

»›Jenseits der Fünf-Minuten-Terrine‹ …«, meinte Evangeline verträumt.

»Das ist ja großartig!« Jocasta drehte sich zu ihr um, außer sich vor Begeisterung. »Martha, hast du das gehört? Wir haben einen Titel für ein weiteres Kapitel. Natürlich nur, wenn Sie nichts dagegen haben.« Sie schenkte Evangeline ein unterwürfiges Lächeln.

»Aber natürlich können Sie das benutzen«, erwiderte Evangeline großzügig. »Es freut mich, wenn ich meinen Teil zu einer guten Sache beitragen kann. Ach, wo wir gerade über Tipps reden …« Sie zögerte. »Nein, das ist vermutlich albern …«

»Nein, bestimmt nicht!« Jocasta verschränkte die Finger und sah Evangeline voller Eifer an. »Wir würden das sehr gern hören.«

Martha und ich sahen uns kurz an. Evangeline hatte keine Mühe damit, den Weg in eine Küche zu finden. Aber dort angekommen, gab es praktisch nichts, was sie selbst erledigen würde. Natürlich abgesehen davon, alles das zu essen, was jemand anders zubereitet hatte.

»Es ist eigentlich nur eine Kleinigkeit …« Sie machte eine Pause, damit man sie zum Weiterreden aufforderte, was auch prompt geschah.

»Ja?«, hauchte Jocasta und beugte sich vor, um keine Silbe der anstehenden Enthüllung zu versäumen. »Ja …?«

»Ich weiß nicht, ob das sonst jemand macht. Jedenfalls habe ich es noch in keinem Kochbuch erwähnt gesehen …«

»Ja? Ja?«

»Aber wenn ich koche, wasche ich meine Hände immer mit Hafermehlseife.«

Na, jetzt wusste ich endlich, warum ich in der ganzen Wohnung noch nie ein Stück Hafermehlseife gesehen hatte.

»O ja!« Jocasta nahm ihr das ohne Vorbehalte ab. »Oh, ich wusste, ich kann mich darauf verlassen, von Ihnen echte Gourmetgeheimnisse zu erfahren. Was für eine großartige Idee.«

Martha schloss die Augen und lehnte sich auf ihrem Stuhl zurück, und ich fühlte mich inzwischen auch ein wenig schwindlig.

»Aber belassen Sie es bitte nicht bei dieser einen Sache!« Jocasta zog einen Notizblock aus der Handtasche und schrieb hastig mit. »Erzählen Sie weiter. Welche anderen wertvollen Ratschläge haben Sie noch auf Lager?«

»Ach, ich weiß nicht …«, wandte Evangeline ein und versuchte, bescheiden dreinzublicken, während ihre Augen nervös hin und her wanderten. Sie hatte ihr Pulver verschossen, und das wusste sie so gut wie ich. »Da muss ich erst mal nachdenken.«

»Genau genommen«, lenkte Martha Jocastas Aufmerksamkeit auf sich, »ist Mutter hier eigentlich diejenige, die sich um das Kochen kümmert. Sie wird Dutzende von guten Tipps wissen.«

»Nun, ich finde zum Beispiel Folgendes sehr nützlich ...«, übernahm ich wie auf ein Stichwort hin: »Bei fast allen pikanten Gerichten kann man, wenn laut Rezept ein Apfel genommen werden soll, diesen durch eine Möhre ersetzen. Man hat eher Möhren als Äpfel im Haus.«

»Hmm, ja.« Jocasta schrieb es auf, wenn auch mit wenig Begeisterung. Es war für ihren Geschmack sicher nicht schick und gourmetmäßig genug, und ich bekam das Gefühl, wieder nicht ihrem Anspruch gerecht geworden zu sein. Vielleicht hätte ich besser von einer Kiwi gesprochen.

»Und Sie ...?« Erwartungsvoll sah sie Evangeline an und hoffte auf noch mehr Weisheiten von unschätzbarem Wert.

»Mein Kopf ...« Evangeline strich sich über die Stirn und schwankte leicht. »Oh, es tut mir leid ...« Sie erhob sich von ihrem Stuhl und stand ein wenig wacklig da. »Ich fürchte, es kündigen sich Kopfschmerzen an. Ich muss mich unbedingt hinlegen.«

Ein Mobiltelefon klingelte plötzlich, und beinahe hätte sich Evangeline durch die Eile verraten, mit der sie zu ihrer Handtasche lief, die sie in ihrem Zimmer gelassen hatte.

»Hallo? O ja, Schatz.« Es war Marthas Telefon. »Ja, ja, ich verstehe. Natürlich ... sofort ... Ja, ich werde es ihnen ausrichten.« Sie sah uns an. »Hugh lässt euch grüßen.«

»Danke, grüß ihn von uns zurück«, entgegnete ich, während Evangeline nur schnaubte.

»Tut mir leid, aber wir müssen jetzt los.« Martha wandte sich an Jocasta. »Bei meinem Mann haben sich überraschend Freunde aus Übersee angemeldet, um die wir uns kümmern müssen.« Sie stand auf und küsste mich auf die Wange. »Sprechen wir später noch einmal über das Ganze.«

»Aber denk dran, dass wir für Dame Ceciles Premiere nach

Brighton fahren«, sagte ich zu ihr. »Wir werden dort auch übernachten, da Matilda uns zu sich nach Hause eingeladen hat.«

Sofort war Jocasta wieder hellwach. »Dame Cecile Savoy und Matilda Jordan? Die beiden entstammen der großen Ära, als die Ensembles noch durchs Land tourten. Oh, ich möchte wetten, dass sie wundervolle Rezepte für unser Buch haben.«

»Hmmm.« Ich musste an Matildas vernachlässigten Kühlschrank denken und beschloss, mich dazu nicht zu äußern. Ganz anders Evangeline.

»O ja, ganz sicher!« Sie blieb in der Tür stehen und wandte sich mit jenem strahlenden Lächeln zu Jocasta um, das sie immer dann aufsetzte, wenn sie jemanden restlos in sein Unglück laufen lassen wollte. »Dame Cecile ist eine wahre Goldmine, was kulinarische Weisheiten angeht.«

6

Seht euch das an!« Kurz nachdem die beiden aufgebrochen waren, traf Eddie ein. »Das müsst ihr euch ansehen!« Er stürmte an mir vorbei, kaum dass ich die Tür geöffnet hatte, und eilte in den Salon, wo er eine Zeitung auf den Wohnzimmertisch warf. »Seht euch das nur an!«

»Oh!« Evangeline, die es sich auf dem Sofa bequem gemacht hatte, betrachtete die Ausgabe des *Argus,* die vor ihr auf dem Tisch gelandet war. »Warst du wieder in Brighton?«

»Nein – und ich werde auch nicht wieder hinfahren! Würdest du dir das bitte ansehen?«

Sie reagierte nicht auf seine Aufforderung, da sie wieder eine ihrer Launen hatte, die alle in den Wahnsinn treiben konnte. »Das verstehe ich nicht. Was machst du dann mit einer Brightoner Zeitung? Hat sie jemand in deinem Taxi vergessen?«

»Ich habe sie an der London Bridge gekauft.« Eddie holte tief Luft und kam ihrer unausweichlichen nächsten Frage zuvor. »Man kann sie spät am Nachmittag auch in der Victoria Station bekommen. So wie man an jedem Bahnhof die jeweilige Zeitung vom Zielort des Zuges kaufen kann. Den Pendlern gefällt das, weil sie auf dem Heimweg ihre Lokalzeitung lesen können.«

»Wenn sie ihre Stadt so sehr lieben, warum bleiben sie dann nicht da?«

»Weil sie in London höhere Gehälter bekommen! Würdest du jetzt bitte endlich …«

»O nein!« Während die beiden stritten, hatte ich die Zeitung an mich genommen. Kein Wunder, dass Eddie so außer sich war. Die Schlagzeile lautete: EIN TOTER BEI BRANDSTIFTUNG. POLIZEI SUCHT VERDÄCHTIGE, DIE TATORT FLUCHTARTIG VERLIESSEN.

»Was ist denn?« Nachdem ich nun die Zeitung las, wollte Evangeline sie auf einmal doch sehen. Sie entriss sie mir so energisch, dass ich nur noch einen Streifen vom Rand mit ein paar Buchstaben in der Hand hielt.

»Jemand muss uns gesehen haben!« Wie sollte uns auch niemand gesehen haben? In dieser engen Sackgasse standen die Häuser aus dem achtzehnten Jahrhundert alle dicht an dicht und wurden zweifellos mehrheitlich von Rentnern oder Arbeitslosen bewohnt, die Zeit genug hatten, um sich um die Angelegenheiten all ihrer Nachbarn zu kümmern. Die erste Rauchfahne musste jeden dort dazu veranlasst haben, einen Blick aus dem Fenster zu werfen und sich zu vergewissern, dass es nicht das eigene Haus war, das in Flammen aufzugehen drohte.

»Gut, dass euch niemand erkannt hat. Es sei denn …« Eddie hielt inne. »Es sei denn, man hat euch erkannt, und die Bullen behalten das für sich, damit man euch identifizieren kann, wenn man euch erst mal geschnappt hat.«

»Vergiss nicht, du warst auch dabei.« Es ging Evangeline sichtlich auf die Nerven, dass er ständig nur *ihr* und *euch* sagte.

»Darum fahre ich ja auch nicht mehr hin. Und wenn ihr ein bisschen Grips habt, werdet ihr das auch nicht machen.«

»Wir haben Cecile versprochen, zur Premiere hinzufahren.« Evangeline warf sich dabei so in Pose, als hätte sie in ihrem ganzen Leben noch kein Versprechen gebrochen. »Wir können sie nicht im Stich lassen.«

Und ich konnte auf das ständige *wir* gut verzichten. Ich hatte mit Dame Cecile nie etwas zu tun gehabt, bis uns Evangeline vor ein paar Monaten einander vorstellte. Sie war Evangelines alte Bekannte, nicht meine.

»Ich weiß nicht«, wandte ich ein. »Eddie hat da nicht so unrecht.«

»Ich hab sogar verdammt recht.« Cho-Cho-San war zu ihm gekommen und strich ihm schnurrend um die Beine, woraufhin seine Miene gleich einen sanfteren Zug annahm. »Das sind üble Leute da unten. Denkt nur daran, was sie dieser kleinen

Süßen antun wollten.« Die Katze rieb zufrieden ihren Kopf an ihm, als er sie hochnahm und in seinen Armen hielt. »Von solchen Gaunern solltet ihr euch besser fernhalten.«

Noch ein Punkt für Eddie. Diesen Aspekt hatte ich nicht vergessen. Ich war mir zwar unschlüssig, wie ich mich am besten verhalten sollte, aber ich hatte erhebliche Bedenken, sie zurück nach Brighton zu bringen, wo sie vielleicht wieder in Gefahr war.

»Kommt ja gar nicht infrage!«, fauchte Evangeline ihn trotzig an. »Wir fahren hin. Und wenn du uns nicht fahren willst, können wir uns ja ein anderes Taxi nehmen.«

»Schon gut, du musst ja nicht gleich so hochgehen.« Eddie hasste es, sich irgendetwas entgehen zu lassen. »Ich denk noch mal drüber nach, und vielleicht können wir uns einig werden. Ich habe da einen Cousin …«

»Wir werden alle noch mal in Ruhe nachdenken.« Ich gab Eddie ein Zeichen, dass ich mich darum kümmern würde. Mir blieben noch einige Tage, um auf Evangeline einzuwirken und sie zur Vernunft zu bringen.

Jedenfalls dachte ich das.

Den Rest des Tages gab ich mich meinen Illusionen hin. Bevor Eddie uns verließ, fuhr er noch mit uns zum Supermarkt, damit wir unsere Einkäufe erledigen konnten. Evangeline rümpfte die Nase, als sie in meinem Einkaufswagen eine Katzentoilette und etliche Dosen Katzenfutter entdeckte. Mir entging aber nicht, dass sie wie in Gedanken eine Maus aus Katzenminze in ihren eigenen Einkaufskorb legte.

Nachdem Eddie alle Einkaufstaschen auf dem Küchentisch abgestellt hatte und gegangen war, begann ich auszupacken. In Anbetracht von Marthas neuem Projekt hatte ich eine Auswahl an Soßen und Gewürzen mitgebracht, um mich vielleicht an ein paar Rezepte aus meinen frühen Tagen zu erinnern.

Zunächst warf ich Pfefferkörner und Knoblauch in den größten Kochtopf, den ich finden konnte, dann wickelte ich die Hühnchenkeulen aus, legte sie in den Topf, gab Wasser hinzu, legte den Deckel darauf und schaltete die Herdplatte an.

»Hmmpf«, kommentierte Evangeline abwertend mein Unterfangen. »Ich erinnere mich noch genau daran, dass meine Mutter für Hühnersuppe sämtliche Reste verkochte.«

»Meine auch, und ich werde nie meine Begeisterung vergessen, als ich herausfand, dass man nicht eine Woche lang kaltes Hühnchen essen muss, bevor man die Suppe zubereiten kann. Das ist wie bei dieser Erzählung von Charles Lamb, als die Leute feststellten, dass sie nicht das ganze Haus abbrennen müssen, wenn sie einen Schweinebraten essen wollen.«

»Die Geschichte kenne ich.« Evangeline musste grinsen. »Fast das ganze Dorf brannte ab, bis sie endlich den Bogen raushatten und das Barbecue erfanden.«

»Ich habe lange Zeit dünne Suppe gegessen, bis ich dahinterkam, dass zwei ganze Hühnerschenkel die beste Grundlage für eine gute Hühnersuppe sind.« Während wir uns unterhielten, räumte ich alle Einkäufe weg, und bald war ich damit beschäftigt, eine Zwiebel und eine Möhre klein zu schneiden, damit ich sie nach genau dreißig Minuten mit in den Topf geben konnte. Eine weitere halbe Stunde später würde ich die Schenkel herausnehmen, die Haut abziehen, das Fleisch in kleine Würfel schneiden und zurück in die immer noch köchelnde Suppe geben. Anschließend musste man sie nur noch herausschöpfen und essen.

Die ganze Zeit über strich Cho-Cho-San mir um die Beine und schnurrte vor lauter Vorfreude. Sie versuchte, etwas zu stibitzen, als ich die Möhren zerkleinerte, und schnupperte genüsslich, als sich in der Küche der Duft nach Hühnchen ausbreitete. Für Cho-Cho-San war es eine neue Erfahrung, dass Futter nicht einfach nur aus kleinen runden Blechdosen kam. Ihr Verhalten verriet mir, dass sie nicht daran gewöhnt war, dass Essen zubereitet und gekocht wurde. Vielleicht war ihr Besitzer ein Mann gewesen oder aber – mir fiel Matildas Kühlschrank ein – eine Frau, die sich nicht für Essen interessierte. Nach ihrer

Körperfülle zu urteilen, fiel Soroya nicht in diese Kategorie, doch bei ihr vermutete ich eher, dass sich ihr Interesse auf den Verzehr beschränkte. Jemand anders durfte die notwendige Arbeit übernehmen.

Der späte Nachmittag ging fast unmerklich in einen der raren Abende häuslicher Ruhe über. Jeder von uns bekam zwei Teller Suppe, auch für Cho-Cho fiel ein Teller ab. Ich mag es, wenn man meine Kochkünste zu würdigen weiß, und Cho-Cho ließ nur ein einzelnes Pfefferkorn übrig, das sich auf ihren Teller verirrt hatte. Evangeline zerdrückte mit großem Eifer den Pfeffer auf ihrem Teller. Ich hatte Windbeutel für uns mitgebracht, und Cho-Cho bekam eine großzügig bemessene Portion Sahne von mir ab.

»Der Tipp des Tages«, verkündete Evangeline, als sie das Fernsehprogramm der Abendzeitung studierte, »ist *Heirat im Schnellverfahren.* Das scheint Matilda Jordans erster Film zu sein. Ihr Vater Gervaise spielt die Hauptrolle – in der Blüte seiner Jahre.«

»Den dürfen wir nicht verpassen«, stimmte ich ihr zu. Wir machten es uns auf dem Sofa bequem, Cho-Cho rollte sich zwischen uns zusammen, schnurrte zufrieden und sah sich gemeinsam mit uns den Film an.

Matilda war damals noch so jung gewesen, so hübsch und sie wirkte so verletzlich, und doch hatte sie bereits diese faszinierende Aura von Lebensmüdigkeit, die ihr Publikum so in ihren Bann zog. Vor allem dann, wenn sie ihren Vater und die weibliche Hauptdarstellerin ansah.

»Ich glaube, das war Gervaise' dritte Frau«, erklärte Evangeline. »Vielleicht aber auch schon seine vierte. Soweit ich mich erinnern kann, gab es auf beiden Seiten der Familie hässliche Scheidungen. Aber das war eigentlich nicht unüblich.«

Matilda hatte sich ihre Lebensmüdigkeit ehrlich verdient, denn Gervaise war der Typ Mann, neben dem jede Frau schnell um Jahre alterte.

Aber mit Ausnahme seiner Tochter hatte immerhin jede

dieser Frauen eine wundervolle Zeit an seiner Seite erlebt. Zumindest am Anfang.

Unbezweifelbar verfügte Gervaise Jordan über alles, was sich ein Mann wünschen konnte: einen ranken, schlanken Körper, Charme, Anmut, eine glühende Eindringlichkeit, wenn er sich mit jeder Faser seines Seins auf die weibliche Hauptdarstellerin konzentrierte. Man konnte verstehen, warum kleine Verkäuferinnen ohnmächtig wurden, wohingegen ihre weniger attraktiven Begleiter mit den Zähnen knirschten. Und es konnte nicht allzu viele Männer gegeben haben, die anziehender waren als Gervaise.

Dann wechselte die Szene, und er trug Zylinder und Frack, während er mit seiner Lady an einem Flussufer entlangspazierte. O ja, Gervaise Jordan war der Inbegriff des Charmeurs alter Schule gewesen.

»Ach«, seufzte ich, als die Geigen einsetzten. »Solche Filme drehen sie heute leider nicht mehr.«

»Auch nicht schlecht«, sagte Evangeline. »Sieh dir nur diesen schweifenden Blick an. Er kann seine Augen nicht für eine Sekunde ruhig halten.«

Tatsächlich galt Gervaise' Interesse nicht mehr seiner Filmpartnerin, sondern längst einer hübschen Statistin, die ein Stück weiter Blumen verkaufte – wie in diesen alten Filmen üblich, natürlich weit entfernt von einem Platz, an dem genügend potenzielle Käufer an ihr vorbeikamen. Sie stand einfach da und wartete brav darauf, dass ein verliebtes Paar ihr etwas abkaufte. In der wirklichen Welt hätte sie es nie zu etwas gebracht.

Oder besser gesagt: Die Filmfigur hätte es niemals zu etwas gebracht. Die Statistin selbst war – soweit ich mich erinnern konnte – dem Produzenten ebenso aufgefallen wie Gervaise, und das zahlte sich für sie aus.

»Wurde sie nicht …«

»Zum Star, zur Lady und zur Matriarchin einer Theaterdynastie«, ergänzte Evangeline. »Aber nicht unbedingt in dieser Reihenfolge.«

»Oh, sieh doch!« Ich zeigte auf eine Ecke des Bildschirms. »Jetzt macht er es schon wieder. Ich habe gesehen, wie er dem Mädchen mit dem Hund zugezwinkert hat. Das stand so ganz bestimmt nicht im Drehbuch.«

»Geiler alter Bock.« Evangeline runzelte die Stirn. »Aber man konnte ihn schnell entmutigen. Einmal wollte er mit mir auch was anfangen, aber nachdem er Bekanntschaft mit meiner Seltersflasche gemacht hatte, ließ er mich in Ruhe.«

»Eine Ladung Mineralwasser ins Gesicht würde jeden Mann entmutigen«, stimmte ich ihr zu.

»Wer redet denn von seinem Gesicht? Ich habe auf die Stelle gezielt, an der es jedem auffallen musste und die es so aussehen ließ, als sei ihm ein kleines Missgeschick passiert. Danach blieb er immer auf Abstand, weil er fürchtete, das könnte sich wiederholen.«

»Er konnte einem ja fast leidtun«, meinte ich lachend.

»Nicht nötig. Kurz darauf begab er sich auf eine erfolgreiche Tournee durch Australien, wo er den Gerüchten zufolge mehr örtliche weibliche Schauspieltalente um den Finger wickelte als der selige Duke of Windsor. Er kam so gut an, dass er mehrere Male dorthin zurückkehrte und während des Krieges und danach die Truppen in der Gegend unterhielt. Ich möchte wetten, die Soldaten hatten nicht halb so viel Spaß wie er, wenn er sich mit den Frauen vergnügte, die sie zurücklassen mussten.«

»Es war immer das Gleiche«, seufzte ich. Von Stars begeisterte Frauen ließen sich von skrupellosen Männern wie reifes Obst pflücken – und das beschränkte sich nicht auf den Hauptdarsteller. Jeder Mann im Ensemble war willkommen, wenn eine Frau glaubte, durch ihn ihrem Ziel ein Stück näher zu kommen.

»Oh, sieh nur …« Ein Drehorgelspieler war in die Szene geschlendert und spielte die Titelmelodie. »Den habe ich seit Jahren nicht mehr gesehen. Das Gesicht kenne ich, aber wie war noch mal sein Name …?«

Zu einem großen Teil bestand das Vergnügen bei solchen

alten Filmen darin, alte Freunde, Rivalen und Bekannte zu entdecken und dabei den Luxus zu genießen, dass man inzwischen alle Anekdoten, Skandale, Geschichten und Schicksale kannte, die wir damals nicht einmal erahnt hätten.

Es war ein wundervoller Abend, da wir alles und jeden zerpflückten. Manchmal sahen wir dabei sogar zum Fernseher. Es war der schönste und friedlichste Abend, den wir seit Wochen genießen konnten.

Das war auch gut so, denn am nächsten Morgen sollte die Hölle los sein.

7

Wir saßen gemütlich beim Brunch zusammen, als auf einmal Evangelines Mobiltelefon zu klingeln begann. Natürlich hatte sie es in ihrem Schlafzimmer gelassen und musste sich erst auf die Suche danach begeben.

»*Waaaaas?*« Ihr Aufschrei ließ mich hochfahren, Cho-Cho fiel von meinem Schoß. Beide eilten wir in Richtung des Schreis.

»Was ist los, Evangeline? Was ist passiert?«

»Wie meinst du das?« Ihre Miene erstarrte. »›Wir haben genug getan‹?«

»Lass mich mit ihm reden.« Ich nahm ihr das Telefon ab.

»Ich habe ihnen gesagt, dass ich den ganzen Tag mit euch unterwegs war«, hörte ich Eddie jammern. »Evangeline Sinclair, Trixie Dolan und Dame Cecile Savoy. ›Sie können sie ruhig fragen‹, habe ich gesagt. ›Die sind mein Alibi.‹ Und sie sagten: ›Versuchen Sie mal 'ne andere Tour. Die hier hat sooo 'nen Bart.‹«

»Alibi? Was soll da heißen? Eddie, was ist los?«

»Ron!« Evangeline gab ihre Bemühungen auf, das Telefon zurückzubekommen. »Ron Heyhoe! Wo ist mein Adressbuch? Ron weiß, was zu tun ist. Er hat da unten bestimmt Freunde …«

»Da unten? Eddie, wo bist du?«

»In Brighton«, antwortete er kläglich. »Im verdammten Brighton.«

»In Brighton? Was machst du denn da? Du hast uns erst gestern erzählt, du würdest nie wieder hinfahren.«

»Hab ich auch nicht gemacht«, sagte er. »Aber sie sind gekommen und haben mich geholt.«

»Dich geholt? Eddie …«

»Da ist es!« Evangeline tauchte aus den Untiefen ihrer

Schublade auf und fuchtelte triumphierend mit ihrem Adressbuch. »Mal sehen …« Sie begann zu blättern. »Ron … Heyhoe, Ron, Superintendent.«

»Irgend so ein Penner hat mein Kennzeichen aufgeschrieben«, berichtete Eddie, »und an die Bullen weitergegeben. Und jetzt haben sie mich verhaft… Nein, nein, ich bin noch nicht fertig. Lassen Sie mich telefonieren. Ich …« Dann war die Leitung tot.

»Eddie!« Ich drückte wie wild verschiedene Tasten, um die Leitung wiederherzustellen, aber nichts geschah.

»Ah, hier ist es.« Evangeline griff nach dem Festnetztelefon und tippte hastig eine Nummer ein.

»Warte auf mich!« Ich gab es auf, Eddie erreichen zu wollen, und lief zum Nebenapparat, denn dieses Gespräch wollte ich mir auf keinen Fall entgehen lassen.

»Verbinden Sie mich bitte mit Superintendent Heyhoe. Es ist ein Notfall … Ja, natürlich. Mein Name ist Evangeline Sinclair.«

Ich nahm den Hörer in dem Moment ab, da nur eine unheilvolle Stille zu hören war. Dann folgte ein Klicken, und ein schwerer Seufzer verkündete, dass das Gespräch durchgestellt worden war.

»Ron? Superintendent Heyhoe? Ron, sind Sie das?«

»Guten Morgen, Miss Sinclair. Was gibt es denn für ein Problem?« Seinem Tonfall nach zu urteilen rechnete er mit dem Schlimmsten – und das sollte er auch bekommen.

»Ach, Ron, Sie haben mir doch versprochen, Evangeline zu mir zu sagen. Erinnern Sie sich nicht mehr?« Das war ihr Versuch, ihn gnädig zu stimmen.

»Und was wollen Sie … Evangeline?« Er wusste, sie führte irgendwas im Schilde.

»Ich dachte nur … es ist so lange her, seit wir uns das letzte Mal gesehen haben. Warum treffen wir uns nicht mal auf einen Drink? In nächster Zeit.«

»Evangeline, ich muss mich um eine Schießerei in der Drogenszene kümmern, sechs Handy-Diebstähle, zwei Einbrüche und ein vermisstes Kind. Wenn Sie kein anderes Anliegen haben, dann sollten wir uns vielleicht zu einem späteren Zeitpunkt darüber unterhalten.«

»Oh! … Nun … es gibt da ein winzigkleines Problem … und ich fürchte, es ist ziemlich dringend.«

»*Wie* winzigklein? Und *wie* dringend? Was haben Sie jetzt wieder angestellt?«

»Es geht nicht um uns, sondern um unseren Freund Eddie. Sie wissen schon, der Taxifahrer.«

»Tut mir leid.« Es tat ihm gar nicht leid, vielmehr war er erleichtert. »Bei Strafzetteln wegen Falschparkens oder wegen einer Geschwindigkeitsübertretung kann ich nichts unternehmen.«

»Nein, nein, damit hat es nichts zu tun. Ich würde es nicht wagen, Sie wegen solcher Lappalien zu behelligen.«

»Nicht?« Er dachte kurz nach, dann fragte er mit unüberhörbarem Unbehagen: »Was meinten Sie denn mit ›dringend‹?«

»Ähm … na ja, wissen Sie … Eddie wurde verhaftet.«

»Warum?«

»Das ist alles ein großer Irrtum. Irgendein Wichtigtuer sah sein Taxi und hat ihn gemeldet. Wir haben ihn dafür bezahlt, dass er uns an dem Tag nach Brighton fährt, aber er hat nichts mit dem zu tun, was da passiert ist. Keiner von uns hat damit etwas zu tun.«

»Wenn es in Brighton passiert ist, fällt es nicht in meine Zuständigkeit.« Wieder klang er erleichtert. »Da kann ich Ihnen gar nicht behilflich sein.«

»Das weiß ich, und das habe ich auch nicht erwartet. Ich hatte nur gehofft, Sie wüssten da unten jemanden, der uns helfen kann. Einen von Ihren Polizeikollegen. Sie kennen sich doch untereinander alle, nicht wahr?«

»So würde ich das nicht sagen.« Es war ihm anzumerken, dass er ihr am liebsten gar nichts mehr gesagt hätte – außer vielleicht ›Auf Wiederhören‹ –, aber schließlich siegte seine Neugier. »Was wird ihm denn vorgeworfen?«

»Vorgeworfen?« Evangeline versuchte Zeit zu schinden, als würde das die Erklärung leichter machen.

»Ja, was wird ihm vorgeworfen?« Ron wurde durch ihre Reaktion nur noch misstrauischer. »Auch wenn ein Teil der Öffentlichkeit das Gegenteil glaubt, verhaftet die Polizei Leute nicht einfach aus einer Laune heraus. Für gewöhnlich gibt es einen guten Grund. Wie lautet dieser Grund?«

»Ähmm … ehrlich gesagt … es gibt nicht nur einen Grund«, räumte Evangeline ein. »Aber der Vorwurf der Entführung ist völliger Unsinn. Cecile wird Ihnen das bestätigen können, sobald sie ihre Trauer überwunden hat.«

»Cecile? Savoy? Wollen Sie sagen, Dame Cecile Savoy ist in diese Sache verwickelt?«, stöhnte er.

»Cecile ist noch das kleinste Problem«, warf ich ein. Ich konnte mich nicht länger zurückhalten.

»Danke, Trixie, das habe ich jetzt gebraucht«, gab er mit finsterer Stimme zurück. »Sprechen Sie weiter, Evangeline. Was gibt es noch?«

»Wir sind da wirklich nur hineingestolpert …«

»Und wieder hinausgestolpert«, ergänzte ich.

»Evangeline …« Meine Einwürfe waren nicht willkommen, jedenfalls nicht bei ihm.

»Mit der Brandstiftung hatten wir nichts zu tun. Jemand hatte das Feuer gelegt, und als wir hinkamen, muss es bereits geschwelt haben. Es war Zufall, dass es in dem Moment ausbrach, als wir uns dort aufhielten.«

»Entführung … Brandstiftung …« Ron war verwirrt.

»Offenbar wurde der Laden in Brand gesteckt, um den Mord zu vertuschen. Eddie entdeckte den Toten im Hinterzimmer, und dann griffen auch schon die Flammen um sich.«

Ich hörte am anderen Ende der Leitung ein deutliches Wimmern.

»Ron? Ron?«, rief Evangeline erschrocken. »Sind Sie noch da? Sie werden uns doch helfen, nicht wahr? Sie müssen doch da unten jemanden kennen, an den wir uns wenden können.«

Ein langes Schweigen folgte. »Ron …?« – »Ich überlege«, sagte er. »Ich versuche zu entscheiden, wen ich genügend hasse, um Sie mit ihm Kontakt aufnehmen zu lassen.«

»Oh, Ron!« Vor Erleichterung kicherte Evangeline mädchenhaft. Es gibt Situationen, da merkt sogar sie, dass sie es übertrieben haben könnte. »Sie sind ein echter Spaßvogel.«

»Vielleicht Thursby«, erwiderte er.

»Wer ist das?«

»Als wir beide gerade erst bei der Polizei angefangen hatten, fand ein Rugbyspiel statt, und wir traten gegeneinander an. Mit einem hässlichen Foul ramponierte er mir das Knie so sehr, dass ich für ein paar Monate ausfiel. Bei schlechtem Wetter spüre ich immer noch ein Ziehen. Ja, wir nehmen Superintendent Hector Thursby. Er hat noch was bei mir gut.«

Meine Reisetasche war fast fertig gepackt, als ich aufsah und in zwei vorwurfsvoll dreinblickende Augen schaute.

»Cho-Cho, dich hätte ich ja fast vergessen.« Sie blinzelte mich an. Genau davor hatte sie Angst gehabt: dass ich weggehen und sie zurücklassen würde. Aber ich konnte sie gar nicht hier zurücklassen, da es niemanden gab, dem ich zutraute, dass er sich richtig um Cho-Cho kümmern würde.

»Du wirst uns begleiten müssen«, erklärte ich ihr. »Tut mir leid. Ich weiß, ich habe dir versprochen, du musst nie wieder in diese schreckliche Box, aber …«

»Was ist denn hier los?« Evangeline stand plötzlich in der Tür. »Ich dachte, du telefonierst. Führst du Selbstgespräche?«

»Ich rede mit Cho-Cho-San.«

»Kommt aufs Gleiche raus.« Evangeline rümpfte die Nase und betrachtete die Katze mit kühler Miene. »Was machst du mit ihr, während wir weg sind?«

»Wir müssen sie mitnehmen.«

»Unsinn!«, regte sich Evangeline auf, zögerte dann aber. »Andererseits ist das vielleicht gar keine schlechte Idee. So können wir beobachten, wie die Leute reagieren. Irgendjemand dürfte sicher sehr überrascht sein, dass das Tier noch lebt. Jemand, der davon ausgeht, dass es in dem Feuer umgekommen ist.«

»Vielleicht …« Ich erschauderte bei dem Gedanken, und ich musste mich zusammenreißen, um bei der Sache zu bleiben. »Aber wir wissen nicht, ob derjenige, der Cho-Cho in den Laden brachte, und der Mörder sowie der Brandstifter ein und dieselbe Person sind.«

»Vielleicht stimmt das ja, aber dann wären das ziemlich viele Zufälle auf einmal, oder?«

»Kann sein.« So sehr ich es auch hasste, musste ich doch zugeben, dass sie recht haben könnte. »Der Brandstifter wird bestimmt auch der Mörder sein, aber er muss nicht derjenige sein, der Cho-Cho loswerden wollte.«

»Dann müssten zwei kaltblütige und gnadenlose Menschen zur gleichen Zeit in diesem Laden gewesen sein. Hältst du das für wahrscheinlich?«

»Warum nicht? Wer in so einen Laden geht, muss ohnehin ziemlich kaltblütig sein.« Ich verstaute die letzten Sachen in meiner Tasche und zog den Reißverschluss zu.

»Unser vorrangiges Problem ist die Frage«, überlegte Evangeline, »wie wir dort hinkommen. Eddie fällt aus, der sitzt im Gefängnis. Du hast nicht zufällig den Namen seines Cousins parat?«

»Den hat er nicht erwähnt.« Ich nahm meine Tasche und folgte Evangeline in den Flur. »Warum machen wir es nicht mal auf die harte Tour und benutzen öffentliche Verkehrsmittel? Wie ich gehört habe, fahren regelmäßig Züge.«

»Komm mir nicht mit so was!«

»Evangeline.« Ungläubig starrte ich den Kofferberg neben der Haustür an und verstand auf einmal ihren Einwand. »Wir reisen nicht in die äußere Mongolei, sondern nur bis Brighton. Da gibt es an jeder Ecke Geschäfte und Boutiquen. Wenn du was vergessen hast, kannst du es da kaufen. So viel Gepäck musst du nicht mitnehmen!«

Ich war mal mit einer kleinen Truppe unterwegs, die auf

einer Tour zwischen Seattle und Padukah mit weitaus weniger auskam. Und damals waren sogar noch ein paar größere Kulissenteile mit dabei gewesen.

»Mal sehen … wer könnte denn einen guten Autoverleih empfehlen?« Wie üblich nahm sie von meinen Einwänden gar keine Notiz. »Warum rufst du nicht Martha an und fragst sie. Vielleicht kann Hugh uns seinen Wagen zur Verfügung stellen.«

»Ich weiß nicht so recht …«, antwortete ich zögernd. Wie auf ein Stichwort hin klingelte das Telefon.

»Das könnte Rons Freund sein.« Evangeline schnappte sich den Hörer. »Hallo? … Oh.« Sie wurde ernst und hielt mir das Telefon hin. »Für dich.«

»Mutter!« Marthas aufgeregte Stimme hallte mir laut entgegen. »Mutter, wir haben hier einen Notfall!«

»Die Kinder?« Ich schnappte erschrocken nach Luft. »Was …«

»Den Kindern geht's gut. Es geht um das Buch!«

»Ist das alles? Ich meine, das tut mir leid, Liebes. Was stimmt denn nicht mit dem Buch?«

»Mit dem Buch stimmt alles – außer dass es vielleicht nie fertig wird! Wegen Jocasta! Es ist eine Katastrophe!«

»Beruhige dich erst mal. So schlimm wird es doch sicher nicht sein.«

»Es ist nur ein albernes Kochbuch«, murmelte Evangeline, die jedes Wort deutlich verstehen konnte. »Es ist nicht *Vom Winde verweht.*«

»Bitte …« Ich machte eine Handbewegung, um Evangeline zum Schweigen zu bringen. »Jetzt hol erst mal tief Luft, und …«

»Frag sie nach dem Wagen«, warf Evangeline ein.

»Würdest du bitte …?«

»Mutter? Bist du noch da? Hörst du mir zu? Du bist meine einzige Hoffnung.«

»Das hört sich gar nicht gut an«, meinte Evangeline.

»Ach, sei endlich ruhig!« In Wahrheit teilte ich sogar ihre Meinung. »Nein, nicht du, Schatz …«

»Oh, das musst du mir nicht extra sagen. Du meinst Miss Sinclair, richtig? Sie macht bestimmt wieder ihre üblichen abfälligen Bemerkungen.«

»Das habe ich gehört!«

»Red weiter, Schatz.« Ich konnte es meiner Tochter gegenüber nicht leugnen. »Ich höre dir zu. Was ist denn mit Jocasta? Sie hat doch nicht ...« Meine plötzliche Angst um das Wohl der Kinder war noch nicht ganz ausgeräumt. »Sie hat doch nicht etwa irgendeine schlimme Krankheit? Etwas Ansteckendes?«

»Nein, nein, nichts in der Art. Es ist viel schlimmer. Bei ihr kommt kein Gas raus!«

»Darüber sollte sie sich doch eigentlich freuen.« Evangeline konnte einfach nicht den Mund halten.

»Bitte ...«

»Nicht *die* Art von Gas!« Evangeline und Martha redeten mittlerweile beide so laut, dass sie sich unterhalten konnten, obwohl ich den Hörer in der Hand hielt. »Sondern das Gas, mit dem man das Haus heizt. Und mit dem man kocht.«

»Oh-oh ...« Allmählich wurde mir klar, worauf das hinauslief.

»Ganz genau. Wir haben einen festen Termin, und sie muss erst noch alle Rezepte testen, bevor wir sie ins Buch nehmen können. Du kannst dir sicher vorstellen, wie lax die Leute vom Theater mit Mengenangaben und Zubereitungszeiten umgehen.«

»Nicht nur die Leute vom Theater.« Ich entstammte einer langen Linie von Köchinnen, die auf gut Glück und mit viel Gottvertrauen arbeiteten und solange weiter Zutaten hinzugaben, umrührten und probierten, bis es so schmeckte, wie sie es sich vorstellten. Martha war da nicht anders, was auch erklärte, warum man ihr diese Jocasta als Redakteurin an die Seite gestellt hatte.

»Auf jeden Fall gibt es irgendwo in ihrer Nachbarschaft ein Leck, und man hat im ganzen Viertel das Gas abgestellt, bis es gefunden ist. Und wenn sie die undichte Leitung ausfindig gemacht haben, weiß kein Mensch, wie lange die Reparatur dauern wird. Dabei haben wir so einen knappen Redaktionsschluss, weil wir das Buch auf dem Herbstbasar der Lady Lemmings vorstellen wollen. Darum haben wir keine Zeit, erst alle Rezepte zu sammeln und sie dann nachzukochen. Wir müssen sie parallel dazu testen, was sehr wichtig ist. Immerhin hat Jocasta bereits einige entdeckt, die sich gut anhörten, sich aber als völlige Katastrophen entpuppten.«

»Und jetzt kann sie nichts ausprobieren, das gekocht werden muss, weil sie kein Gas für ihren Ofen hat.« Ich hatte Marthas Ausführungen inzwischen folgen können und war vielleicht sogar ein Stück weiter als sie.

»Ganz genau, Mutter. Normalerweise hätten wir das Ganze in meine Küche verlegen können, auch wenn das mit der Haushälterin und den Kindern etwas problematisch wäre. Aber Hugh arbeitet an verschiedenen neuen Projekten, und er braucht zu Hause so viel Ruhe und Frieden, wie ich ihm ermöglichen kann.«

»Das kann ich gut verstehen, Liebes. Und da dachtest du ...«

»Du hast diese tolle moderne Küche ...« Martha hielt einen Moment lang inne und atmete tief durch. »Und du benutzt sie so gut wie nie ...«

»So würde ich das nicht ausdrücken.«

Für einen Augenblick fühlte ich mich auf den Schlips getreten, auch wenn ich grundsätzlich Verständnis für Marthas Überlegung hatte.

»Ich wollte damit sagen, du bist nicht jeden Tag zu Hause. Und du isst oft in Lokalen. Jocasta wäre dir nicht so sehr im Weg. Ich weiß, ihre Bewunderung für Miss Sinclair ist ein wenig nervtötend, aber das wird sich legen, wenn sie sie erst mal besser kennengelernt hat.«

Evangeline schnaubte entrüstet.

»Außerdem wäre es nur so lange, bis die Gasversorgung wiederhergestellt ist. Und du hast ein randvolles Regal mit

Gewürzen, Soßen und Derartigem … Es würde dir doch nichts ausmachen, wenn sie davon etwas verwendet, oder, Mutter? Sie tut es ja für mich. Sie könnte in einer halben Stunde da sein, und sie wird immer dann wieder gehen, wenn dir ihre Anwesenheit ungelegen ist.«

»Eigentlich wollen wir für ein paar Tage nach Brighton fahren. Sag mal, Schatz, hat Jocasta ein Auto?«

»Ja, natürlich.«

»Martha!« Evangeline und ich sahen uns triumphierend an. »Ich glaube, wir können uns einig werden.«

8

Cecile wird eine wahre Goldmine für Sie sein.« Völlig schamlos hatte Evangeline Dame Cecile den Wölfen zum Fraß vorgeworfen – oder in diesem Fall: der restlos begeisterten Jocasta. »Bringen Sie nur Ihr Notizbuch mit. Sie quillt schier über vor Gourmetrezepten, Theateranekdoten und allen möglichen kulinarischen Kleinigkeiten. Mit ihr allein wird Ihr Buch schon zu einem Bestseller werden … Wenn Sie mir nur mit diesen Koffern helfen könnten, meine Liebe.«

Die Terrassen der stufenförmig angelegten Regency-Häuser säumten die Straße, die mit leichtem Gefälle hinunter zum graublauen Meer führte. Der strahlend weiße Verputz der hochzeitstortenartigen Gebäude hellten den düsteren Tag deutlich auf.

»Biegen Sie da ab«, ordnete Evangeline an, und Jocasta lenkte ihren Wagen in eine mit größeren Häusern gesäumte Straße, von denen uns eines bereits vertraut war.

Während ich genug damit zu tun hatte, Cho-Cho in ihrem Tragekorb aus dem Wagen zu bugsieren, ohne sie allzu sehr durchzuschütteln, eilte Evangeline die Stufen zur Haustür hinauf und überließ es Jocasta, sich um ihr gesamtes Gepäck zu kümmern. Mich überraschte das gar nicht.

Die Tür wurde geöffnet, noch bevor wir klingeln konnten, und Soroya erschien, die uns – und vor allem mich – finster anstarrte.

»Es wird auch Zeit, dass Sie sie zurückbringen!« Sie riss mir den Korb aus der Hand, woraufhin Cho-Cho das Gleichgewicht verlor und beleidigt maunzend gegen die Käfigtür geworfen wurde. »Wie können Sie es wagen, einfach so mit meiner Katze zu verschwinden? Ich sollte zur Polizei gehen und Sie anzeigen!«

»Bitte, Soroya«, ertönte Matildas erschöpfte Stimme hinter ihr. »Ich habe dir doch erklärt, dass ich Trixie gebeten hatte, die Katze mitzunehmen, bis sich Cecile beruhigt hat.«

»Ich weiß sowieso nicht, warum du sie überhaupt hier wohnen lässt. Ich dachte, du würdest von ihr im Theater schon genug mitbekommen. Das ist doch nur eine zusätzliche Belastung.«

Evangeline schnaubte. Wenn es um zusätzliche Belastungen ging, war Dame Cecile noch ihr kleinstes Problem.

»Trixie und Evangeline werden ebenfalls für ein paar Tage hier wohnen«, verkündete Matilda ihr mit einem Hauch von Genugtuung in ihrem Tonfall.

Soroya wollte offensichtlich dagegen protestieren, aber als sie Matildas unnachgiebigen Blick bemerkte, hielt sie schließlich doch den Mund.

»Ich bringe die Katze nach oben in mein Zimmer«, erklärte sie und schaute mich feindselig an. »Wo ihr niemand zu nahe kommen kann!«

»Ja, mach das bitte«, sagte Matilda. »Und pass auf, dass Cecile sie nicht zu sehen bekommt. Ich glaube, das würde sie momentan nicht verkraften.«

»Ist sie immer noch so außer sich?«, fragte Evangeline herzlos. Immerhin hatte Fleur es länger an Ceciles Seite ausgehalten als jeder ihrer Ehemänner.

»Sie kostet es maßlos aus.« Matilda zuckte mit den Schultern. »Mittlerweile hat sie es sich zur Angewohnheit gemacht, in den frühen Morgenstunden das Haus zu verlassen und ganz in Schwarz gekleidet durch die Straßen zu wanken. An sich wäre mir das egal, aber sie lässt die Haustür unverschlossen, damit sie wieder ins Haus kommt. Ich musste ihr einen Schlüssel geben und ihr sehr lange zureden, aber ich bin mir nicht sicher, ob ich damit etwas bewirkt habe. Als ich heute Morgen aufstand, war die Tür schon wieder nicht verriegelt.«

Cho-Cho gab ein mitleiderregendes Miauen von sich und warf mir einen gequälten Blick zu, als Soroya sie die Treppe hinauftrug. Sie hielt den Transportkorb erneut schief, sodass die Katze gegen die Innenseite geworfen wurde.

»Seien Sie doch vorsichtig!« Mit ausgestreckten Händen eilte ich zu ihr, um zu verhindern, dass der Korb weiter so hin und her schaukelte.

»Erzählen Sie mir nicht, wie ich mit *meiner* Katze umzugehen habe!« Soroya zog den Korb zur Seite, wodurch Cho-Cho abermals das Gleichgewicht verlor.

Diesmal fiel Cho-Chos Protest lauter und wütender aus. Die Katze war es nicht gewöhnt, dass man so mit ihr umging, was nur ein Grund mehr war, an Soroyas Aussage, es sei ihr Tier, zu zweifeln.

»Ruhig jetzt!« Matilda sah nervös zum Kopf der Treppe. »Ihr weckt nur Cecile auf, und wenn sie die Katze sieht, bekommt sie den nächsten Tobsuchtsanfall.«

»Deine Freundin Cecile ist heute erst kurz vor Morgengrauen zurückgekommen«, ließ Soroya sie wissen. »Sie wird noch stundenlang fest schlafen. Du kannst von Glück reden, wenn sie bis zur Probe am Nachmittag wieder wach ist.« Soroya schlenderte die Treppe hinauf und schaukelte Cho-Cho bei jeder Stufe hin und her.

Ein lauter Knall an der Haustür ließ uns alle zusammenfahren. Es hörte sich an, als hätte man jemanden mit Wucht dagegen geschleudert. Matilda eilte durch den Flur und sah durch das kleine Fenster nach draußen.

»Haben Sie Gepäck mitgebracht?«, fragte sie.

»Du liebe Güte, Jocasta!« Ich eilte zur Tür, um sie zu öffnen. »Sie hatte ich ja völlig vergessen.«

»Daran dürfte sie gewöhnt sein«, meinte Evangeline beiläufig.

»Es tut mir so leid, aber ich bin gestolpert«, keuchte Jocasta. »Ich hoffe, der Türlack hat keinen Kratzer abbekommen.« Beide betrachteten wir den riesigen Koffer, der gegen die Tür gelehnt war. Keine von uns wagte es, nach möglichen Kratzern zu suchen.

»Nein, nein, das ist schon in Ordnung«, versicherte Matilda ihr, runzelte dann aber argwöhnisch die Stirn. »Ähm … bleiben Sie auch hier?«

»O nein, ich habe die beiden nur hergefahren«, sagte Jocasta und nahm den Kampf mit den Koffern wieder auf, um einen nach dem anderen in den Flur zu wuchten. »Ich werde in Kürze nach London zurückkehren. Aber Miss Sinclair versprach mir, dass Dame Cecile …« Sie sah sich voller Hoffnung um.

»Alles zu seiner Zeit.« Evangeline wich ihrem Blick aus, während sie ihr antwortete. »Wenn Sie die Koffer nach oben bringen, wird Matilda Ihnen zeigen, wo sie hinkommen.«

»Oh … ja … selbstverständlich.« Mit einem verzweifelten Ausdruck in ihren Augen betrachtete Jocasta abwechselnd das Gepäck und die Treppe.

»Ich trage meine Sachen selbst.« Jocastas dankbares Lächeln bereitete mir Schuldgefühle, weil meine Tasche das kleinste Gepäckstück von allen war.

»Hier entlang.« Matilda schnappte sich den zweitkleinsten Koffer, geriet unter seinem Gewicht aber leicht ins Taumeln. Mir kam es so vor, als würde ich aus dem Koffer das gedämpfte Klirren von Glas hören. Ich warf Evangeline einen durchdringenden Blick zu, doch sie sah noch immer keinem von uns in die Augen.

»Zu freundlich …«, setzte sie zum Sprechen an und ließ sich in gespielter Gedankenverlorenheit in Richtung Salon treiben. »Wenn ihr mich entschuldigen würdet … ich muss nur rasch …« Im nächsten Moment war sie verschwunden, nur ihre Stimme war noch zu vernehmen: »… wichtiges Telefonat …«

Auch wenn das mal nicht ein Vorwand war, dachte ich ärgerlich. Ich presste die Lippen zusammen und hoffte darauf, dass Superintendent Thursby sich nicht als zu entgegenkommend erweisen würde. Dann folgte ich Matilda nach oben und durch den langen Flur, während ich mich fragte, hinter welcher Tür Cho-Cho verschwunden sein mochte.

»Ich dachte mir, Ihnen könnte dieses Zimmer gefallen«, sagte sie, als sie mir die Tür öffnete. »Es ist zwar klein, aber dafür haben Sie Meerblick. Na ja, genau genommen ist es nur der Ärmelkanal, aber der gehört ja auch zum Meer.«

»Das ist ja reizend!« Das Zimmer war ein echtes Schmuckkästchen. Zwar klein, aber hell und luftig, mit einem winzigen, in Weiß gestrichenen schmiedeeisernen Balkon vor dem Fenster, Gardinen und Tagesdecke mit Blumenmuster und einer geschwungenen Nische mit ein paar Regalbrettern in einer Ecke. Frische Blumen standen in geschliffenen Glasvasen auf dem Sideboard und dem Nachttisch. Der blaugraue Streifen Meer, der bis zum Horizont reichte, war ein Extra, das sich an einem sonnigen Tag auszahlen würde.

»Wirklich reizend«, hörte ich ein trauriges Echo aus Richtung Tür kommen, wo Jocasta stand und sehnsüchtig mein Zimmer bewunderte.

»Evangelines Zimmer ist gleich gegenüber. Sie können es sich gerne ansehen. Wenn Sie mir bitte folgen ...« Matilda öffnete eine Tür und entschuldigte sich sofort. »Sie müssen sich das Badezimmer teilen. Leider hat hier nicht jedes Gästezimmer ein eigenes Bad.«

»Warum denn auch? Das hier ist kein Hotel.« Ich betrat das großzügige Bad, das früher einmal eindeutig ein vollwertiges Verbindungszimmer zwischen den beiden Räumen am Ende des Flurs gewesen war. Augenblicklich verlor ich mich in den nostalgischen Gefühlen, die es in mir weckte, da ich an meine erste Reise nach Europa auf einem der alten Linienschiffe denken musste. Damals war ›Jet Set‹ ein eben erst geprägter Begriff, um die neuen Gipfel des Luxus zu beschreiben, gegen die Reisen auf Ozeanriesen ein alter Hut waren. In jenen Tagen waren in jeder Kabine der dritten Klasse vier Passagiere untergebracht, zwei in den oberen, zwei in den unteren Betten, womit sich insgesamt acht Reisende ein zwischen zwei Kabinen gelegenes Bad teilten. Irgendjemand vergaß immer, beide Türen zu entriegeln, wenn er aus dem Bad kam, sodass der nächste immer wie wild gegen die Tür hämmerte, um bis in die Nachbarkabine gehört zu werden.

»Es ist eigentlich kein Problem, solange Sie daran denken, auch die andere Tür wieder aufzuschließen, wenn Sie fertig sind«, ließ mich Matilda wissen, als hätte sie meine Gedanken gelesen. Oder aber sie hatte selbst entsprechende Erfahrungen gemacht.

»Das ist nicht weiter schlimm«, erwiderte ich ehrlich. Evangeline würde den Riegel an der gegenüberliegenden Tür vermutlich gar nicht bemerken, und mir machte es auch nichts aus. Angesichts der schwierigen Verhandlungen, die wir würden aufnehmen müssen, um Eddies Freilassung in die Wege zu leiten, erschien es mir sogar ausgesprochen praktisch, dass wir uns beratschlagen konnten, ohne dass der Rest des Haushalts etwas davon mitbekam.

»Gut.« Matilda wandte sich abrupt von mir ab. »Dann kümmere ich mich jetzt noch um ein paar andere Dinge. Cecile sollte allmählich aufstehen, wenn sie es rechtzeitig zu den Proben schaffen will.«

»Ich werde Sie nicht stören«, versprach mir Jocasta. »Ich bringe Miss Sinclairs Gepäck durch den Flur in ihr Zimmer. Warum legen Sie sich nicht hin und ruhen sich etwas aus? Es war eine lange Fahrt.«

In Wahrheit sah *sie* so aus, als sollte sie sich hinlegen und ausruhen, immerhin hatte sie uns gefahren. Ich lächelte zustimmend und schloss die Tür, dann ging ich zum Fenster, um die Aussicht zu genießen.

Jocasta musste dreimal laufen, um Evangelines sämtliches Gepäck in ihr Zimmer zu bringen. Feige ging ich ihr aus dem Weg und erfreute mich stattdessen an der Aussicht auf den Ärmelkanal mit den zahlreichen Schiffen. So zeitlos, so friedlich, so …

»Da sind Sie ja, Sie elendes Geschöpf! Wo waren Sie die ganze Zeit?« Soroyas wütende Tirade kam einer Explosion gleich, die mich aus meinen besinnlichen Gedanken riss. »Sie kommen

Tage zu spät! Wo haben Sie gesteckt? Wenn Matilda Sie nicht bei der Vermittlung meldet, werde ich es tun! Sie haben kein Recht, uns so zu behandeln. Sie wurden eingestellt, weil man Ihnen vertraut hat, und nun haben Sie uns so hintergangen ...«

O nein! Ich lief los und riss hastig die Tür auf. Wie zu befürchten war, stand die arme Jocasta mit dem Rücken zur Wand da und wurde von einer mutmaßlichen Verrückten beschimpft, die ihr Dinge vorwarf, von denen sie nicht das Geringste wusste.

»Nein! Nein! Nein!« Matilda kam durch den Flur gestürmt. »Sie hat mit der Vermittlung nichts zu tun. Sie ist mit Trixie und Evangeline hergekommen.«

»Dann ist die Haushälterin immer noch nicht aufgetaucht?«, folgerte ich und legte einen Arm um Jocastas bebende Schultern.

»Diese Hoffnung habe ich längst aufgegeben. Was bleibt mir anderes übrig?« Matilda zuckte resigniert die Achseln. »Man trifft alle nötigen Vorbereitungen, sie versprechen einem, dass sie den Job annehmen, und sie scheinen sogar richtig begeistert zu sein. Und dann lassen sie sich nie wieder blicken. Das passiert ständig. Dabei habe ich so große Hoffnungen in Mrs Temple gesetzt. Sie war älter als die üblichen Bewerberinnen, und sie wirkte so verantwortungsbewusst. Ich dachte, auf sie könnte ich mich verlassen. Aber alle Australier nehmen diese Jobs nur an, damit sie ihre Reisen finanzieren können. Vermutlich hatte sich für sie eine Gelegenheit ergeben, sich wieder ihren Freunden zu einem aufregenden Ausflug anzuschließen, und sie ist einfach mitgefahren. Ich wünschte, sie hätte mir wenigstens Bescheid gegeben.«

»Kein Verantwortungsgefühl!«, beklagte sich Soroya. »Völlig verantwortungslos und unzuverlässig! Typisch. Du musst die Vermittlungsagentur anrufen und darauf bestehen, dass sie einen Ersatz schicken. Und lass dir von ihnen die Vermittlungsgebühr nicht zweimal abknöpfen.«

»Soroya«, entgegnete Matilda. »Das Stück hat am Montag

Premiere. Ich habe keine Zeit, Gespräche mit den Bewerberinnen zu führen.«

»Mit so etwas musst du dich nicht belasten. Derartige Aufgaben kann ich dir jederzeit abnehm…«

Der eisige Blick, den Matilda ihr zuwarf, veranlasste sie, mitten im Satz abzubrechen.

»Vielen Dank, aber *ich* entscheide, wer in *meinem* Haus als Haushälterin arbeitet.«

»Wie du meinst.« Soroya ging über den abweisenden Tonfall einfach hinweg. »Aber wie sieht es mit den Mahlzeiten aus? Ich bin es allmählich leid, mir jedes Mal ein Restaurant suchen zu müssen, wenn ich Hunger habe. Und dir sollte es eigentlich ganz genauso gehen. Es wäre für dich viel erholsamer, wenn du hier in deinen eigenen vier Wänden essen könntest. Wir haben ja nicht einmal etwas für das heutige Mittagessen im Haus …«

»Das kriegen wir schon hin«, gab Matilda matt zurück.

»Das kriegen wir hin? Du lädst dir das ganze Haus voller Leute ein, damit sie sich auf ewig hier einquartieren, und dann ist im Kühlschrank absolut nichts, um ihnen ein Mittagessen anzubieten..

»Was das Essen angeht« – Jocasta löste sich aus meiner schützenden Umarmung, bevor ich sie daran hindern konnte –, »dann könnte ich vielleicht behilflich sein. Ich bin ziemlich gut darin, aus nichts ein Essen zu zaubern.«

»Sie ahnen nicht, worauf Sie sich da einlassen«, warnte ich sie leise. »Wenn sie sagt, dass im Kühlschrank nichts ist, dann meint sie das wortwörtlich.«

»Es gibt hier genug Supermärkte, außerdem hat sie ein Auto.« Soroya schenkte Jocasta ein anmutiges Lächeln. »Das wäre ja so nett von Ihnen, meine Liebe.«

Vielleicht. Vielleicht verfolgte Jocasta aber auch eine ganz andere Absicht. Dame Cecile war bislang noch nicht aufgetaucht, und Jocasta fürchtete völlig zu Recht, Evangeline könnte sie zurück nach London schicken, bevor sie herausfinden konnte, dass ihre mutmaßliche Goldmine nur Katzengold enthielt.

»Ich weiß das wirklich zu schätzen.« Matilda lächelte sie freundlich an. »Ich danke Ihnen sehr für Ihr Angebot.«

»Dann werde ich mich kurz umsehen, was Sie denn im Haus haben, und eine Einkaufsliste zusammenstellen«, erklärte Jocasta selbstbewusst, da sie nun eine Rolle gefunden hatte, in die sie hier schlüpfen konnte.

»Ich zeige Ihnen, wo Sie was finden können.« Matilda geleitete sie in die Küche, ich folgte den beiden. Jocasta würde allen verfügbaren moralischen Rückhalt benötigen, wenn sie einen Blick in den Kühlschrank warf. Wenige Augenblicke später fand ich diese Vermutung prompt bestätigt.

»O weh!« Sie wurde bleich, als sie in den Kühlschrank sah, und noch bleicher, als sie den Inhalt genauer unter die Lupe nahm. Mir fiel sofort auf, dass seit meinem letzten Besuch einem der Dinger im Kühlschrank offenbar ein Vollbart gewachsen war.

»Das Gefrierfach ...« Jocasta öffnete die Klappe und schlug sie sofort wieder zu, doch die Zeit reichte, um mich etwas wie einen übergroßen Schneeball hinter einer Wand aus Eiszapfen erkennen zu lassen.

»Das kann doch nicht alles sein!« Ungläubig sah sie mich an. Ich zuckte nur mit den Schultern, da ich nichts anderes erwartet hatte.

»Die Speisekammer?« Jocasta klammerte sich an ihre letzte Hoffnung, als sie Matilda diese Frage stellte.

»Ich glaube, so was haben wir gar nicht.« Matilda schaute sich ahnungslos um.

»Und was ist mit dem Keller?« Beide schauten sie mich verständnislos an. So viel zu meiner Absicht, ihnen weiterhelfen zu wollen. »Sie wissen schon. Der Keller, in dem Sie Kartoffeln, Zwiebeln, Möhren, Rüben und so weiter aufbewahren.«

»Es gibt einen Kohlenkeller«, antwortete Matilda. »Aber den benutzen wir nicht mehr, seit vor Jahren das Immissionsschutzgesetz erlassen wurde und wir auf Gaszentralheizung umstellten. Ich weiß nicht, was jetzt da unten ist.«

»Einen Versuch ist es auf jeden Fall wert.« Jocasta wollte einfach nicht aufgeben und ging entschlossen zur Kellertür.

»Kann sein, dass da unten die Waschmaschine und der Trockner stehen.« So recht überzeugt war Matilda von ihren Worten aber nicht.

»Der Lichtschalter funktioniert nicht«, sagte Jocasta. »Haben Sie eine Taschenlampe?«

»Ich habe eine kleine Lampe«, entgegnete ich und suchte in meiner Handtasche. Wieder machte Matilda eine verständnislose Miene. »Sie ist leider sehr klein«, entschuldigte ich mich, als ich Jocasta die Taschenlampe gab. »Ich benutze sie nur, um Theaterprogramme zu lesen, aber besser als gar nichts.«

»Die wird genügen.« Sie schaltete sie ein und leuchtete in der Dunkelheit hinter der Tür umher. »Oh!« Plötzlich tat sie einen Schritt nach hinten. »Ein paar Stufen sind durchgebrochen! Ein Glück, dass ich nicht ohne Licht da runtergestürmt bin.«

»Da geht nie jemand runter«, sagte Matilda, meinte aber eigentlich, dass *sie* es nie tat.

»Passen Sie auf«, warnte ich Jocasta, die sich wieder in die dunkle Türöffnung vorbeugte.

»Ich werde vorsichtig sein.« Behutsam setzte sie einen Fuß vor den anderen. »Ich glaube, ich sehe da was …« Sie wurde von der Finsternis verschluckt, und ich machte mich innerlich darauf gefasst, ihr folgen zu müssen.

»Haben Sie Streichhölzer im Haus?« Ich war nicht so dumm, ganz ohne Licht in den Keller zu gehen.

»Streichhölzer?«, wiederholte Matilda ausdruckslos. »Die sind gefährlich …«

Ein gellender Schrei aus dem Keller unterbrach sie.

»Was ist los? Ist Ihnen etwas passiert?« Ich lief zur Tür, wich aber sofort zurück, als ich Jocasta auf mich zukommen sah.

»O mein Gott!« Sie bewegte sich wie in Zeitlupe. »O mein Gott!« Ihr Gesicht hatte einen leicht grünlichen Farbton angenommen. Ich rettete meine Taschenlampe, bevor sie sie fallen lassen konnte.

»Was ist denn los?« Matilda erwachte aus ihrem tranceähnlichen Zustand und merkte, dass etwas nicht zu stimmen schien.

»O mein Gott! … O mein Gott!« Jocasta drehte sich zu ihr um und kämpfte sichtlich mit sich selbst, um ihr Zittern unter Kontrolle zu bringen.

»Ganz ruhig …« Ich stellte mich zu ihr, um ihr Halt zu geben. »Was ist passiert?«

»O weh!« Sie klammerte sich an mich, nahm aber den Blick nicht von Matilda. »Ich glaube, ich habe eben Ihre verschwundene Haushälterin gefunden.«

9

Ich dachte, an der Küste soll man so gesund leben«, beklagte sich Evangeline bitterlich. »Wir sind wohl der Gegenbeweis, denn jedes Mal wenn wir in diesen verschlafenen Ort kommen, stoßen wir auf irgendeinen Toten.«

»Stadt«, korrigierte Matilda sie reflexartig. »Zur Jahrtausendwende wurde Brighton zur Stadt erklärt. Das hier ist jetzt die City of Brighton-and-Hove.«

»Nennen Sie es, wie Sie wollen – auf jeden Fall geht es hier mörderisch zu.« Evangeline bedachte sie mit einem beleidigten Blick.

Jocasta schluchzte erstickt. Um sie war ich wirklich besorgt, da sie jeden Moment zusammenzuklappen drohte. Martha würde außer sich vor Wut sein, wenn ihre Rezepttesterin und Redakteurin nicht weiterarbeiten konnte.

»Trinken Sie Ihren Brandy aus«, forderte Evangeline sie energisch auf. »Und wenn der nicht hilft, bekommen Sie noch einen.« Scheinbar aus dem Nichts hatte sie eine Flasche herbeigezaubert, als sie von Jocastas Entdeckung erfuhr – und damit bestätigte sie, dass ich das Klirren aus ihren Koffern richtig gedeutet hatte.

»Wohl wahr … wohl wahr«, stöhnte Dame Cecile leise. »An diesem Ort herrschen nur Tod, Trostlosigkeit und Verzweiflung. Wäre ich bloß nie hergekommen!«

»Bereit für einen Nachschlag, Cecile?« Evangeline wartete ihre Antwort gar nicht erst ab, und Cecile machte keine Anstalten, sie aufzuhalten. »Sonst noch jemand?«

Schweigend hielten wir ihr unsere Gläser hin. Mir kam der Gedanke, dass es vielleicht keinen so guten Eindruck machte, wenn die alarmierte Polizei hier eintraf und wir uns alle auf dem Weg ins Delirium befanden, aber letztlich war es mir egal. Wir hatten allen Grund, außer uns zu sein und etwas dagegen zu unternehmen.

»Das ist ja alles schön und gut«, beklagte sich Soroya, nachdem auch ihr Glas wieder bis zum Rand gefüllt war. »Aber was ist jetzt mit dem Mittagessen? Ich komme um vor Hunger.«

Mir ging es nicht anders. Voller Hoffnung sahen wir Jocasta an. Die Show musste schließlich weitergehen …

»Tut mir leid.« Jocasta war zu einer pflichtbewussten Frau erzogen worden, und man sah ihr an, wie schlimm es für sie war, in diesem Moment ihre Aufgaben zu vernachlässigen. Doch sie blieb standfest. »Ich kann jetzt kein Essen sehen. Ich kann nicht mal daran denken. Wer weiß, vielleicht werde ich nie wieder kochen.«

Martha würde mich umbringen, daran gab es keinen Zweifel. Auch wenn es eigentlich Evangelines Schuld war. Ich wäre liebend gern mit dem Zug nach Brighton gefahren, während Jocasta in unserer Küche ihre Rezepte ausprobierte.

»Sie könnten aber wenigstens zum Supermarkt fahren und einkaufen«, schlug Soroya vor. »Die Polizei wird sich nicht daran stören, wenn Sie gehen. Sie sind die Einzige, die mit diesem Haus rein gar nichts zu tun hat.«

»Sie hat die Tote entdeckt«, stellte Evangeline klar.

»Ich verstehe noch immer nicht, warum wir die Polizei angerufen haben.« Soroya war noch nicht fertig mit ihren Klagen, und mir wurde allmählich klar, dass sie damit niemals fertig wäre. »Ein Unfall hat nichts mit der Polizei zu tun. Matildas Doktor hätte alles Notwendige in die Wege leiten können.«

»Wenn die Verstorbene nicht seine eigene Patientin war und er sie nicht erst kürzlich noch gesehen hat, muss ein Arzt ohnehin die Polizei dazuholen«, ließ Evangeline sie wissen. »Wir haben also nur den Mittelteil übersprungen.«

»Sie kennen sich da aber gut aus … für eine Schauspielerin.« Soroya sah sie argwöhnisch an. Möge sie niemals herausfinden, wie gut wir beide uns tatsächlich auskennen.

»Nach all den Morden, die ich in meiner großen Serienzeit gelöst habe, ist das wohl kein Wunder«, gab Evangeline zurück.

Ich atmete erleichtert auf, doch leider verfrüht. Auch wenn Evangeline vielleicht nicht unsere vorangegangene Erfahrung einräumen würde, hing noch immer Ärger in der Luft.

»Ach ja, ich habe davon gehört, dass Sie mal in einer Krimiserie mitgespielt haben«, sagte Soroya. »Aber das war vor meiner Zeit. Da war ich noch viel zu jung ...« Und da war der Ärger auch schon.

»Wenn Sie schon mit Gervaise Jordan verheiratet waren, dann können Sie ja nicht ganz so jung gewesen sein!«, knurrte Evangeline.

»Ich war noch sehr jung, als ich den guten Gervaise heiratete«, seufzte sie. »Sehr jung – und sehr verliebt. Sonst hätte ich es mir zweimal überlegt, ehe ich mir eine so undankbare Stieftochter aufhalse. Ein so wildes und ungezogenes Kind!«

»Ich war zu der Zeit sechsundvierzig«, herrschte Matilda sie an. »Sie schleppte den alten Dummkopf zum Standesamt, bevor ich ihn davon abhalten konnte.«

Der schrille Ton der Türklingel zerschnitt jäh die immer dicker werdende Luft, die im Haus herrschte. Ich war nicht die Einzige, die zusammenzuckte.

»Ich verstehe nicht, warum du dir nicht eine richtige Türglocke zulegst«, beschwerte sich Soroya. »Vielleicht eine mit einer hübschen Melodie.«

Wieder wurde geklingelt. Offenbar war da jemand sehr ungeduldig. Wir sahen uns gegenseitig an, aber niemand rührte sich von der Stelle.

»Es ist die Aufgabe der Haushälterin, die Tür zu öffnen!«, meinte Jocasta und setzte zu einem irren Gelächter an.

»Sie ist völlig hysterisch«, sagte Soroya. »Jemand sollte ihr eine Ohrfeige geben.«

»Sie ist es nicht gewohnt, auf Leichen zu stoßen.« Evangeline zeigte damit kein Mitgefühl, sondern wollte nur Kontra geben, weil der Vorschlag mit der Ohrfeige eigentlich von ihr hätte kommen müssen. Und in diesem Fall hätte Jocasta noch froh sein können, wenn es nur bei einem Vorschlag geblieben wäre.

»Ich gehe hin.« Matilda setzte sich in Bewegung, als offensichtlich wurde, dass niemand sonst es übernehmen würde. Abermals klingelte es.

»Wer ist denn schon an so was gewöhnt?«, wunderte sich Soroya.

Evangeline wich der Frage aus und erklärte stattdessen: »Noch ein Schlückchen Brandy, und sie fühlt sich wieder gut.«

»… hier entlang …«, hörten wir Matildas Stimme, gefolgt von schweren Schritten im Flur. »Der einzige Weg dorthin führt leider durch die Küche, abgesehen vom Kellerfenster für die Kohlen …« Sie war weitergegangen und nicht mehr zu hören.

»Das war so schrecklich.« Jocasta schauderte, atmete tief durch und trank noch einen Schluck. »Die Art, wie sie dagelegen hat … und … und …« Wieder ein Schluck. »Sie haben ja nicht alles gesehen …« Sie sah mich vorwurfsvoll an. »Sie haben gar nicht richtig hingeschaut.«

»Das musste ich auch nicht. Allein der Geruch …« Ich hielt inne, denn daran musste ich Jocasta wohl nicht erinnern.

Evangeline machte rasch eine Runde und schenkte allen nach. Ich versuchte, Blickkontakt mit ihr aufzunehmen, als sie bei Jocasta war.

»Darf ich reinkommen?« Uns war der Polizist nicht aufgefallen, der in der Tür stand. Er trug keine Uniform, aber sein Auftreten war unverkennbar das eines Mannes, der das Sagen hatte. Wie lange stand er bereits da? Ich versuchte mich daran zu erinnern, worüber wir gesprochen hatten. Aber es war ganz sicher nichts Belastendes, deshalb wurde ich gleich ein wenig ruhiger.

»Wer sind Sie?« In Matildas vorübergehender Abwesenheit übernahm Soroya sofort den Part der Hausherrin.

»Ich …« Es missfiel ihm, in diesem Tonfall angesprochen zu werden, dennoch zog er pflichtbewusst seinen Ausweis aus der Tasche und reichte ihn ihr. »Ich bin Superintendent Thursby.«

»Thursby!« Evangeline drängte Soroya aus dem Weg und streckte ihm beide Hände entgegen, um ihn zu begrüßen. »Sie sind ein Freund von Ron Heyhoe! Wie nett von Ihnen, dass Sie so schnell gekommen sind. Wir haben erst vor Kurzem noch von Ihnen gesprochen. Haben Sie Eddie mitgebracht?«

»Ich bin wegen der anderen ›Kleinigkeit‹ hier.« Er bekam ihre Hände zu fassen, wohl um sie zu begrüßen, vielleicht aber auch, um sie nicht noch näher an sich heranzulassen. »Und was Eddie angeht, da kann ich Ihnen leider nicht weiterhelfen. Als ich mich nach ihm erkundigte, hatte man ihn bereits auf Kaution freigelassen.«

»Auf Kaution?«, wiederholte Evangeline verwundert. »Aber wie kann das sein? Und wieso so schnell?«

»Sieht so aus, als hätte er Kontakte zu einigen hochkarätigen Anwälten. Schon merkwürdig, weil die Polizisten, die ihn festnahmen, ihn nicht so einschätzten. Vielleicht ist er ja auch in mehr Dinge verstrickt, als uns bekannt ist.«

»Aber doch nicht Eddie«, hielt Evangeline dagegen. »Er ist Taxifahrer. Unser Taxifahrer. Wo ist er jetzt?«

»Das würde ich auch gern wissen – das, und noch einiges andere …!«

»Ähm …« Ich räusperte mich und lächelte einschmeichelnd. Wie es aussah, war es Zeit für ein Geständnis. »Um ehrlich zu sein, ich habe Hugh angerufen, bevor wir London verließen, und ihn gefragt, ob er etwas für Eddie tun kann. Offensichtlich konnte er.«

»Das hättest du mir vielleicht sagen sollen.« Evangeline warf mir einen frostigen Blick zu. Superintendent Thursby schien ebenfalls nicht sehr erfreut zu sein.

»Auch wenn er auf Bewährung raus ist«, erklärte er, »darf er die Stadt nicht verlassen. Wie ich hörte, war er darüber ziemlich aufgebracht.«

»Sie dürfen reinkommen«, verkündete Soroya majestätisch, wenn auch mit einiger Verspätung, und gab ihm den Dienstausweis zurück.

»Vielen Dank, Madam.« Er machte ein paar Schritte nach vorn und sah sich gründlich um, wobei ihm auch nicht entging, wie viel Brandy in unseren Gläsern war.

»Sie waren alle hier, als es passiert ist, richtig?« Eddie war für den Augenblick vergessen, Thursby war ganz auf diesen Fall hier konzentriert.

»Nicht, als es *passierte*«, widersprach Evangeline. »Wir« – sie zeigte auf Jocasta und mich – »sind heute Morgen von London hergefahren. Eigentlich sind wir praktisch eben erst angekommen. Wenn ich es richtig verstanden habe, ist die Haushälterin seit mehreren Tagen nicht aufgetaucht. Der Unfall muss sich also letzte Woche zugetragen haben. Als wir noch in London waren.«

An ihrer Stelle hätte ich auf diesem Punkt nicht so sehr beharrt. Wenn die Polizei herausfand, dass wir erst vor Kurzem mit Eddie in Brighton waren, dann könnte sie misstrauisch werden. Ich fragte mich, wie eng die Kontakte zwischen den örtlichen Polizeistationen waren. Mit etwas Glück würden wir das niemals erfahren.

»Ich muss mich korrigieren. Was ich sagen wollte, war ...«, er ließ wieder seinen bohrenden Blick über uns wandern – »... als die Tote entdeckt wurde.«

Jocasta stöhnte leise auf und vertiefte sich wieder in ihr Glas. Bis auf Soroya sahen wir sie alle mitfühlend an.

»Und das ist die Dame, die die Tote gefunden hat?« Er begriff schnell und trat zu Jocasta, noch während wir bestätigend nickten.

»Es war schrecklich!«, jammerte sie. »Entsetzlich! So was habe ich in meinem ganzen Leben noch nicht gesehen!«

Ich wünschte, ich hätte das auch sagen können.

»Ja, das muss ein Schock für Sie gewesen sein. Glauben Sie, Sie sind in der Lage, einige Fragen zu beantworten?«

»Aber ich weiß doch gar nichts. Ich wollte für alle hier ein Mittagessen zubereiten, aber der Kühlschrank war leer. Deshalb dachte ich, im Keller finde ich irgendwelche Vorräte. Sie wissen schon, Gemüse, Konservendosen mit Fleisch oder Fisch und so weiter.« Ihre Stimme wurde allmählich kräftiger, als sie die Litanei der ihr vertrauten Lebensmittel herunterleierte. »Dinge, die man eben im Keller lagert.«

»Mittagessen!« Plötzlich wurde Evangeline an etwas erinnert. »Wir haben noch immer nichts gegessen. Wie lange müssen wir bleiben? Ich komme um vor Hunger.«

»Und ich muss nach London zurück.« Jocasta klammerte sich weiter verzweifelt an die Welt, die ihr vertraut war. »Ich muss heute noch einiges erledigen, weil ich morgen früh ein wichtiges Meeting mit einer Mitarbeiterin habe.«

Ich brauchte einen Moment lang, bis ich verstand, dass sie Martha meinte.

»Und ich muss am Nachmittag zu einer Probe ins Theater«, gab Dame Cecile bekannt. »Und Matilda ebenso«, fügte sie an, als sei ihr das erst mit Verspätung eingefallen.

»Alles zu seiner Zeit, meine Damen«, beschwichtigte er uns und wandte sich wieder an Jocasta. »Also … Sie dachten, Sie könnten im Keller einige Vorräte finden?«

Jocasta starrte vor sich hin.

»Sie gingen zur Kellertür«, bohrte er nach, »öffneten sie und …?«

»Un wollte das Licht einschalten, aber es ging nich.« Sie schien zu merken, dass sie begonnen hatte, ein wenig schleppend zu reden. Sofort riss sie sich zusammen und fuhr bemüht deutlich fort: »Ich wollte nicht im Dunkeln nach unten und … da war so ein seltsamer Geruch. Als hätte man da unten Obst und Gemüse gelagert, das längst verrottet ist … das man nicht mehr essen konnte … essen …« Sie begann zu würgen. »Ich glaube, ich werde nie wieder was essen.«

»Schön für Sie«, fuhr Soroya sie an. »Aber wir anderen warten auf unser Mittagessen. Wie lange wollen Sie uns noch hier festhalten?«, wollte sie von Thursby wissen. »Und das alles nur, weil eine tollpatschige Küchenhilfe die Treppe runterfällt und dabei umkommt.«

»Alles zu seiner Zeit.« Thursby warf ihr einen Blick zu, der sogar einem Elefanten Ehrfurcht eingeflößt hätte, doch Soroya bekam davon gar nichts mit.

»Das hat mit uns nichts zu tun. Wir haben die Frau noch nie zu Gesicht bekommen! Meine Tochter war dumm genug, sie einzustellen – und jetzt sehen Sie sich die Bescherung an!« Sie war inzwischen voll in Fahrt, und ich verstand, was Matilda über ihre Karriere in Indien gesagt hatte – die Memsahib aus der Hölle.

»Woher sollte Matilda wissen, dass diese Frau nicht mal eine Treppe hinuntergehen kann?«, kam Dame Cecile ihrer Kollegin zu Hilfe. »So was merkt man schließlich nicht bei einem Bewerbungsgespräch.«

»Nich tollpaschig ... hätt jedm passiern könn«, brachte Jocasta heraus, hielt plötzlich inne und holte tief Luft. »Das hätte jedem passieren können«, sprach sie dann klar und deutlich weiter. »Trixie gab mir eine Taschenlampe, und wir sahen, dass die oberste Stufe durchgebrochen ist. Die ganze Treppe ist in einem bedenklichen Zustand.«

»Ich wusste, Matilda lässt mein Haus verkommen.« Soroya schaute triumphierend in die Runde.

»Matilda ist ...«, begann Dame Cecile.

»Bitte, meine Damen!« Thursby war bei Jocastas Worten hellhörig geworden. Die Kombination von defektem Lichtschalter und einer kaputten obersten Stufe konnte mehr als lediglich einen tragischen Unfall bedeuten.

»Matilda ...«, setzte Dame Cecile erneut an.

»Ich sehe schon – wir kommen so nicht weiter.« Er drehte sich zu Jocasta um und hielt ihr seine Hand hin, um ihr aufzuhelfen. »Ich würde mich gern unter vier Augen mit Ihnen unterhalten.«

»Selbverschtändlich.« Sie erhob sich würdevoll, ging zwei Schritte und fiel dann der Länge nach auf den Boden.

»Tja.« Evangeline konnte ihre Genugtuung darüber nicht verbergen, ganze Arbeit geleistet zu haben. »So viel zu ihrer Absicht, heute Nachmittag nach London zurückzufahren.«

10

»Mutter! Ich kann nicht fassen, dass du das zugelassen hast!« Martha war von der Neuigkeit gar nicht begeistert. Ich konnte froh sein, dass ich ihr in diesem Moment nicht gegenüberstehen musste. Das Telefon machte es einem da doch manchmal leichter.

»Ich hätte besser auf Evangeline achten sollen«, gab ich zu. »Aber woher sollte ich auch wissen, dass Jocasta keinen Alkohol verträgt? Das ist heutzutage sehr ungewöhnlich.«

»Ihn nicht verträgt?« Martha lachte verbittert auf. »Sie ist praktisch Abstinenzlerin. Wenn für ein Rezept ein Löffel Cointreau nötig ist, legt sie bereits die Stirn in Falten. Mich wundert, dass ihr sie überhaupt dazu gebraucht habt, einen Schluck zu trinken.«

»Das Ganze hat sie ziemlich mitgenommen. Und Evangeline hat einfach weiter ihr Glas aufgefüllt. Und noch was, mein Schatz ...« Es war besser, wenn ich die schlimmste Nachricht jetzt gleich hinter mich brachte. »Du solltest besser nicht damit rechnen, dass sie morgen zurückfahren wird. Nicht mit dem Kater, mit dem sie garantiert aufwachen wird.« Vermutlich würde sich Jocasta sogar erst in einigen Tagen wieder einigermaßen normal fühlen, aber noch mehr schlechte Nachrichten wollte ich Martha nicht zumuten.

»Oh, Mutter!«

»Sieh es positiv, Schatz. Wenigstens konnten wir Eddie aus dem Gefängnis holen. Dieser Kautionsbürge, den Hugh empfohlen hat, ist sofort tätig geworden und hat das im Handumdrehen erledigt.«

»O ja.« Marthas Tonfall wurde etwas sanfter. »Hugh ist großartig. Aber er hat auch so viel Erfahrung mit wankelmütigen

Schauspielern, dass er inzwischen für jeden Notfall eine ganze Palette an Spezialisten zur Hand hat.«

»Er ist wundervoll, Schatz«, stimmte ich ihr zu. »Und Evangeline und ich sind ihm wirklich sehr dankbar. Eddie wird es auch sein, wenn er erst einmal aufhört zu schmollen. Der Ärmste, er musste eine Menge einstecken. Vor allem, als er herkam, uns antraf und erfahren musste, dass die Polizei hier war. Er ist gleich wieder gegangen und hat gewartet, bis sie weg waren. Als wir ihn dann um seine Unterstützung baten, war er prompt schlecht gelaunt. Er sagte, er verbringe sein ganzes Leben damit, uns zu irgendwelchen Supermärkten zu fahren. Dabei mussten wir *unbedingt* einkaufen. In der Küche gab es praktisch nichts Essbares.«

»Der arme Eddie.«

»Er ist sauer, weil er nach London will, aber er wird sich wieder beruhigen. Das Haus ist voll, deshalb hat Matilda ihn in einer kleinen Pension in der Nähe einquartiert. Und Evangeline wird die Rechnung übernehmen, auch wenn sie davon noch gar nichts weiß.«

»Gut, Mutter. Aber was machen wir mit Jocasta? Wir haben so einen knappen Terminplan, dass wir keine Zeit verlieren dürfen. Sie sollte inzwischen sechs Rezepte getestet haben, aber sie hat nicht mal ein einziges geschafft. Ich hätte wissen müssen, dass es ein Fehler war, sie mit dir und Miss Sinclair nach Brighton fahren zu lassen!« Würde denn der verbitterte Tonfall gar nicht mehr aus ihrer Stimme verschwinden? Die Ärmste, wie sehr sie ihr Erbe doch hasste.

»Schatz …«

»Oh, keine Sorge. Ich weiß, wer daran die Schuld trägt. Dir mache ich gar keine Vorhaltungen.«

»Nein, Schatz, du kannst auch Evangeline keine Vorwürfe wegen einer Sache machen, die sich bereits ereignet hatte, bevor wir überhaupt herkamen. Es war ein Unfall, weiter nichts. Ein Pech für alle Beteiligten.« Vor allem für Mrs Temple, aber das wollte ich jetzt lieber nicht sagen.

»Aber genau darum geht es doch! Wärst du nicht dort, dann wärst du auch keine Beteiligte. Und jetzt hast du auch noch Jocasta in diese Sache hineingezogen. Unser Plan sieht vor, dass wir das erste Kapitel – ›Frühstücksfreuden‹ – in vierundzwanzig Stunden abschließen müssen. Aber uns fehlt noch mindestens ein Rezept, vorzugsweise eines mit Ei.«

»O nein!« Ich zuckte mitfühlend zusammen. »Jocasta wird in den nächsten Tagen nicht mal ein Ei sehen wollen.«

»Das habe ich befürchtet. Was soll ich denn dem Verleger erzählen? Dass seine Redakteurin zu verkatert ist, um ihre Arbeit zu erledigen?«

»Das würde ihn vielleicht gar nicht überraschen … Nein, Schatz, so war das nicht gemeint. Aber wenn es um ein einziges Rezept geht, warum nimmst du nicht mein ›Abwaschfreies pochiertes Ei‹?«

»Oh, daran habe ich schon jahrelang nicht mehr gedacht! Aber meinst du, das kann man unter die Überschrift ›Frühstücksfreuden‹ packen?«

»Warum denn nicht? Ich freue mich jedenfalls, wenn ich nach dem Frühstück kein klebriges Eiweiß aus dem Kochtopf oder dem Eierkocher kratzen muss.«

»Ja, da hast du recht. Das ist genau das Richtige für jemanden, der allein lebt und in Eile ist. Wenn ich mich richtig entsinne …«

»Es ist so einfach, das kann man gar nicht vergessen. Du nimmst ein großes Stück Klarsichtfolie, legst es über eine Tasse und drückst es in der Mitte nach unten, sodass eine Kuhle entsteht. Dann musst du es ein wenig einfetten, das Ei hineingeben, die Ecken zusammenknoten und es in einen Topf mit kochendem Wasser tauchen. Du kannst zusehen, wie es gekocht wird, und wenn so ist, wie du es haben möchtest, nimmst du es heraus, schneidest den Knoten mit der Küchenschere ab und rollst das Ei auf den Toast – und voilà! Die Folie schmeißt du weg, und es gibt nichts, was du noch spülen müsstest.«

»Und es hat die perfekte Form.« Martha wusste genau, wovon ich sprach. »Nicht diese Tentakel aus zerlaufendem Eiweiß, die entstehen, wenn man das Ei im Topf pochiert. Ja, das können wir nehmen!«

»Ach ...« Mir fiel noch etwas ein. »Es ist sehr praktisch, wenn man ein Messer quer über die Tasse legt und den Knoten um die Klinge herum bindet. So kann man das Ei ins Wasser tauchen, während das Messer über dem Topf liegt, und es ist viel einfacher, es wieder herauszuholen.«

»Wunderbar! Jedes kleine Detail hilft uns weiter. Wir können dafür eine ganze Seite verwenden und ringsherum noch kleine Illustrationen unterbringen. Weißt du, Mutter, ich bin mir nicht sicher, ob dieses Buch wirklich so eine gute Idee war. Ich hatte mir von Jocasta mehr Hilfe erwartet.«

»Gib ihr etwas Zeit, Schatz. Auch wenn sie am Morgen nicht nach London zurückfahren kann, wird sie vielleicht hier in der Küche ein wenig experimentieren wollen. Da hier ein ständiges Kommen und Gehen herrscht, können wir jemanden wie sie gut gebrauchen, der zu den unmöglichsten Zeiten in der Küche steht und kocht. Da wird es genügend Gelegenheiten geben, Gerichte für eine Person zuzubereiten.«

Vorausgesetzt, Jocasta fühlte sich so schnell bereit, wieder etwas Essbares zu sehen. Ich versuchte aber, dieses mögliche Hindernis aus meinem Wunschtraum zu vertreiben. Ein viel größeres Problem konnte darin bestehen, dass sie in der Küche arbeiten musste, in der sie nur eine Tür von dem Keller und dem grausigen Fund trennte. Nein, es war sicher besser, Martha davon nichts zu sagen. Sie klang im Moment glücklich.

»Sag Jocasta, sie soll mich anrufen, sobald sie aufgetaucht ist«, wies Martha mich an. »Wenigstens können wir am Telefon noch einiges besprechen, bevor sie sich auf den Heimweg macht. Ach ja, Mutter, und pass bitte gut auf dich auf. Diese Vorfälle in Brighton sind mir nicht geheuer.«

»Unfälle passieren nun mal, das ist alles, Schatz. Und damit müssen wir leben. Pass du auch auf dich auf, und grüß Hugh und die Kinder von mir.«

»Ja, okay …« Offensichtlich wollte sie noch etwas anfügen, aber dann hörte ich aus dem Hintergrund eine andere Stimme. »Ja, ja, ich komme ja. Gute Nacht, Mutter.«

Ich legte auf und fühlte mich erleichtert. Es hätte schlimmer kommen können. Vielleicht stand mir das Schlimme auch erst noch bevor. Aber wie hieß doch der berühmte Satz aus einer der Rollen, die ich nicht bekommen habe: »Darüber kann ich mir morgen auch noch den Kopf zerbrechen.«

Als ich das Licht ausmachte, wurde mir auf einmal bewusst, wie dunkel und still es hier war. Eigentlich ungewöhnlich für ein Haus, in dem es von Theaterschauspielerinnen wimmelte. Natürlich hatten Matilda und Dame Cecile nach einem anstrengenden Morgen auch noch eine ermüdende Probe hinter sich, weshalb es nicht überraschte, dass sie sich so früh in ihre Zimmer zurückzogen. Evangeline hatte ich zuletzt gesehen, als sie auf dem Weg zu ihrem Zimmer war, während sie ihr Mobiltelefon fest umklammert hielt und etwas von einem Gespräch mit ihrem Finanzberater murmelte. Falls sie damit Nigel meinte, wollte ich lieber gar nichts darüber wissen. Und Soroya … na, wen kümmerte es, wo sie war und was sie tat?

Genau genommen war es im Haus gar nicht so still, denn ich konnte hören, wie es sich mit leisen Knarren und Ächzen zur Nachtruhe begab. Wenn man, wie Matilda, daran gewöhnt war, dann mochte das okay sein, aber ich empfand es doch als ein wenig beunruhigend. Ich sagte mir, dass Matilda so umsichtig gewesen wäre, uns zu warnen, sollte es im Haus spuken, doch zu dieser nächtlichen Stunde schien alles möglich. Und vielleicht war das Gespenst erst seit so kurzer Zeit hier, dass es noch niemand bemerkt hatte.

Was war zum Beispiel mit dieser Haushälterin, die einen neuen Job antreten wollte, die sich auf ein interessantes neues Leben freute – und die dann auf einer unbeleuchteten Treppe in den Tod stürzte? Würde ihr wütender Geist sich noch hier aufhalten und auf Rache sinnen?

Das war die Haustür! Ich saß sofort aufrecht im Bett. Das

gedämpfte Geräusch klang so, als würde ein plötzlicher Windstoß jemandem die Tür aus der Hand reißen und ins Schloss werfen.

Jemandem, der aus dem Haus ging … oder jemandem, der hereinkam?

Ich hielt endlos lange die Luft an und lauschte, während ich mich fragte, ob es überhaupt mehr zu hören gab. Stammte dieses Knarren von jemandem, der die Treppe heraufkam, oder war es nur ein weiterer Klagelaut des alten Hauses?

Stille … Stille … ich musste unbedingt atmen. Wie eine Erstickende schnappte ich plötzlich nach Luft, aber ich konnte nur noch keuchen, als auf einmal jemand am Türgriff rappelte. Warum hatte ich nicht abgeschlossen? Warum war ich so verdammt vertrauensselig? Eine Frau war in diesem Haus ums Leben gekommen, und das erst vor ein paar Tagen. Die durchgebrochene oberste Stufe ließ Zweifel daran aufkommen, ob es tatsächlich ein Unfall gewesen war.

Ich sah, wie die Tür sich einen Spaltbreit öffnete, doch in der Dunkelheit dahinter war kein Schatten zu erkennen. Ich versteifte mich. Kampf oder Flucht? Oder sollte ich einfach lauthals schreien? Was, wenn das alles ganz harmlos war und ich dann das ganze Haus aus dem Schlaf gerissen hatte?

»Evangeline?«, flüsterte ich hoffnungsvoll.

Stille … die Tür fiel langsam wieder zu. War jemand hereingekommen? Oder hatte ich den Unbekannten verscheucht?

»Evangeline?«, flüsterte ich abermals, diesmal jedoch ohne einen Funken Hoffnung.

Auf meinem Bett bewegte sich etwas, dabei hatte ich mich gar nicht gerührt.

»Prrrryaaaah.« Der leise Triumphruf ließ die Anspannung so abrupt von mir abfallen, dass ich kraftlos auf mein Kissen sank.

»Prrrr … prrrr …« Ein flauschiges Wollknäuel rieb sich an mir, stieß mich an Hals, Kinn und Wangen mit der feuchten Nase an.

»Du schlauer, kleiner Schatz, du hast mich gefunden!« Ich

drückte Cho-Cho an mich. »Oh, du bist ja so ein kluges Mädchen!«

»Prrryaaah«, schnurrte sie zustimmend.

»Aber wie bist du Soroya entkommen?«

Sie verriet es mir nicht, sondern schmiegte sich an mich, schnurrte wie verrückt und machte es sich für die Nacht bequem.

Mir sollte das nur recht sein. Ich legte meinen Arm um sie, und ihr sanftes, beruhigendes Schnurren übertönte jedes Knarren und Ächzen, sodass ich in einen tiefen, traumlosen Schlaf sinken konnte.

11

Ich sterbe«, jammerte Jocasta. »Gehen Sie weg und lassen Sie mich in Frieden sterben.«

»Unsinn!« Normalerweise war Evangeline so früh am Tag noch gar nicht auf, aber in diesem Fall machte sie eine Ausnahme. »Es heißt, das beste Gegenmittel ist ein ordentliches Frühstück ...«

»Aaaargh! Ich kann nie wieder etwas essen!«

»Das zweitbeste Gegenmittel ist, mit dem Getränk weiterzumachen, mit dem man aufgehört hat.«

»Ich werde nie wieder etwas trinken!«

»Wenn Sie nie wieder etwas essen oder trinken wollen«, machte Evangeline ihr klar, »*dann* werden Sie allerdings sterben.«

»Ganz genau. Gehen Sie weg, dann bringe ich es hinter mich.«

»Evangeline, lass sie in Ruhe«, sagte ich. »Wenn sie noch ein paar Stunden geschlafen hat, wird es ihr besser gehen.«

»Schlafen? Ich kann nicht schlafen, ich muss zurück nach London! Wie spät ist es?« Jocasta versuchte sich hinzusetzen, fasste sich aber an den Kopf und sank stöhnend zurück aufs Bett. »Ich kann mich nicht bewegen.«

»Ist dir mal aufgefallen, wie wenig Durchhaltevermögen diese jungen Leute heutzutage haben?«, fragte mich Evangeline. »Die schaffen einfach gar nichts mehr.«

Mühselig hob Jocasta den Kopf weit genug an, um Evangeline einen bösen Blick zuzuwerfen. Mir kam es so vor, als sei sie soeben aus dem Evangeline-Sinclair-Fanclub ausgetreten.

»Und ...« Sie ließ ihren vernichtenden Blick zu mir und Cho-Cho wandern, die vorsichtig schnuppernd vorrückte, um dieses für sie neue Terrain zu erkunden. »Und sorgen Sie dafür, dass diese Katze nicht bei jedem Schritt so aufstampft!«

»Komm her.« Ich bückte mich und nahm Cho-Cho hoch. »Wir gehen jetzt nach unten. Du auch, Evangeline.« Ich machte Platz, um sie an mir vorbei aus dem Zimmer zu lassen. Sie musste vor mir rausgehen, weil ich fürchtete, sie könnte die Tür hinter sich zuwerfen. Ich schloss die Tür ganz leise.

»Ich vermute, das ist Jocastas erster Kater«, sagte ich, als wir die Küche betraten. »Das ist immer der schlimmste.«

»Keine Sorge, ich werde mich darum kümmern.« Sie ging zum Küchenschrank und nahm verschiedene Dinge heraus, dann holte sie aus dem Kühlschrank eine der Champagnerflaschen, die wir gestern gekauft hatten.

Mit einem klagenden Miauen wand sich Cho-Cho aus meinen Armen und stürmte quer durchs Zimmer zum Kühlschrank.

»Was denkst du? Hat diese schreckliche Frau sie nicht gefüttert?« Evangeline betrachtete die aufgewühlte Katze, die sich nun an ihre Beine drückte.

»Vermutlich nicht. Die arme Cho-Cho muss ja ausgehungert sein.« Ich ging zum Schrank, um eine der kleinen Konservendosen Gourmet-Katzenfutter herauszuholen, die ich aus dem Supermarkt mitgebracht hatte, doch Evangeline kam mir zuvor.

Sie öffnete erneut den Kühlschrank, nahm die Lachs-Broccoli-Quiche heraus, die ich als mein Mittagessen markiert hatte, brach ein großes Stück ab und warf es einfach auf den Küchenboden, anstatt einen Napf oder wenigstens einen Teller zu nehmen.

Cho-Cho stürzte sich sofort darauf, ohne an der Art der Darreichung Anstoß zu nehmen, und zeigte, dass sie tatsächlich ausgehungert war, da sie sogar den Broccoli fraß.

Unterdessen widmete sich Evangeline ihrem ursprünglichen Vorhaben. Fasziniert sah ich ihr zu, wie sie einen Zuckerwürfel so lange in Magenbitter tauchte, bis er fast schon zerfiel.

»Was wird das?« Vor meinen Augen schüttete sie eine Lage Cayenne-Pfeffer auf einen Teller und wälzte den Würfel darin herum, bis er in einen Pfeffermantel gehüllt war. Dann ließ sie ihn in ein Champagnerglas fallen, öffnete die Flasche und goss den Champagner darüber.

»Etwas von früher. Das beste Mittel gegen Kater, das ich kenne«, erklärte sie gut gelaunt und beobachtete, wie Luftblasen aus dem Zuckerwürfel aufstiegen.

»Gegenmittel? So wie das aussieht, fühlt man sich anschließend höchstens noch elender.« Mit jeder Luftblase wurde gemahlener Pfeffer nach oben getragen, der der goldfarbenen Flüssigkeit einen leichten rotbraunen Ton verlieh.

»Bring das zu Jocasta und bleib bei ihr, bis sie das ganze Glas ausgetrunken hat. Das wird sie wieder auf die Beine bringen.«

»Oder endgültig unter die Erde«, murmelte ich. Aber wenn Evangeline überhaupt ein Rezept kannte, dann eines, das gegen einen Kater half. Martha würde es vielleicht in ihr Buch aufnehmen können, denn da Jocasta den Kater hatte, konnte sie das Rezept testen – was ja sowieso ihre Aufgabe war.

Zum Glück war Jocasta zu schwach, um sich gegen mich zur Wehr zu setzen, als ich ihr half, sich im Bett aufzusetzen, und ihr das Glas in die Hand drückte. Sie war inzwischen durstig geworden und trank das Gebräu zur Hälfte aus, ehe der Pfeffer Wirkung zu zeigen begann. Sie zuckte und riss die Augen weit auf.

»Was ist das?«, röchelte sie.

»Eins von Evangelines Rezepten«, antwortete ich. »Trinken Sie aus. Sie schwört, dass es Ihnen helfen wird.«

»Ich weiß nicht.« Sie nippte vorsichtig am Glas. »Was ist da drin?«

»Die Zusammenstellung verrät Ihnen Evangeline später. Im Moment sollen Sie es nur testen.«

Sie nahm noch einen Schluck und lächelte schwach. »Und ich dachte, ich würde heute meine Arbeit gar nicht erledigen.«

Evangeline betrachtete nachdenklich die noch fast volle Champagnerflasche, als ich in die Küche zurückkehrte.

»Ich hatte dir ja gesagt, es ist besser, nur halb so große Flaschen zu kaufen. Sieh dir nur an, wie viel übrig ist.«

»Das wird schon nicht schlecht werden.« Sie deutete auf die Packung Orangensaft auf dem Tisch. »Eine Runde Buck's Fizz für alle. Genau der richtige Start in den Tag.«

Auf dem Tisch standen noch mehr Champagnergläser, und Evangeline begann, in zwei davon zu je einem Viertel Orangensaft einzugießen, dann füllte sie den Rest bis zum Rand mit Champagner auf und stellte mir ein Glas hin.

»Ach, was soll's?« Ich stellte Jocastas leeres Glas weg, in dem sich nur noch ein Rest Zucker und Pfeffer befand, und griff nach meinem Drink. Cho-Cho trank unterdessen Milch – wenigstens dafür hatte Evangeline einen Unterteller genommen, wie ich mit Erleichterung feststellte.

»Ah, noch ein Gast«, begrüßte sie Dame Cecile, als die zur Tür hereinkam. »Buck's Fizz zum Mittagessen, Cecile?« Sie begann bereits einzuschenken.

»Sie wissen, wie es sich gut leben lässt, Evangeline.« Dame Ceciles Augen leuchteten auf. »Das habe ich schon immer über Sie gesagt.«

»Zweifellos im Zusammenhang mit einigen anderen Dingen.«

»Aber nur, wenn Sie absolut unerträglich waren.«

Die beiden lächelten sich ironisch an. Wie es aussah, hatten sie einen Waffenstillstand vereinbart.

Ich holte die Quiche aus dem Kühlschrank, außerdem die Zutaten für einen Salat. »Mögen Sie Ihre Quiche lieber heiß oder kalt, Cecile?«

Es war eine vollkommen vernünftige Frage, doch sie schien anderer Auffassung zu sein. Ein arktischer Hauch zog über mich hinweg, als mich ihr frostiger Blick erfasste, der dann zu Cho-Cho weiterwanderte. Der Waffenstillstand erstreckte sich offenbar nicht auf mich.

* * *

Nach dem Brunch ging Evangeline mit Dame Cecile und Matilda zum Theater. Ich blieb im Haus zurück, zumal ich mich zum Teil für Jocastas Zustand verantwortlich fühlte. Jemand sollte bei ihr sein, wenn sie aus ihrem bleiernen Schlaf erwachte. Ich wollte dafür sorgen, dass sie etwas in den Magen bekam, bevor sie sich auf den langen Rückweg nach London machte. Außerdem würde ich versuchen, sie zu überreden, dass sie erst noch einmal hier übernachtete, bevor sie sich wieder ans Steuer setzte.

Und wenn ich ganz ehrlich war, dann wollte ich auch nicht Cho-Cho-San allein im Haus lassen. Es würde ohnehin nicht lange dauern, bis ich mit Evangeline zurückkehren würde, danach wäre die Katze Soroya auf Gedeih und Verderb ausgeliefert.

Dabei fiel mir ein, dass keiner von uns an diesem Morgen Soroya gesehen hatte. Ich hielt es für ungewöhnlich, dass sie eine Mahlzeit ausließ, und es gab auch keinen Hinweis darauf, dass sie vor uns allen gefrühstückt haben könnte. Allerdings beklagte sich niemand darüber, beim Brunch auf ihre Anwesenheit verzichten zu müssen.

Ich überlegte, ob es wohl Soroya gewesen war, die in den frühen Morgenstunden die Haustür zugezogen hatte. Wenn sie aus ihrem Zimmer geschlichen war und nicht auf Cho-Cho achtete, konnte die entkommen sein, was erklären würde, wie sie zu mir gelangen konnte.

Um Soroya wollte ich mir aber gar keine weiteren Gedanken machen. Jocasta würde sich besser fühlen, sobald sie wieder aufwachte, und für den Augenblick war Cho-Cho bei mir gut aufgehoben und zufrieden.

Wenn ich mich nur genügend anstrengte, würden mir vermutlich einige andere Dinge einfallen, über die ich nachdenken konnte, aber ich war dazu nicht in der Stimmung. Durch das Fenster sah ich den verlockend blauen Himmel, eine leichte Brise bewegte die knospenden Bäume, und die Sonne sorgte für angenehme Wärme. Frühling lag in der Luft, und die altmodischen Liegestühle aus Teakholz standen einladend hinter dem schmiedeeisernen Tisch in einer Ecke der Terrasse. Nachdenklich schaute ich in diese Richtung.

»Wenn ich dich nach draußen mitnehme«, sagte ich zu Cho-Cho, »dann wirst du mir doch nicht weglaufen, oder? Wirst du bei mir bleiben?«

Sie schien mich zu verstehen, denn sie schmiegte sich fest an meine Beine, schnurrte freudig und tänzelte dann zur Terrassentür, wo sie darauf wartete, dass ich kam und die Tür öffnete.

Gemeinsam ließen wir uns in einem Liegestuhl in der Sonne nieder und machten beide die Augen zu. Die frische Seeluft erinnerte mich daran, was mir fehlte, wenn ich in der Stadt war. So beeindruckend und geschichtsträchtig die Themse auch sein mochte, besaß sie für mich nicht dieses gewisse Etwas, diesen besonderen Reiz.

Ich glaube, ich musste fast schon eingeschlafen sein, als sich Cho-Cho auf meinem Schoß regte und sich aufsetzte. Erst jetzt hörte ich auch die leisen Schritte auf der kurzen Treppe, die auf die Terrasse führte. Im nächsten Moment saß ich kerzengerade da und drehte mich hastig um.

»Eddie!« Erst als ich mich wieder beruhigte, wurde mir bewusst, wie angespannt ich war. »Ich dachte, du fährst Evangeline und Dame Cecile zum Theater.«

»Nö … hab sie gar nicht gesehen. Den ganzen Tag hab ich von keinem auch nur einen Mucks gehört. Bin am Strand entlanggegangen, bis zum Pier und zurück.« Er langweilte sich und war bedrückt. »Dann habe ich beschlossen, ich kann mich genauso gut ein bisschen nützlich machen.« Er hielt einen kleinen Werkzeugkasten hoch. »Also hab ich mir im Baumarkt ein paar Sachen gekauft und dachte mir, ich komme mal rüber und repariere die Kellertreppe. So können diese Stufen ja nicht bleiben. Ist doch viel zu gefährlich.«

»Darfst du das denn?«, fragte ich. »Ich meine, will die Polizei nicht, dass alles unverändert bleibt?«

»Warum denn? Haben die was zu dir gesagt? Haben die die Ecke mit ihrem Flatterband abgesperrt?«

»Nein, das nicht ...«, musste ich zugeben. »Ich dachte nur ...«
»Nicht bei Unfällen.« Er sah mich irritiert an, dann verstand er. »Dein Problem ist, du bist in letzter Zeit in zu viele hässliche Geschichten verwickelt worden. Du kannst gar nicht mehr glauben, dass auch ganz normale Unfälle passieren. Deine Fantasie geht mit dir durch, und du suchst nach Verbrechen, wo es gar keine gibt.«

»Das Feuer beim Präparator habe ich mir nicht eingebildet«, hielt ich dagegen. »Hast du dir den Toten nur eingebildet?«

»Das war was anderes.« Eddie wollte offenbar nicht darüber reden. Die Polizei hatte aus ihm alles herausgeholt, was er zu dem Thema sagen konnte. Er ging zur Küchentür.

»Setz dich doch ein bisschen zu mir«, forderte ich ihn auf. »Jocasta schläft noch, und sie ist nicht in der Verfassung, es zu ertragen, dass jemand im Haus anfängt zu hämmern.«

»So?« Eddie ließ sich in den anderen Liegestuhl sinken und nickte verständnisvoll. »Sie wird sich aber noch eine dicke Haut zulegen müssen, wenn sie vorhat, mehr Zeit mit euch zu verbringen.«

»Sie ist eigentlich eine Bekannte von Martha. Die beiden arbeiten zusammen an einem Kochbuch. Hier ist sie nur, weil ... na ja, weil sie einen Wagen hat und wir deinetwegen schnellstens herkommen mussten.«

»Genau. Und euretwegen stecke ich überhaupt erst in diesem Schlamassel.« Er schaute finster in die Ferne, dann wurde er auf etwas aufmerksam. »Oha! Was macht der denn hier?«

Ich drehte mich um und sah Nigel die Treppe heraufkommen.

»Ah! Ich dachte mir doch, dass ich Stimmen gehört habe«, begrüßte er uns.

»Halt dein Portemonnaie fest«, flüsterte Eddie mir zu.

»Schon passiert«, erwiderte ich genauso leise und hob meine Stimme an, um den Gruß zu erwidern: »Na, so eine Überraschung, Nigel. Verbringst du einen Tag am Meer?«

»Ja, ich hatte hier geschäftlich zu tun, und da dachte ich,

wenn ich gerade in der Gegend bin, kann ich auch mal bei euch vorbeischauen …« Er sah sich hoffnungsvoll um. »Ist Evangeline da?«

»Die ist momentan nicht hier. Sie und Dame Cecile sind im Theater, und ich weiß nicht, was sie sonst noch vorhatten.«

»Aha. Wird sie bald zurück sein?« Seine Hoffnung schwand, aber er wollte sie noch nicht ganz aufgeben.

»Sie hat nichts darüber gesagt – aber ich würde nicht mal auf gut Glück eine Zeit schätzen wollen. Du weißt, wie es ist, wenn die beiden zusammen unterwegs sind.«

»Aha.« Er blinzelte und betrachtete eine vorüberziehende Wolke, während er mit vorsätzlicher Beiläufigkeit fragte: »Hat sie … ähm … zufällig irgendwo etwas für mich hinterlegt?«

»Nicht dass ich wüsste.« Also war Nigel keineswegs spontan hier vorbeigekommen. Ich erinnerte mich an Evangelines gestrige Telefonate. Die beiden hatten etwas vereinbart – zumindest war er dieser Meinung. Evangeline war sich da wohl nicht so sicher gewesen, oder aber sie hatte es sich anders überlegt.

»Aha.« Mit grüblerischer Miene setzte er sich auf einen der schmiedeeisernen Stühle. »Vielleicht warte ich ja ein Weilchen. Könnte doch sein, dass sie bald zurückkommt …«

»Könnte sein.« Allerdings war das recht unwahrscheinlich. »Mach es dir bequem.«

»Das hat er doch längst«, warf Eddie ein.

»Wie geht es deinem Onkel?« Ich beschloss, zu einem harmlosen Thema überzugehen – sofern es wirklich harmlos war.

»Onkel? Onkel?«, wiederholte er, als hätte er das Wort noch nie gehört, und sah sich hektisch um.

»Onkel«, bestätigte ich nachdrücklich. »Du weißt schon. Der mit dem wunderbaren, in Vergessenheit geratenen Theater unter dem Brückenbogen.«

»Ach, der.« Er blickte entsetzt drein, dann hellte sich seine Miene auf. »Nicht gut. Gar nicht gut. Ziemlich schlecht.« Seine Laune wurde besser und besser. »Eigentlich sogar sehr schlecht.«

Plötzlich kam mir der Verdacht, dass er in Kürze verkünden würde, sein Onkel sei verstorben und habe das Theater an einen Bauunternehmer vermacht, womit es für immer verloren wäre. Ich begann mich zu fragen, ob er überhaupt einen Onkel hatte oder ob das nur eine Erfindung war, um uns in seine dubiosen Investitionsvorhaben hineinzuziehen.

»Und wie läuft das Geschäft?«, fragte ich.

»Geschäft? Geschäft?« Wieder tat er so, als hätte ich das Wort eben erfunden, um ihn in Verwirrung zu stürzen.

»Du hast gesagt, du bist geschäftlich hier«, betonte ich. »Ich hoffe, es ist gut gelaufen.«

»Ah! Ja. Also … nicht ganz so gut. Aber nichts, was sich nicht lösen ließe … mit einer kleinen …« Er brach den Satz ab und sah mich erwartungsvoll an.

Finanzspritze. Anders konnte dieser Satz gar nicht enden – ich hatte ihn in meinem Leben oft zu hören bekommen. Für gewöhnlich dann, wenn das große, aufregende, finanziell vollkommen gesicherte Projekt kurz davor stand, den Bach runterzugehen.

»Sicher hat Evangeline dir von der Investitionsmöglichkeit erzählt. Jetzt wäre noch die Zeit, um ...«

»Tu's nicht!« Eddie spielte die Cassandra, die im Hintergrund einen griechischen Chor anführte. »Was immer es auch ist, tu's nicht.«

»Keine Sorge«, versicherte ich ihm. »So wie die Aktienkurse im Moment in Richtung Süden wandern, habe ich nicht den Hauch einer Absicht, ein Risiko einzugehen.« Mich überraschte nur, dass Evangeline es gewagt hatte.

»Gut so. Halt dich fern von all dem Dot-Com-Mist.«

»Nein, nein. Mit Aktien hat es nichts zu tun.« Nigel schauderte bei dem Gedanken, dabei schüttelte er die Finger so, als wolle er andeuten, dass er sie sich daran verbrannt hatte. »Ich habe meinen Kunden davon abgeraten. Heute lautet die Devise: Nichts Virtuelles mehr. Auf diese Weise gibt es, wenn etwas passieren sollte, wenigstens noch Vermögenswerte, die man zu

Geld machen kann. Dabei kann man nicht verlieren. Jedenfalls«, fügte er in einem plötzlichen Anflug von Ehrlichkeit an, »nicht alles.«

»Gib's auf, Kumpel«, riet Eddie ihm. »Wenn Trixie das nächste Mal wieder Geld übrig hat, dann wird sie es mir geben, um meine eigene Autovermietung zu gründen.«

»Leider ist im Augenblick nichts übrig«, stellte ich sofort klar. »Und auch in der nächsten Zeit nicht, vielleicht sogar nie wieder.«

»Ah!« Nigel sank auf seinem Stuhl zusammen und blickte wieder finster drein.

»Na denn.« Eddie stand auf und zwinkerte mir verschwörerisch zu. »Ich werde mich mal um diese Stufen kümmern. Hört sich ganz so an, als ob da drinnen jemand aufgewacht ist. Dann kann ich ja niemanden stören.«

»Ich sehe besser mal nach ihr.« Es war ein leises Klappern zu hören, unterbrochen von gequältem Stöhnen. »Ich glaube, du solltest trotzdem besser noch keinen Lärm machen. Sie wird nicht in der Lage sein, groß etwas zu bewältigen.« Mein Blick fiel auf den untröstlichen Nigel, und prompt meldete sich mein mitleidiges Herz. Er sah ebenfalls nicht so aus, als sei er noch zu etwas Nennenswertem in der Lage.

»Warum kommst du nicht mit in die Küche?«, schlug ich ihm vor. »Ich mache dir einen Snack, während du auf Evangeline wartest.«

»Oh, das ist zu freundlich«, meinte er erfreut.

»Wirklich *zu* freundlich«, brummte Eddie. »Fast wären wir ihn los gewesen.«

»Pscht!« Zum Glück machte Nigel nicht den Eindruck, als ob er ihn gehört hatte. Cho-Cho stand bereits an der Tür und wartete auf uns.

»Schlagen Sie ja nicht die Tür zu«, flehte uns Jocasta an, als wir in die Küche marschierten. Sie saß zusammengesunken am Tisch, in ihrer zitternden Hand hielt sie ein Glas Wasser.

»So schlimm?« Eddie, der soeben die Lippen gespitzt hatte,

um zu pfeifen, nahm von dem Vorhaben Abstand und sah sie mitfühlend an. »Haben Sie die Methode versucht, mit dem Getränk weiterzumachen, das Sie gestern als Letztes getrunken haben?«

»Hören Sie mir damit auf!« Jocasta warf ihm einen hasserfüllten Blick zu und schüttelte sich.

»Tschuldigung, dass ich ein Wort gesagt habe. Ich wollte nur helfen.« Eddie ging weiter und trat bei jedem Schritt fester auf, als eigentlich nötig. Jocasta zuckte zusammen.

Nein, sie war eindeutig noch nicht in der Verfassung, um sich dem Verkehr auf der Autobahn in Richtung London zu stellen.

Das hieß aber auch, dass sie nicht in der Lage war, sich im Haushalt zu betätigen. Vor allem nicht am Herd. So viel zu Evangelines schändlichem kleinem Plan.

»Tut mir leid«, wandte sich Jocasta an mich. »Ich enttäusche Martha, ich enttäusche Sie alle. So etwas ist mir noch nie zuvor passiert.«

Das war allerdings offensichtlich. »Schon gut«, beruhigte ich sie. »Ich habe mit Martha gesprochen, und sie hat vollstes Verständnis.«

»Aber es sollte überhaupt keinen Anlass dafür geben, dass jemand für irgendwas vollstes Verständnis haben muss.« Sie stöhnte kläglich auf. »Das werde ich mir nie verzeihen können.« Ihre Hand zitterte, als sie aus dem Wasserglas einen Schluck trank.

»Wie wäre es mit einer Tasse Kaffee?«, fragte ich. »Ich mache welchen für Nigel.«

»Ich will keinen Kaffee!« Mit einem flüchtigen, schwachen Lächeln entschuldigte sie sich prompt für ihre plötzliche Aufsässigkeit. »Ich möchte … ich möchte einen Gerstentrank.«

»Ja?« Ich hatte in englischen Romanen davon gelesen, dass Leute so etwas zu sich nahmen, aber ich hatte nicht die leiseste Ahnung, was genau es damit auf sich hatte. »Ich fürchte, ich weiß nicht …«

»Schon gut«, sagte sie verzweifelt. »Es ist zu spät.« – »Zu spät?« Nervös betrachtete ich sie. Hatte sie irgendetwas Tödliches eingenommen? War sie selbstmordgefährdet? Ich meine, was wussten wir denn überhaupt über sie? Sie war wie aus dem Nichts aufgetaucht, ohne dass jemand etwas über ihre Vergangenheit zu sagen vermochte. »Sie haben doch nicht ...?«

»O nein.« Sie brachte ein schwaches Lachen zustande. »Nicht, was Sie denken. Es ist nur so, dass Gerstentrank lange Zeit braucht, um zu quellen. Das hätte bereits gestern Abend angesetzt werden müssen.«

»Ach so. Ich könnte zum Supermarkt gehen und Ihnen eine Flasche holen.« Nigel strahlte sie großmütig an. Es war ja nicht so, als hätte sie um eine Flasche Château d'Extravagance gebeten. Selbst er war in der Lage, eine Flasche Gerstentrank zu bezahlen.

»Nein, vielen Dank«, zerstörte sie seine Hoffnungen. »Selbst gemacht ist er viel besser – und so leicht zuzubereiten. Wenn man nur zeitig anfängt.« Sie schaute mich an. »Ich sollte Martha davon erzählen. Für das Buch ist er ideal. Man kann ihn ansetzen, bevor man morgens aus dem Haus geht, und wenn man abends nach dem Auftritt zurückkommt, ist er fertig.«

»Ich würde das gern mal ausprobieren«, sagte ich und merkte, wie sich ihre Laune besserte. Alles, was sie in ihrer gegenwärtigen Verfassung aus sich herausholen konnte, musste genutzt werden. »Ich könnte jetzt welchen ansetzen, wenn Sie mir sagen, wie es geht.«

»Nichts leichter als ...« Ein Anflug von Skepsis ließ sie mitten im Satz innehalten. »Falls überhaupt Gerste im Haus ist.«

»Keine Sorge«, erwiderte ich. »Wir waren gestern einkaufen, während Sie ... während Sie ausgefallen sind. Wir haben alle Vorräte aufgestockt.« Da mir der Sinn nach einer Hühnersuppe gestanden hatte, waren Gerste, Reis und alle möglichen Nudelsorten in den Einkaufswagen gewandert, außerdem mehrere Dosen mit neuen Kartoffeln und für Cho-Cho eine Auswahl an

Thunfisch, Lachs und Makrelenfilets. Wir waren bestens sortiert.

»Zitronen?«, fragte sie argwöhnisch. »Frische Zitronen? Ungewachst?«

»Zitronen, Limetten, Orangen«, antwortete ich voller Stolz. »Außerdem …«

»Nur Zitronen. Sie können zwar auch Orangen oder Limetten nehmen, aber ich finde, es geht nichts über Zitronen. Also …« Sie benahm sich fast wieder normal. »Einen Messbecher. Wenn es hier so was gibt.«

»Wenn es ihn gibt, werde ich ihn finden.« Von der Stimmung mitgerissen ging Eddie an einen Schrank und öffnete ihn. »Den hier?« Er hielt mir seinen Fund hin.

»Gut. Setzen Sie den Wasserkessel auf …« Kaum hatte sie ausgeredet, befolgten die beiden Männer auch schon ihre Anweisung.

»Teesieb …« Sofort war es zur Hand. Sie gab zwei gehäufte Teelöffel Gerste hinein und spülte sie unter kaltem Wasser gründlich durch, dann schüttete sie den Inhalt in den Becher.

»Und eine Reibe für die Zitrone …« Mir war zuvor etwas in der Art in der Besteckschublade aufgefallen. Ich fand es wieder und brachte es ihr.

»Wir wollen nur die Schale.« Jocasta hatte längst in den Lehrer-Modus geschaltet. »Also das Gelbe«, übersetzte sie für die Männer. »Nichts vom Mark – dem weißen Zeug – oder vom Saft.« Geschickt schälte sie die Zitrone und gab die Schale in den Becher.

»Und jetzt etwas Zucker …«

Ihre willigen Schüler griffen gleichzeitig nach der Zuckerschale, und Nigel gewann. Er hielt sie ihr hin, sie gab einige Löffel hinein.

»Wenn das nicht genügt, kann man beim Verzehr immer noch nachzuckern. So, das Wasser kocht? Sehr gut.« Sie goss das heiße Wasser in den Becher und trat einen Schritt zurück.

Voller Ungeduld warteten wir auf den nächsten Schritt, aber

Jocasta sah uns an und zuckte mit den Schultern. »Das war's«, sagte sie. »Vielleicht noch einen Deckel drauf ...« Sogleich setzte sie ihre Worte in die Tat um. »Mehr ist nicht nötig. Das lassen wir stehen, bis es abgekühlt ist, und über Nacht kommt es zum Quellen in den Kühlschrank. Dann wird es durch ein Sieb geschüttet und getrunken. Einfacher geht's nun wirklich nicht.«

»Wunderbar!«, rief ich.

»Ah ...!« – »Ja ...« Nigels und Eddies Begeisterung ließ ziemlich nach, als ihnen klar wurde, dass es noch Stunden dauerte, bevor sie den Gerstentrank probieren konnten – und es war nicht anzunehmen, dass sie bis dahin noch im Haus sein würden.

Jocasta ließ sich wieder auf ihren Stuhl sinken, da die plötzliche Aktivität sie sehr angestrengt hatte. Außerdem schien das Wissen um die lange Wartezeit sie zu deprimieren. So sehr sie danach lechzte, es würden viele Stunden vergehen, ehe ihr Gerstenwasser fertig war.

»Macht nichts«, versuchte ich die auf dem Tiefpunkt angekommene Stimmung zu heben. »Wir können uns ...«

Die Haustür fiel mit Wucht ins Schloss, es folgten polternde Schritte, die sich uns näherten. Dann brüllte eine Männerstimme: »Wo ist sie? Wo ist mein kleiner Schatz?«

12

Jocasta kauerte sich auf ihrem Stuhl zusammen und zitterte, als sie die Stimme hörte. Wieder drängte sich mir die Frage nach ihrer Vergangenheit auf – und ob sie wohl in diesem Moment von dieser Vergangenheit eingeholt worden war.

Aber der ältliche junge Mann – oder der jugendliche ältere Mann –, der in die Küche gestürmt kam, nahm von ihr gar keine Notiz, sondern rannte auf Cho-Cho-San zu, die ihm mit einer Freude entgegengelaufen kam, wie sie sie bei Soroya nie an den Tag gelegt hatte.

»Da ist sie ja!« Er nahm sie in seine Arme und drückte sie an sich, während sie sich an seiner Nase scheuerte.

»Wenn er nur so viel Energie in sein ›Auf geht's‹ legen könnte«, meinte Dame Cecile seufzend zu Evangeline, als die ihm in die Küche folgte.

»Wo bist du denn nur gewesen?«, fragte er die Katze. »Ich dachte, ich hätte dich für immer verloren. Als mir Cecile erzählte, dass du hier bist, war ich so erleichtert.« Seine Stimme zitterte, da ihn seine Gefühle zu überwältigen drohten.

Er war eindeutig ein Mann, der am Boden zerstört gewesen wäre, hätte man ihm Cho-Cho-San als Beweis für das Können des Präparators zurückgebracht. Interessiert musterte ich ihn und fand, dass er ein wirklich durchschnittlicher, wahrscheinlich nicht allzu erfolgreicher Schauspieler war. Vermutlich jemand, der sich auf Charakterrollen und zweitrangige Hauptrollen spezialisiert hatte. Ob ihn jemand so sehr hassen konnte, dass er ihm aus Rache das Liebste genommen hätte?

Nach ihrem Gesichtsausdruck zu urteilen, war Dame Cecile die Erste in der Reihe der Verdächtigen. Allerdings war sie zu sehr mit dem Drama um den Tod von Fleur-de-Lys beschäftigt gewesen, als dass sie eine so ausgefeilte Rache hätte planen und in die Tat umsetzen können. Außerdem würde sie keinem unschuldigen Tier etwas antun, ganz gleich was dessen Besitzer ihr angetan hatte.

Ich sagte mir, dass ich nicht eifersüchtig war, nur weil Cho-Cho-San offenbar meine Existenz völlig vergaß, und wandte mich wieder dem Kühlschrank zu, um das fortzusetzen, was ich vor einer Weile begonnen hatte: einen kleinen Imbiss für Nigel zusammenzustellen. Doch dann stutzte ich und sah mich um.

Nigel war verschwunden. Evangeline ebenfalls.

Na, das war letztlich ihr Problem. Ich verwarf den Gedanken an den Snack und drehte mich zu Jocasta um, die sichtlich abgeschlafft war.

»Wie wäre es mit Tee und Toast?«

»Hervorragende Idee«, urteilte Dame Cecile. »Ich nehme einen Zimttoast.«

»Trocken.« Jocasta schüttelte sich wieder. »Nur etwas trockenen Toast bitte.«

Ich nickte, ignorierte ihren Einwand aber. Als ich den heißen Toast mit Butter servierte, auf dem Zucker und Zimt verteilt waren, aß sie ihre Scheibe ohne zu murren. Dame Cecile nickte ihrerseits anerkennend und verputzte ihre Portion mit viel Appetit.

Eddie war inzwischen in Richtung Keller gegangen und ging in die Hocke, um eindringlich in die Dunkelheit dort unten zu blicken.

Das einzige Geräusch in der Küche war Cho-Chos lautes Schnurren, so ruhig und friedlich ging es einige Augenblicke lang zu. Doch dann, mit einem Mal, lief alles schief, bevor ich irgendetwas dagegen unternehmen konnte.

»Wir müssen dann mal los«, erklärte er. »Bevor Ihr-wisst-schon-wer auftaucht. Danke, Cecile. Komm, mein Schatz.« Er rieb abermals seinen Kopf an Cho-Cho. »Wir gehen heim.«

Weg. Sie waren weg. Ich stand wie erstarrt da, als die Haustür zufiel. Hinter mir hörte ich Eddie scharf die Luft einziehen, woraufhin ich mich instinktiv zu ihm umdrehte, weil ich fest mit einem mitfühlenden Blick rechnete.

Aber von Eddie war nur noch der obere Teil des Kopfs zu sehen. Offenbar war er drei oder vier Stufen nach unten gegangen, wo er sich wieder hingehockt hatte und nun die oberste, durchgetretene Stufe ausgiebig musterte.

»Das gefällt mir aber gar nicht«, murmelte er.

»Was ist?« Ich ging zu ihm.

»Sieh dir das an.« Er zeigte auf etwas, aber ich konnte nichts erkennen.

»Von hier aus sehe ich nichts.« Ich kam näher. »Ich muss zu dir nach unten kommen und es von da betrachten.«

»Nein!« Er hob eine Hand, um mich zu stoppen. »Komm nicht runter. Das ist zu gefährlich. Sieh mal ...« Er zeigte auf etwas Verschmiertes auf dem Holz. »Das kannst du doch sehen, oder?«

»Ja ...« Widerstrebend bückte ich mich. Zu meiner Erleichterung handelte es sich nicht um Blut. »Aber ... was ist es?«

»Fett.« Er strich mit dem Finger darüber und roch an der Fingerspitze. »Vielleicht Butter.«

»Aber es war so gut wie keine Butter mehr im Kühlschrank.«

»Dann ist das meiste davon wohl für diese Aktion draufgegangen.« Er nickte unheilvoll. »Und von hier aus kannst du auch sehen, dass die Treppenstufen zwar viele Löcher aufweisen, in denen Nägel stecken sollten, aber von Nägeln keine Spur. Als hätte man sie rausgezogen, um die Treppe zur tödlichen Falle zu machen. Ein Geländer gibt es nicht, und was das Fett nicht erledigte, würden eben die Stufen besorgen. Nachdem sie erst einmal den Halt verloren hatte, hatte sie keine Chance mehr. Ich weiß nicht, was sich die Polizei dabei gedacht hat, die Sache auf sich beruhen zu lassen, aber *ich* würde das nicht als Unfall bezeichnen.«

»Aber du kannst dir doch nicht sicher sein!«

»Wollen wir wetten?« Er sah mich herausfordernd an. »Wo sind denn die Nägel hin? Und ich würde auch sagen, dass jemand mit einem Hammer auf die oberste Stufe eingeschlagen hat, damit sie locker sitzt und durchbricht. Gelockert, angeknackst und eingefettet.« Er schüttelte den Kopf. »Bullen sind auch nicht mehr das, was sie mal waren.«

»Ich glaube, die Polizei hat das gar nicht so genau in Augenschein genommen. Die durchgebrochene Stufe war nicht zu übersehen, das Fett da drauf ist schon weniger auffällig. Und es gab kein Licht ...«

»Es ist keine Birne in der Fassung«, entgegnete er. »Wenn die Glühlampe durchgebrannt wäre, könnte ich's ja noch verstehen. Aber rausgeschraubt ...?«

»Und was sollen wir jetzt machen?«

»Ich weiß nicht, was du machen wirst. Ich werde diese Stufen reparieren, bevor noch jemand zu Schaden kommt.«

»Aber ...«

»Kein Wort!«, warnte er mich. »Von der Polizei habe ich die Nase voll. Du etwa nicht?«

»Aber ...« Ich wollte genauso wenig wie er in irgendetwas verwickelt werden, trotzdem kam es mir falsch vor.

»Trixie!« Wie lange hatte Evangeline bereits hinter mir gestanden? »Die Teepause ist vorbei, wir gehen jetzt wieder zum Theater. Kommst du mit?«

Ich sah mich in der Küche um. Dame Cecile hatte Jocasta auf der Terrasse in einen Liegestuhl verfrachtet, wo sie ein Nickerchen halten und die Seeluft genießen konnte. Eddie war in seine selbst auferlegte Aufgabe vertieft. Der leere Teller auf dem Boden nahe dem Kühlschrank versetzte meinem Herzen einen Stich.

»Also?«

»Ja, ich glaube schon.« Hier gab es nichts mehr, was mich hielt.

Allerdings hatte das Theater auch nicht viel zu bieten, um meine Anwesenheit dort zu rechtfertigen.

»Alle auf die Plätze!«, rief eine durchdringende Frauenstimme. Ich hatte auf der Bühne nichts zu suchen, Evangeline ebenso wenig, doch das störte sie anscheinend überhaupt nicht. Sie und Cecile tuschelten und kicherten wie zwei Schulmädchen … zwei besonders ungezogene Schulmädchen. Hätte ich genügend Energie aufbringen können, dann hätte ich das Schlimmste befürchtet.

Aber abgesehen davon kam es mir ohnehin so vor, als wäre mir das Schlimmste längst widerfahren.

»Alle auf die Plätze!«, wiederholte die Stimme unüberhörbar streng.

Matilda tauchte wie aus dem Nichts auf und setzte sich an den bereitstehenden Teetisch. Ein unscheinbarer älterer Mann kam zu uns und nahm in einem Sessel gleich neben ihr Platz. Der selbsternannte Teddy Roosevelt des Stücks, mühelos als Cho-Chos Freund zu erkennen, obwohl man ihm einen großen Schnauzbart angeklebt und einen Kneifer aufgesetzt hatte, stellte sich auf der anderen Seite neben Matilda.

Instinktiv suchte ich nach Cho-Cho, aber er hatte ja gesagt, er werde sie mit nach Hause nehmen – wo immer das sein mochte –, und natürlich nicht ins Theater. Ich hoffte nur, dass sie dort in Sicherheit war. Mir missfiel der Gedanke, dass sie irgendwo allein war. Wie viele Leute wussten, wo der Mann wohnte?

»Teddy! Das war dein Stichwort!«, sagte die durchdringende Stimme. Auf der Bühne hatte die Probe begonnen, wenn auch offenbar nicht sehr erfolgreich.

»Oh, tut mir leid.« Gedankenverloren schaute der Mann über das Rampenlicht in den Saal. »Ich habe gerade an etwas anderes gedacht.«

»Das war nicht zu übersehen.« Die Stimme verriet einen sehr dünnen Geduldsfaden. »Vielleicht kannst du dich dazu durchringen, dich auf unsere Arbeit zu konzentrieren …?«

»Ja … ja … Entschuldige, Frella.«

»Noch mal von vorn.«

Ich lehnte mich zurück und ließ mich von dem Geschehen

fesseln. Es war ein gutes Stück, und es hätte sicher Spaß gemacht, mit Evangeline auf der Bühne zu stehen und die Hauptrollen zu spielen. Aber ich wusste, ich hatte recht. Wir brauchten etwas ganz Neues, das man untrennbar mit unseren Namen verbinden würde. Wir wollten doch nach vorn blicken, nicht zurück.

Womit meine Gedanken zu Nigel zurückkehrten. Nach seiner kleinen Konferenz mit Evangeline war er klugerweise schnell wieder verschwunden. Die Zeit hatte gerade gereicht, um sich von ihr einen Scheck ausstellen zu lassen. Ich konnte nur hoffen, dass sie wusste, was sie da tat. Oder besser gesagt: was *er* tat.

»Teddy! Kannst du denn nicht aufpassen?« Ich zuckte zusammen, als die schrille Stimme durch den Saal und bis hinauf in die Stratosphäre schallte. Abermals hatte Teddy seinen Text nicht parat, und ich bekam den Eindruck, es könnte sich negativ auf sein Privatleben auswirken.

»Es ist einfach ein Fehler, wenn man den Regisseur heiratet – auch wenn das die einzige Möglichkeit ist, um die Rolle zu bekommen.« Evangeline, die sich zu mir setzte, war der gleichen Ansicht wie ich. »Ich hoffe, er hat eine gute zweite Besetzung. Wenn sie ihn nicht feuert, werden seine Kollegen ihn ermorden.«

»Also gut …« Diesmal klang die Stimme erschreckend beherrscht. Teddy hatte es abermals verpatzt. »Machen wir einfach weiter bis zum Ende der Szene.«

Etwas strich um meine Beine, und ich sah erschrocken nach unten. Eine große orangefarbene Katze sah mich mit riesigen grünen Augen an.

»Keine Angst«, sagte jemand in der Reihe hinter uns. »Das ist nur Garrick. Er sieht gefährlich aus, aber wenn Sie nicht vier Beine und einen langen Schwanz haben und dazu miauen, dann ist er ein richtiger Schmuser.«

»Das glaube ich.« Ich lehnte mich nach vorn und hielt einen Finger nach unten, damit Garrick ihn beschnuppern konnte.

»Ich bin erschrocken, weil ich hier nicht mit einer Katze gerechnet hatte.«

»Jedes Theater hat seine Katze. Wenn man überlegt, wie gedankenlos die Schauspieler ihr Essen irgendwo hinstellen und wie den Besuchern Bonbons und Ähnliches auf den Boden fallen, dann muss man davon ausgehen, dass es hier von Mäusen nur so wimmelt. Ohne Garrick kämen wir gar nicht zurecht, er ist der beste Mäusejäger der ganzen Branche.«

Da Garrick die ihm vertraute Stimme hörte, verließ er mich kurzerhand und ging unter meinem Stuhl durch in die Reihe hinter uns.

»Da bist du ja. Du weißt, wer dich füttert, nicht wahr, Garrick?«

Ich sah Garrick zu, wie er mich bedenkenlos im Stich ließ. Er war ein netter Kater, aber er war eben nicht Cho-Cho-San. Im Gegenzug hielt er mich vermutlich für eine nette Frau, aber ich hatte eben nicht die Verfügungsgewalt über den Dosenöffner.

»Hallo, Jem«, sagte Evangeline, die die Stimme ebenfalls kannte. »Cecile erzählte mir, Sie waren hier mal Pförtner am Bühneneingang. Das ist schon lange her.«

»Das Royal Empire wurde 1809 erbaut, aber manchmal kommt es mir so vor, als wäre ich seit dem ersten Tag hier.«

»Jem spielte damals in einem erfolgreichen Stück den verhassten kleinen Bruder von Cecile und mir«, ließ Evangeline mich wissen. »Er war fantastisch. Alle prophezeiten ihm eine großartige Zukunft.«

»So läuft es eben«, meinte er mit einem Schulterzucken. »Ein paar von uns steigen auf, ein paar steigen ab. Sie haben es gut erwischt, Evangeline. Genauso wie Cecile.«

»Aber Sie, Sie waren einer der vielversprechendsten Jungschauspieler im West End. Sie hätten romantische Hauptrollen spielen und einer der großen Bühnenstars werden müssen. Was ist passiert, Jem?«

»Der Krieg ist dazwischengekommen, was sonst?« Wieder zuckte er beiläufig mit den Schultern. »Ich war zu jung, um zum Militär einberufen zu werden, also kam ich zur Brandwache. Ein Gebäude stürzte ein, während ich mich darin befand, aber ich hatte Glück. Ich weiß nicht mehr, wie viele Stunden ich unter den Trümmern begraben lag, doch schließlich buddelten sie mich aus. Als sie mich nach draußen brachten, standen etliche Leute da. Ein richtiges Publikum. Sie applaudierten mir sogar. Das Eigenartige war … als ich genesen war und wieder meine Arbeit aufnehmen wollte, da stellte ich fest, dass ich mich nicht mehr den Blicken der Zuschauer aussetzen konnte. Ich hasste den Applaus. Er machte mir Angst.« Ein weiteres Achselzucken. »Nicht gerade der Idealzustand für einen Schauspieler. O ja, und dann kam auch noch leichte Klaustrophobie dazu. Auf der Bühne selbst ging es noch, abgesehen natürlich von den Zuschauern im Saal. Aber Sie wissen ja, wie beengt die Garderoben sind.«

»Oh, Jem«, sagte Evangeline mit sanfter Stimme.

»Tja … ich versuchte mich im Stückeschreiben, doch die Zeiten hatten sich geändert. Das Fernsehen riss die leichten, unterhaltsamen Stoffe an sich, von denen das Theater lebte – die Salonkomödien, die Detektivgeschichten, die Dreiecksbeziehungen. Die Bühne entschied sich für das Drama, das Absurde, das Surreale und – wenn Sie mich fragen – für das komplett Falsche! Ich konnte ein paar Stücke an den Mann bringen, aber sie liefen nicht so lange, wie es früher der Fall gewesen wäre. Allerdings erfreuten sie sich bei Amateurgruppen ziemlicher Beliebtheit. Ich verdiene noch immer daran, nicht viel, aber regelmäßig, und …«

»Wie soll ich mir meinen Text merken, wenn die Leute ständig reden?«

»Jem, bitte.« Die frostige, körperlose Stimme war der gleichen Meinung. Teddy mochte launenhaft sein, aber diesmal hatte er die Macht auf seiner Seite.

»Tut mir leid, ich habe mit alten Freunden in Erinnerungen geschwelgt.« Jem stand auf und ging weg. »Wird Zeit, dass ich meinen Aufgaben nachkomme.«

»Jem, bitte …« Ich suchte nach dem Ursprung der Stimme, die immer wieder Anweisungen gab. Die Sitzreihen hinter uns waren jetzt leer, nicht mal Garrick war mehr zu sehen.

»Erster Rang.« Evangeline hatte sie entdeckt. »Sie überprüft, ob man da oben was versteht. Ist auch dringend nötig.«

»Schhhht!« Diesmal war es Dame Cecile, die uns von der Seite der Bühne bedeutete, ruhig zu sein. Es war tatsächlich an der Zeit, den Mund zu halten.

Wir saßen schweigend da und verfolgten, wie der erste Akt auf einen der großen Lacher zusteuerte.

»Auf geht's!«, verkündete Teddy schlaff und schlenderte die Treppe hinauf.

»Cecile hat recht«, flüsterte Evangeline mir zu. »Die nächsten Worte werden ›aber ohne mich‹ sein.«

»Teddy, mein Guter«, schien die körperlose Stimme ihr beizupflichten. »Könnten wir das mit etwas mehr Feuer bekommen? Bitte noch mal vom Fuß der Treppe.«

»Bäh!« Teddy legte mehr Feuer in seinen verärgerten Ausruf, als er mit stampfenden Schritten die Treppe hinunterging. Die anderen Schauspieler warteten mehr oder weniger geduldig ab, offenbar waren sie daran gewöhnt.

»Auf geht's!« Leider hielt das Feuer nicht bis zu seinem eigentlichen Text an, aber zumindest legte er die Stufen diesmal etwas schneller zurück.

»Schon besser«, verkündete die Stimme und klang müde. »Aber versuch es noch einmal.«

»Wie lange proben sie eigentlich inzwischen diese Szene?«, fragte ich Evangeline *sotto voce,* aber es war nicht *sotto* genug gewesen.

»Ich bitte um Ruhe im Saal! Wie soll ich mich bei diesem ständigen Gerede eigentlich konzentrieren?« Es war klar, dass Teddy uns zur Ursache seines Problems erklären würde. Jetzt warfen uns alle wütende Blicke zu.

»Hast du auch das Gefühl, dass wir hier unerwünscht sind?« Evangeline erhob sich majestätisch.

»Zweifellos.« Ich stand schnell auf, bevor sich Evangeline an mir vorbeizwängen und mir auf die Füße treten konnte.

»Miaaauuuu!« Ich konnte ja nicht ahnen, dass sich Garrick im Mittelgang der Länge nach hingelegt hatte und sein Schwanz quer am Ende unserer Sitzreihe lag. Als Garrick jaulend davonschoss, um seitlich von der Bühne Schutz zu suchen, begann ich einmal mehr die Schönheit einer Bobtail-Katze zu schätzen.

»Um Himmels willen!«, explodierte Teddy. Jetzt war genug Feuer in seiner Stimme, aber es war nur gegen uns gerichtet.

»Wir sind schon weg!«, erwiderte Evangeline.

»Gott sei Dank«, murmelte jemand. Wer es war, konnte ich nicht sagen.

13

Ich glaube, etwas frische Luft wird uns guttun«, meinte Evangeline, als wir aus dem Theater kamen.

»Und ein langer Spaziergang, um wieder zur Ruhe zu kommen«, stimmte ich ihr zu.

»Ich bin völlig ruhig.« Sie sah mich von oben herab an. »Was man von einigen anderen Leuten nicht gerade behaupten kann. Diese Regisseurin steht am Rand eines Nervenzusammenbruchs.«

»Es ist wirklich zu schade. Teddy macht das ganze Stück zunichte. Kein Timing, seine Stimme trägt nicht weit genug, kein ... Feuer. Er sollte ausgetauscht werden.«

»Das ist nicht so einfach, wenn der Betreffende der Ehemann der Regisseurin ist«, erwiderte Evangeline nachdenklich. »Ich hoffe für sie, dass er wenigstens im Privatleben das Feuer besitzt, das sie von ihm erwartet. Auf der Bühne ist davon jedenfalls nichts zu spüren.«

»Wir haben die Frau gar nicht zu sehen bekommen«, überlegte ich, »aber sie klingt viel dynamischer als er. Obwohl das eigentlich keine Kunst ist. Die zwei sind schon ein eigenartiges Paar.«

»Da wären sie nicht das einzige. Aber in diesem Fall hat sie es sich selbst eingebrockt. Er war bereits verlobt, da schnappte Frella ihn einer anderen Frau weg. Einer anderen starken und dominanten Frau. Er scheint auf den Typ zu fliegen.«

»Oder der Typ fliegt auf ihn.« Ich konnte mir Teddy als die natürliche Beute einer dominanten Frau gut vorstellen. Der Kerl war nicht in der Lage, Nein zu sagen. »Ich nehme an, Cecile hat dich in Sachen Klatsch auf den neuesten Stand gebracht.«

»Das kannst du wohl sagen!« Evangeline blieb stehen, sah

mich an und zog eine Augenbraue hoch. »Möchtest du raten, wer diese andere Frau war?«

»Nein!«, rief ich erschrocken. Es gab nur eine andere Frau in diesem Szenario, die man als wahrhaft dominant bezeichnen konnte. »Doch nicht …?«

»Soroya«, bestätigte sie meinen Verdacht. »Und nicht nur das. Rat mal, was sie ihm schenkte, als sie sich verlobten?«

Ich konnte sie nur anstarren, mein Verstand war zu keinem klaren Gedanken fähig.

»Eine seltene, ausländische Katze – die einzige ihrer Art im ganzen Land. Sie brachte sie ihm von einem Dreh in Japan mit.«

»Cho-Cho-San. Darum sagte sie, die Katze gehöre ihr.«

»Und damit hat sie sogar recht. Früher war es üblich, dass alle Geschenke zurückgegeben wurden, wenn man eine Verlobung auflöst.«

»Hah! Ich wette, sie hat den Ring behalten.«

»Das ist etwas anderes.« Evangeline war immer auf der Seite der Habsüchtigen. »Er war derjenige, der die Verlobung löste. Es ist ihr gutes Recht, den Ring zu behalten – und ich würde sagen, die Katze steht ihr ebenfalls zu.«

»Ihr ist Cho-Cho-San völlig gleichgültig, während Teddy das Tier liebt. Sie will ihn damit nur quälen.«

»Kein Zorn ist so schlimm wie der einer betrogenen Frau.«

War sie zornig genug gewesen, um Cho-Cho zum Präparator zu bringen? Zornig genug, um dem Mann den Schädel einzuschlagen, als er ihrem Wunsch nicht entsprechen wollte? Und das Geschäft in Brand zu stecken? Das ging über jedes normale Maß von Zorn hinaus, das war … Irrsinn!

»Und eine Frau kann kaum zorniger werden als in dem Moment, da sie erfährt, dass ihr Geliebter mit einer anderen durchgebrannt ist«, fuhr Evangeline fort. »Cecile sagt, seitdem tobe ein Sorgerechtsstreit um die Katze. Einer entführt sie dem anderen. Der Katze macht das nicht allzu viel aus, auch wenn sie Teddy bevorzugt.«

»Sie ist ein so liebes kleines Ding«, seufzte ich. »Und sie hat einen so ruhigen Charakter.«

»Wenn sie ein Mensch wäre, dann bestimmt eine Geisha«, sagte sie.

Dem konnte ich nicht widersprechen, weil es sehr wahrscheinlich war. Cho-Cho war mit jedermann Freund und ließ sich von Eddie ebenso auf den Arm nehmen wie von Soroya … oder von mir.

»Schau etwas freundlicher drein«, forderte mich Evangeline auf. »Sieh dich um und genieß die Umgebung.«

Wir schlenderten durch die kleinen Gassen in dem Viertel, in dem das Theater gelegen war, und ich musste zugeben, dass dies eine Gegend ganz nach meinem Geschmack war. Es tat gut zu sehen, wie viele interessant aussehende Geschäfte die Straßen säumten, während mich die Einkaufsstraßen in London mit den vollkommen austauschbaren Filialen der immer gleichen Ketten zu Tode langweilten. Ohne ein Wort wechseln zu müssen, einigten wir uns darauf, langsamer zu gehen und einen Schaufensterbummel zu unternehmen.

Hinter verstaubten Fenstern warteten Antiquitäten, Schmuck funkelte im Schein der Lampen, hoffnungsvolle junge Designer hatten in zahlreichen Geschäften Schaufensterpuppen mit ihren Schöpfungen eingekleidet. Wir gelangten zu einem Sandwichladen, der inmitten dieser Umgebung mit den vielen Geschäftsleuten und Kunden eine Goldgrube sein musste. Und die Läden nahmen auch danach noch kein Ende, Duftkerzen, Kristalle und New-Age-Accessoires, gefolgt von weiteren Antiquitätengeschäften, Boutiquen und und und …

»Veilchen!«, rief ich und blieb vor dem Laden eines Silberschmieds stehen. Auf einem Halter aus schwarzem Samt lag eine wunderschöne Halskette aus Silber und Email, deren Glieder die Form zierlicher Veilchen hatten. Das war das perfekte Geschenk für meine reizende Enkelin.

»Das Geschäft ist geschlossen«, erklärte Evangeline. »Wir müssen an einem anderen Tag herkommen.«

»Meinst du, wir finden hierher zurück?« Wir waren auf unserem Weg so oft nach links und rechts abgebogen, dass ich einen Moment lang verzweifelte. »Wo sind wir?«

»Da an der Ecke hängt ein Straßenschild.« Sie ging dorthin, ich folgte ihr widerstrebend und sah über die Schulter zu dem wundervollen kleinen Schmuckstück. Es würde der kleine Viola so gut stehen, dass ich den Gedanken nicht ertrug, es zurücklassen zu müssen.

»Regency Close«, las Evangeline blinzelnd von dem Straßenschild ab. Dann auf einmal erstarrte sie. »Trixie – riechst du Rauch?«

»Irgendwie schon.« Ich hob den Kopf und atmete tief ein. Ja, Rauch, aber nicht von der Art, dass ich damit eine reale Gefahr für mein Leben verband. Mehr eine Erinnerung an Rauch.

Wie zwei Bluthunde witternd, bogen wir in eine schmale Seitenstraße ein und folgten dem stärker werdendenen Brandgeruch. Ich war nicht sonderlich überrascht, als wir dessen Ursprung erreicht hatten.

»Mir war nicht bewusst, dass das Geschäft des Präparators so dicht beim Theater gelegen war«, sagte ich, während wir die rußgeschwärzten Überreste betrachteten. Hier und da standen noch Pfützen vom Löschwasser.

»Wir hätten es wissen sollen. Cecile war im Theater viel zu sehr beschäftigt, als dass sie weit herumgekommen wäre.« Evangeline machte eine düstere Miene.

»Dadurch muss sie auf diese schreckliche Idee gekommen sein.« Mir lief ein Schauer über den Rücken, und das nicht nur, weil ich mir unwillkürlich eine ausgestopfte Fleur vorstellte. Die Sonne war hinter dem Horizont verschwunden, und wir wurden von der heraufziehenden Dunkelheit umhüllt. Der Wind war stärker und kälter geworden und wehte uns unerbittlich entgegen. Auf einmal sehnte ich mich danach, nach Hause zurückzukehren, und wenn es nur unser zeitweiliges Zuhause bei Matilda war.

»Evangeline«, begann ich. »Lass uns …«

»Halt!« Ein leichtes Zittern unterhöhlte den Kommandoton der Stimme. »Wer ist da?«

»Wer ist wo?« Gereizt drehte sich Evangeline um. »Wer zum Teufel sind Sie? Und was glauben Sie, was wir hier suchen?«

»Genau das wollte ich Sie auch fragen.« Sonderbarerweise schien Evangelines Temperamentsausbruch unserem Gegenüber den bisher fehlenden Mut zu verleihen. Er trat wie ein Soldat vor und fragte: »Was suchen Sie hier?«

»Warum sollten wir nicht hier sein?«, konterte Evangeline, die sich so nicht behandeln lassen wollte. »Und wer sind Sie überhaupt?«

»Vielleicht der Nachtwächter«, schlug ich vor, da er sich mit seiner Antwort viel Zeit ließ.

»Willst du mir weismachen, in diesem Viertel hätte es je einen Nachtwächter gegeben«, schnaubte sie. »Nicht mal in seinen besten Tagen wird das der Fall gewesen sein.«

»Richtig, Madam, ganz richtig«, stimmte der Mann ihr zu. »Damit haben Sie völlig recht.«

»Wer sind Sie dann?«, wollte sie wissen.

»Ein aufmerksamer Bürger. Ein Nachbar. Ein Hausbesitzer, der verhindern möchte, dass sein Eigentum durch die Anwesenheit von Geistern an Wert verliert.«

»Geister?« Ich sah ihn ungläubig an. »Sie machen wohl Scherze.«

»Wissen Sie, in diesem Feuer ist ein Mann gestorben. Lange vor seiner Zeit. Das kann dazu führen, dass ein rastloser Geist zurückbleibt.«

»So ein Unsinn!« Evangelines Tonfall war energisch, doch mir entging nicht, dass sie etwas näher an mich heranrückte. Mein eigenes Schaudern wurde nicht allein durch den eisigen Wind verursacht.

»Das denken Sie vielleicht, aber es gibt Leute, die behaupten, Geister gesehen zu haben. Sogar genau an der Stelle, an der Sie gerade stehen.«

»Sie auch?«, gab sie zurück. »Wenn etwas an diesem Ort

spukt, dann werden das wohl eher die Geister dieser armen Tiere sein, die dort gehäutet und …«

»Hör auf!« Ich sah Cho-Cho vor meinem geistigen Auge, wie sie mich vertrauensselig anschaute, und ich ertrug es nicht, darüber nachzudenken, welch grausamem Schicksal sie nur knapp entronnen war. Wären wir nicht hergekommen …

»Nein«, widersprach der Mann. »Für sie gibt es keinen Grund, hier zu verharren. Sie sind friedlich verschieden, bevor sie an diesen Ort kamen. Von ihnen geht keine Bedrohung aus.«

Cho-Cho war aber nicht tot gewesen, als sie hergebracht wurde.

»Bedrohung?«, konterte Evangeline sofort. »Dann reden wir hier nicht nur von einem Geist, sondern von einem bösartigen Geist?«

»Warum auch nicht, wenn man so aus dem Leben gerissen wurde? Würde Ihnen so etwas zustoßen, dann wage ich zu behaupten, dass Sie auf der Stelle zugegen wären und Vergeltung fordern würden.«

»Er hat sicher deine Telefonnummer.« Ich konnte es mir einfach nicht verkneifen.

»Nein«, redete er weiter. »Bislang ist alles ruhig. Aber als ich Sie beide sah – aus der Ferne, dunkle formlose Schemen, so wie er –, da dachte ich, er ist zurückgekehrt und hat einen Freund mitgebracht.«

»Tatsächlich?« Evangeline war wegen der ›formlosen Schemen‹ aufgebracht. »Ich wusste gar nicht, dass Geister auch paarweise auftreten. Normalerweise sind sie allein oder durch Jahrhunderte voneinander getrennt, und der eine weiß nichts von der Existenz des anderen.«

Wenn ich so darüber nachdachte, musste ich ihr zustimmen. Der typische Geist ist kein geselliger Typ, jedenfalls sucht er nicht die Nähe von seinesgleichen. Es kann natürlich sein, dass er sich gelegentlich mit den Lebenden abgibt, sofern er sich nicht damit begnügt, sie vor Angst wahnsinnig zu machen.

»Nicht immer. Es gibt dokumentierte Erscheinungen von ganzen römischen Legionen, die auf den alten, von ihnen gebauten Straßen unterwegs sind. Und dann war da der Fall ...«

»Wir sind nicht hier, um über Geister zu diskutieren«, unterbrach Evangeline ihn unwirsch.

»Die Frage ist doch, was der Geist hier gesucht hat«, warf ich schnell ein, bevor er uns wieder fragen konnte, wieso wir eigentlich hier waren.

»Er irrte umher, schwebte auf und ab, ließ Licht um sich herum aufblitzen. Manchmal wirkte er drei Meter groß, dann wieder zog er sich zusammen, bis er nur noch eine Art Bodenunebenheit war.«

»Gab es vielleicht auch noch ein paar Geräuscheffekte?«, gab Evangeline schroff zurück. »Oder beschränkte sich das Ganze aufs Visuelle?«

»Ich wollte ihm nicht zu nahe kommen«, verteidigte sich der Mann. »Ich blieb auf Abstand zu ihm, aber als der Wind in meine Richtung wehte, da war so etwas wie ein Stöhnen oder Schluchzen zu hören.«

»Ein gefühlvoller Geist«, sagte Evangeline und schniefte. Sie glaubte dem Mann kein Wort.

»Sie würden vielleicht auch ein paar Tränen vergießen, wenn Sie in der Blüte Ihres Lebens dahingerafft werden.«

»Dann war er also ein junger Mann?« Mir war soeben bewusst geworden, dass wir Gefahr liefen, uns in Nebensächlichkeiten zu verstricken, obwohl wir hier die Gelegenheit hatten, Informationen aus erster Hand zu erhalten. »Kannten Sie ihn? Was für ein Mensch war er?«

»Ich würde nicht sagen, dass ich ihn kannte. Er lebte sehr zurückgezogen, aber wenn man ihm begegnete, dann konnte man sich ausgesprochen angenehm mit ihm unterhalten. Allerdings bekam man ihn nur selten zu sehen, er war eine richtige Nachteule. Nach Einbruch der Dunkelheit herrschte in seinem Laden oft einiger Betrieb. Viele Leute kamen und gingen, meistens durch die Hintertür.«

»Das verheißt nichts Gutes«, folgerte sie sofort. »Das habe ich nicht gesagt.« Nervös wich er einen Schritt zurück.

»Aber angedeutet haben Sie es«, ging Evangeline zum Gegenangriff über. »Was glauben Sie, hat er gemacht?«

»Sie scheinen den Laden sehr gut beobachtet zu haben«, kam ich zu meiner eigenen Schlussfolgerung. »Sie sind nicht zufällig der Mann, der am Tag des Feuers ein Taxi von hier wegfahren sah?«

»Nein … nicht …« Von unserer gemeinschaftlichen Attacke offenbar eingeschüchtert, machte er auf dem Absatz kehrt und ging so schnell weg, wie es nur möglich war, ohne zu rennen.

»Na, dann wissen wir jetzt wenigstens, wer der Wichtigtuer war, der die Polizei angerufen und Eddie angeschwärzt hat.«

»Und er kennt uns! Deine Frage hätte ihn misstrauisch machen müssen. Gleich wird er sich daran erinnern, dass wir an dem Tag auch hier waren, und wieder die Polizei anrufen.« Wir warfen uns gegenseitig wütende Blicke zu, entfernten uns dann aber zügig von der verkohlten Ruine.

»Hier entlang.« Evangeline schob mich um eine Hausecke, dann um die nächste, ehe wir wieder langsamer wurden. »Da rauf.« Es war nur ein kleiner Hügel, aber wir waren schon außer Atem. Den Brandgeruch hatten wir hinter uns gelassen, sodass die Episode mit einem Mal etwas von einem Traum bekam.

»Hier runter.« Die Umgebung kam mir allmählich vertrauter vor, und als wir um die nächste Ecke bogen, wusste ich, wo wir waren.

»Der Bühneneingang! Wir sind im Kreis gegangen, wir sind wieder beim Royal Empire angekommen.«

»›Letzte Klappe‹ musste in der Nähe sein, sonst hätte Cecile nicht gewusst, dass der Laden existiert.« Evangeline nickte. »Sie ist nicht der Typ, der seine Umgebung erkundet. Ganz im Gegensatz zu dir.«

»Ich weiß eben gern, wo ich bin und was um mich herum los ist.« Und ich konnte Leute nicht verstehen, denen so etwas ganz egal war.

»Das kommt von all den Gangsterfilmen, in denen du mitgespielt hast«, sagte sie ernst. »Du suchst immer nach einem Fluchtweg, falls es Ärger gibt.«

»Daran ist doch nichts verkehrt.« In unserer jüngeren Vergangenheit hatte sich das mehrfach als nützlich erwiesen. Und das wusste Evangeline, auch wenn sie es nicht zugeben wollte.

»Sollen wir reingehen?«, fragte sie mit Blick auf den Bühneneingang.

»Lieber nicht. Wir kennen den Weg nach Hause, und ich weiß zwar nicht, wie es dir geht, aber ich bin hundemüde. Ich kann auf noch mehr Theatralik gern verzichten.«

»Morgen früh fahre ich zurück nach London!« Jocasta hielt sich im Flur auf und war blass, aber fest entschlossen. Sie sah uns an, als erwarte sie von uns Widerspruch.

»Keine schlechte Idee«, meinte Evangeline. »Uns käme ein kurzer Ausflug in die Stadt sehr gelegen, weil wir noch das eine oder andere zu erledigen haben.«

»Ich wollte Sie eigentlich nur herbringen und dann gleich wieder zurückfahren«, fuhr Jocasta mit ihrer offenbar geprobten Argumentation fort, ohne zu bemerken, dass die sich längst erübrigt hatte.

»Und jetzt können Sie uns wieder zurückfahren. Um halb elf werden wir abreisebereit sein, sodass wir bis zum Mittagessen am Ziel sein dürften.«

»Ich hatte vor, um sieben Uhr zu fahren.« Es war nichts weiter als eine Ausflucht, und das wusste Jocasta so gut wie wir.

»Unsinn! Sie wollen doch nicht im Berufsverkehr stecken bleiben. Um halb elf wird die Autobahn so gut wie leer sein.«

»Und was ist mit Eddie?«, wandte ich ein. »Wir können ihn doch nicht hier allein zurücklassen.« Vor allem, weil er ohne uns gar nicht erst in diese Zwickmühle geraten wäre.

»Wir bleiben nur bis übermorgen in London. Es ist ja nicht so, als würden wir das Land verlassen.«

Wenn ihr der Sinn danach stand, würde sie das sehr wohl

tun. Nur war das im Moment nicht der Fall. Aber ich wusste, sie führte irgendwas im Schilde. Ich kannte diesen verschlagenen Gesichtsausdruck von früheren Gelegenheiten.

»Halb elf …« Jocasta kämpfte immer noch mit ihrem eigenen Problem. Wie konnte es nur sein, dass ihr simpler Plan völlig außer Kontrolle geraten war?

»Zuerst schauen wir bei Hugh vorbei«, redete Evangeline weiter und ordnete wie selbstverständlich das Leben aller Beteiligten neu, damit sie ihre eigenen Absichten verfolgen konnte. »Dann können Sie sich mit Martha zusammensetzen, und Trixie wird sicher die Kinder sehen wollen.«

Ich nickte begeistert, ehe ich stutzig wurde. Da stimmte doch etwas nicht. Ja, genau. »Und was machst du in der Zwischenzeit?«

»Unter anderem werde ich mit Hugh reden. Er ist ein guter Junge, aber ich fürchte, bei ihm läuft vieles nach dem Motto: ›Aus den Augen, aus dem Sinn.‹ Wir sollten uns von Zeit zu Zeit bei ihm blicken lassen, damit er nicht vergisst, dass es uns immer noch gibt.«

Irgendwie hatte ich meine Zweifel, dass er das wirklich vergessen konnte, aber in gewisser Weise lag sie gar nicht so falsch. Es konnte nicht schaden, wenn man sich ab und zu dem Management präsentierte.

»London?« Die Stimme kam vom Kopf der Treppe. »Sie fahren morgen früh nach London? Hervorragend. Ich werde bereit sein. Halb elf, richtig? Das passt mir sehr gut. Sie können mich am Trafalgar Square absetzen.«

Wir schauten nach oben und sahen gerade noch, wie Soroya vom oberen Treppenabsatz verschwand, ehe ihr einer von uns widersprechen konnte.

»Aber …« Jocasta kämpfte immer noch damit, dass sie jedes Mal unterbrochen wurde, wenn sie etwas zu tun oder zu sagen versuchte. Sie sah zwischen Evangeline und mir hin und her.

Ich zuckte mit den Schultern und wunderte mich vor allem, wann Soroya wieder aufgetaucht war. Oder hatte sie die ganze

Zeit in ihrem Zimmer gelauert wie eine Spinne in ihrem Netz und alles belauscht, was sich um sie herum im Haus abspielte?

»Und was ist mit Ihnen?«, wandte sich Jocasta voller Verzweiflung an Evangeline. »Werden Sie das dieser entsetzlichen Frau einfach durchgehen lassen?«

»Wollen Sie ihr etwa sagen, sie kann nicht mitkommen?«, gab Evangeline unschuldig zurück.

»Nein ...« Jocasta wurde schon bei dem Gedanken kreidebleich.

»Wir müssen sie ja nur eine knappe Stunde ertragen«, besänftigte Evangeline sie. »Je nachdem, wie schnell wir ankommen. Und wer weiß, vielleicht erfahren wir ja etwas Interessantes von ihr.«

14

Letzten Endes erfuhren wir überhaupt nichts. Allerdings mussten wir – ohne gegen irgendein Gesetz zu verstoßen – auf dem Rückweg nach London am Morgen alle Geschwindigkeitsrekorde gebrochen haben.

Soroya war Evangeline zuvorgekommen und hatte es sich bereits auf dem Beifahrersitz bequem gemacht, als wir aus dem Haus kamen. Jocasta starrte mürrisch geradeaus und ignorierte unsere Begrüßung. Kaum hatten wir auf der Rückbank Platz genommen, gab sie auch schon Vollgas und raste in Richtung Autobahn.

Alle Versuche, eine Unterhaltung zu beginnen, wurden von Soroya mit einem brüsken »Ich kann kein Wort verstehen« im Keim erstickt, während Jocasta gar nicht erst antwortete.

»Nein, nein, nein!«, protestierte Soroya, als Jocasta am Ziel angekommen an den Straßenrand fuhr, um sie aussteigen zu lassen. »Das reicht nicht! Ich will auf die andere Seite gebracht werden!«

Jocasta schaute auf die Straße, wo die Fahrzeuge Stoßstange an Stoßstange standen oder sich bestenfalls im Schneckentempo weiterbewegten, und verkrampfte die Schultern. Ich rechnete damit, dass sie jeden Moment explodierte, was lange überfällig war.

Brrr-brrr … brrr-brrr … Rettung in letzter Sekunde. Evangelines Mobiltelefon klingelte.

Sie kramte es aus ihrer Tasche und meldete sich. »Hallo? … Ja …« Dann kniff sie die Augen ein wenig zusammen und hielt mir das Telefon hin. »Für dich.«

»Danke.« Ich nahm es mit schlechtem Gewissen an mich, da ich wusste, wie sehr sie es hasste, wenn jemand sie anrief, der eigentlich mich sprechen wollte. Allerdings gab es auch nur eine einzige Person, die das überhaupt machte, und selbst das nur selten. »Martha?«

»Mutter, ich hoffe, ich erwische dich noch rechtzeitig. Fahr nicht zu uns nach Hause, ich bin nämlich nicht da, sondern in deiner Wohnung. Ich warte dort auf dich.«

»Schatz, aber wieso …?« Doch sie hatte bereits aufgelegt. Ich wappnete mich, um Jocasta die Neuigkeit mitzuteilen. Die Docklands waren weit von dem Viertel entfernt, in das sie uns eigentlich bringen wollte, und ich überlegte, was für einen großen Umweg es für sie letztlich bedeutete. Andererseits musste sie sich ja mit Martha treffen, ganz gleich wo die sich aufhielt.

»Ähm … Jocasta …« Ich gab Evangeline das Telefon zurück und bemühte mich um einen Tonfall, der sowohl versöhnlich als auch entschuldigend klang, gleichzeitig aber beide Aspekte nicht zu sehr betonte. »Es gibt da eine kleine Planänderung.«

»Ach?« Sie hörte sich sehr abweisend an.

»Martha«, sagte ich mit fester Stimme. »Das war Martha. Sie ist in unserer Wohnung in den Docklands. Wir treffen uns dort mit ihr.«

»Docklands?« Soroya lehnte sich triumphierend zurück. »Dann müssen Sie ja sowieso um den Platz herumfahren.«

»Oh, Mutter!« Martha machte eine fast so gequälte Miene wie Jocasta, als sie uns die Tür öffnete. »Es tut mir leid, dass ich mich bei euch so breitmachen muss, aber zu Hause herrscht das völlige Chaos!«

»Schatz, wir freuen uns doch, wenn du hier bist.« Über Evangelines Schnauben ging ich geflissentlich hinweg, Marthas hervorquellende Tränen waren dagegen nicht so leicht zu ignorieren.

»Was ist denn los? Die Kinder …?« Eine andere Befürchtung überkam mich. War Hugh etwas zugestoßen? Oder hatten sie sich etwa getrennt? »Hugh …?«

»Nein, nein, es geht allen blendend. Hugh lässt euch auch

grüßen.« Abermals schnaubte Evangeline ungehalten. »Die Kinder sind mit dem Au-pair-Mädchen in den Zoo gegangen. Ich hätte sie hier nicht im Weg haben wollen. In unserem Haus ist im Moment jeder im Weg – und es ist so beschämend.«

»Beschämend?« Ärgerlich – das hätte ich ja verstehen können. Frustrierend auch noch, oder verwirrend. Aber … beschämend?

»Es ist schrecklich. Du weißt, Hugh arbeitet meistens von zu Hause aus. In letzter Zeit hat er in seinem Arbeitszimmer einige Besprechungen gehabt, und ich habe versucht, währenddessen in der Küche ein paar Rezepte zu testen …«

»Ich glaube, ich verstehe so langsam.« Mir begann etwas zu dämmern.

»Na, du weißt ja, wie die Leute vom Theater so sind.«

»Immer ausgehungert«, stimmte ich ihr zu, »und wenn aus der Küche etwas lecker duftet, dann stehen sie sofort da.« So war es mir auch schon ergangen.

»Richtig. Sie haben mich einfach nicht in Ruhe gelassen. Das wäre noch okay gewesen, wenn ich nach einem eigenen Rezept etwas gekocht hätte. Aber man weiß nie, was dabei herauskommt, wenn man ein fremdes Gericht nachkocht. Darum müssen wir auch alles testen. Oh!« Wieder war sie den Tränen nahe. »Ich werde nie Sir Felthams Gesicht vergessen, als er in ein Brötchen biss, das innen noch gar nicht durchgebacken war! Und er dachte, es sei meine Schuld!«

»Er hat es aber doch bestimmt verstanden, als du es ihm erklärt hast, oder?«

»Gesagt hat er das zwar, aber ich bin davon überzeugt, er hielt das nur für eine dumme Ausrede. Er glaubt mir nicht, dass ich kochen kann. Ich hörte ihn später, wie er Hugh eine Telefonnummer für eine ›gehobene Agentur für Haushälterinnen‹ nannte.«

»Oh, Schatz!«

»Es liegt an den Rezepten, die diese Stars uns schicken. Das meiste davon ist kompletter Unfug!« Sie wandte sich an Jocasta, als sei die Ärmste für jedes dieser Rezepte persönlich verantwortlich. »Keiner dieser Idioten weiß auch nur im Ansatz etwas übers Kochen. Die bluffen nur und schreiben irgendwas hin!«

»Darum testen wir ja alles«, setzte sich Jocasta gegen diese Attacke zur Wehr. »Ich weiß, dass einige von ihnen sehr gute Köche sind, aber man muss vorsichtig sein. Bei manchen Köchen ist es so, dass sie zwar ein Rezept herausgeben, aber ein oder zwei Zutaten nicht angeben, damit man ihre Schöpfungen nicht reproduzieren kann. Wir müssen alles nachprüfen, notfalls auch ein zweites Mal.«

»Es würde sicher auch helfen, sich auf sein Gefühl zu verlassen«, gab ich zu bedenken. »Vielleicht lassen einige von ihnen keine Zutaten weg, sondern erfinden einfach ein paar hinzu.«

Evangeline entfernte sich, da sie das Thema langweilte. Sie machte sich gerne über ein fertiges Gericht her, aber darüber, wie es entstanden ist, wollte sie nichts wissen.

Wir begaben uns zielstrebig in die Küche. Offenbar hatte Martha ihre Besorgungen wahllos in Tüten verstaut und genauso wahllos im Zimmer verteilt. Der Tisch war mit Einkäufen überhäuft, und auf jedem Stuhl stand noch eine halb volle Tragetasche. Es sah aus, als hätte ein Wirbelsturm gewütet, aber wider Erwarten freute ich mich über diesen chaotischen Anblick, weil er mich von den Erinnerungen ablenkte, vor denen ich mich gefürchtet hatte – den Erinnerungen an eine sanftmütige kleine Katze, die so vertrauensvoll gewesen war, sich von mir nach Brighton bringen zu lassen. Zweifellos hatte sie genauso wie ich gedacht, dass wir gemeinsam von dort zurückkehren würden.

»Ich wusste nicht so genau, was du im Haus hast«, sagte Martha, »darum habe ich von allem etwas gekauft.«

»Das ist mir nicht entgangen.«

»Gewichte, Messlöffel – alles ist hier anders. Ist dir klar, dass jeder von denen die Zutaten mit einem anderen Löffel abmisst?« Ihre Stimme wurde vor Entrüstung noch durchdringender. »Zwischen dem Tee- und dem Esslöffel gibt es noch einen Dessertlöffel, der für mich wie ein Esslöffel aussieht, während der Esslöffel an unseren Schöpflöffel erinnert. Und keiner davon fasst die gleiche Menge wie unsere Löffel. Und die Gewichte! Die Gewichte! Hast du jemals davon gehört, dass man die trockenen Zutaten wiegt, anstatt ihr Volumen abzumessen? Und die Becher sind auch alle unterschiedlich groß. Nichts ist hier einheitlich! Wie soll ich da jemals herausfinden, wie viel wovon nun in ein Gericht gehört?«

»Darum bin ich doch da, um dir zu helfen«, hielt Jocasta ihr vor Augen.

»Komm, Liebes, ich setze dir eine Tasse Tee auf«, beschwichtigte ich sie. »Und keine Sorge, wir bekommen das schon hin.«

»Und als wäre das nicht schlimm genug«, fuhr sie ungerührt fort, »orientieren sich einige von ihnen am Dezimalsystem. Also haben wir britische Mengenangaben, Angaben in Dezimalzahlen und in etwas, das sie amüsiert als das ›amerikanische System‹ bezeichnen. Nichts davon stimmt! Da kommen einem sofort Zweifel an allen anderen Angaben.«

Die Türklingel übertönte kurz ihre Klagelied, doch sie redete einfach weiter: »Dann gibt es Viertelpint und Pint, Milliliter und Zentiliter, Unzen und Gramm und …«

»Ich mache auf«, ließ ich Jocasta wissen, »und Sie sollten ihr besser etwas Stärkeres als einen Tee bringen …«

»Ah!« Nigel trat verlegen von einem Fuß auf den anderen, als ich ihm die Tür öffnete. »Ich hatte erwartet …«

»Du willst zu Evangeline?« Ich ging zur Seite. »Komm rein, ich hole sie.«

»Es ist nur so, dass ich etwas für sie habe. Eigentlich für euch beide.«

Ein kläglicher Laut drang aus der Küche zu uns und ließ uns zusammenfahren. Nigel sah in die Richtung und wich unwillkürlich zurück.

* * *

»Oh … ich komme wohl gerade ungelegen. Vielleicht ein anderes Mal …«

»Martha steckt gerade in einer kulinarischen Krise«, erklärte ich ihm. »Komm rein und lenk sie ein bisschen ab. Das könnte hilfreich sein.«

»M-hm, ja.« Widerstrebend glitt er seitlich an mir vorbei. Aber sicher nicht, weil er mich unterstützen wollte, sondern weil er Evangeline aus ihrem Zimmer kommen sah, die sich zielstrebig zur Küche begab, um festzustellen, was der Tumult bedeutete.

»Und das hier sind australische Einheiten!« Martha saß steif und mit blassem Gesicht am Tisch, mit einer Hand hielt sie verkrampft ein Glas fest. »Ich hätte mich niemals darauf einlassen sollen«, stöhnte sie. »Ich wusste ja nicht, was da auf mich zukommt. Den Termin können wir niemals einhalten.«

»Ich wollte ihr ein Glas Weißwein geben«, entschuldigte sich Jocasta, »aber ich konnte nur diesen grässlichen Brandy finden.«

Evangeline rümpfte die Nase. Ihr persönlicher Vorrat war geplündert worden, und nun wurde sie obendrein noch beleidigt. Sie war alles andere als erfreut.

»Schon gut, schon gut«, versuchte ich zu beschwichtigen. »Keine Sorge, wir finden eine Lösung.«

»Hmpf«, machte Evangeline. »Als Nächstes wirst du noch erzählen, dass die Nacht unmittelbar vor Sonnenaufgang am dunkelsten ist.«

»Na, das ist sie doch auch. Normalerweise jedenfalls.« Ich sah Jocasta zu, wie sie das Durcheinander zu kleinen Stapeln zu ordnen begann. Runde Behältnisse mit Gewürzen, Flaschen mit Essenzen, ein Röhrchen mit Vanilleschoten, ein weiteres mit Safran. Tuben mit Chili-, Knoblauch- und Anchovispaste, verschiedene Kräuter, eine Pfeffermühle, eine Käsereibe …

»Sag mal … glaubst du wirklich, du brauchst *alle* diese Dinge?«, forschte ich vorsichtig nach. »Ich meine, es geht doch um Rezepte für Leute, die unterwegs sind und von einem Engagement zum nächsten reisen und nie lange an einem Ort bleiben. Die können doch nicht einen ganzen Küchenschrank an Zutaten und Utensilien mitschleppen. Das sind Schauspieler, keine Profiköche!«

»Gutes Argument«, stimmte Evangeline mir zu. »Ein oder zwei nicht unbedingt notwendige Gegenstände kann man ja noch mit in den Koffer packen, aber doch nicht all dieses Zeug.«

»Ob ihr es glaubt oder nicht«, erwiderte Martha kühl, »aber jede einzelne dieser Zutaten ist in dem einen oder anderen Rezept aufgetaucht. Deswegen musste ich das doch alles besorgen!«

»Einige der eingeschickten Rezepte sind sehr ambitioniert«, warf Jocasta ein. Vielleicht sogar etwas zu ambitioniert, wie mir ihr Tonfall verriet. »Zum Teil sogar richtig abenteuerlich.«

»Ich finde, so schlimm ist das gar nicht«, sagte Martha und begann sich allmählich zu erholen, »wenn man sich mit ein paar Gerichten mehr Mühe geben muss. Wir wollen schließlich nicht zu gewöhnlich sein.«

»Ah!« Nigel trat vor. »Vielleicht kann ich etwas dazu beisteuern. Ich habe euch zufällig ein kleines Geschenk mitgebracht ...« Er wackelte so sehr mit seinen Augenbrauen, dass er es problemlos mit Groucho Marx hätte aufnehmen können. »Ich glaube, ihr könnt daraus etwas wirklich Aufregendes machen.«

»So?« Von plötzlichem Argwohn erfasst, starrten wir gebannt auf das Päckchen, das er uns hinhielt.

»Oh, Nigel, das ist aber nett von dir.« Das war ungelogen der unglaubwürdigste Satz, den ich je aus Evangelines Mund gehört hatte. Sie lächelte sogar affektiert, als sie das Päckchen annahm – war es nur Einbildung, oder hatte im gleichen Moment ein längliches Stück Papier den Besitzer gewechselt? – und es auszupacken begann.

»Was ist das?«, fragte ich ihn. Ich konnte mir nicht vorstellen, dass mir seine Antwort gefallen würde.

»Straußensteaks!«, verkündete Nigel mit strahlender Miene. »Das Trendessen der Zukunft!«

Ich hatte es gewusst, die Antwort gefiel mir tatsächlich nicht. Und ich war nicht die Einzige. Martha schnappte fast entrüstet nach Luft, während Jocasta Nigel einfach nur anstarrte.

»Aha.« Evangeline betrachtete, was sie ausgepackt hatte. »Das sieht sehr … interessant aus.«

Ich trat näher, um selbst einen Blick auf Nigels Mitbringsel zu werfen. Das Fleisch erinnerte flüchtig an Hühnchen, wies aber eine dunklere Färbung und gröbere Fasern auf.

»Und was sollen wir damit machen?«, wollte Martha wissen. »Haben Sie auch ein Rezept dafür?«

»Äh … nein. Aber es wird wohl so wie Hühnerfleisch zubereitet. Gleiche Familie, nur größer. Wussten Sie, dass ein einziges Straußenei für ein Omelett reicht, von dem zehn oder elf Leute …«

»Eier haben Sie aber keine mitgebracht, oder?« Martha wurde gefährlich lauter.

»Ähm … nein … aber ich könnte welche holen gehen …«

»Nein, nein, das genügt schon«, mischte sich Jocasta hastig ein. »Da fällt mir ein – eine von den Supermarktketten hat erst vor Kurzem versucht, die Kunden für Straußenfleisch zu begeistern. Auf der Verpackung war die Rede davon, dass man es nur kurz braten oder kochen soll, weil es sonst leicht zäh wird. Und ich glaube, es wurde empfohlen, es mit einer Soße zu servieren, da es ziemlich trocken ist.«

»O ja, an die Aktion kann ich mich erinnern.« Das Ganze war mir noch sehr lebhaft im Gedächtnis. Ein paar Supermärkte hatten versucht, den Leuten alle möglichen exotischen Fleischsorten schmackhaft zu machen. Im vordersten Gang bei den Kühltheken hatten sich die Kunden gedrängt und ungläubig die Verpackungen betrachtet, die laut Etikett Strauß, Emu, Krokodil, Alligator, Känguru, Bär und die eher konventionellen Fleischsorten Wildschwein und Hirsch enthielten. Ein paar mutigere Seelen hatten sogar die eine oder andere

Packung aus der Kühltheke genommen und die Zubereitungshinweise durchgelesen – nur, um sie dann zurückzulegen und das vertrautere Pfund Rinderhack in den Einkaufswagen zu legen. Nicht einmal habe ich jemanden etwas davon kaufen sehen, und vermutlich erging es dem Marktleiter nicht anders, denn nach ein paar Tagen lagen in dem Kühlregal wieder Pasteten und Aufschnitt.

»Das Experiment wurde schneller beendet als diese Avantgarde-Produktion von *Drei Engel für Charlie* mit maskierten Darstellern, in der die Texte in Reimform vorgetragen werden.«

»Das war vollkommen überflüssig«, zischte Evangeline mir zu, und mir fiel zu spät ein, dass man sie einmal zu einer Produktion überredet hatte, die von dem, was ich gedankenlos dahingesagt hatte, gar nicht so weit entfernt war.

»Na ja.« Nigel machte auf einmal eine verschlagene Miene und schien gar nicht schnell genug aufbrechen zu können. »Die Welt hat sich seitdem weiterentwickelt. Jeder nimmt heute die Globalisierung der Märkte viel bewusster wahr ... die Grünen ... Energiesparen ... Ozonschicht ... die globale Erwärmung ...« Seine Stimme wurde leiser, als er sich weiter in den Flur zurückzog und die Flucht antrat.

Evangeline stand immer noch da und hielt die Straußensteaks in der Hand. Wir sahen uns gegenseitig an und schauten dann zu ihr.

»Genau.« Sie gab das Fleisch Jocasta. »Sie sind die Expertin. Machen *Sie* was daraus.«

Einen Moment lang dachte ich, sie würde sich weigern. Für einen Sekundenbruchteil hegte ich die Hoffnung, sie würde die Packung nehmen und sie Evangeline an den Kopf werfen.

Plötzliche Unruhe im Flur ließ uns innehalten. Nigel war zu hören, wie er sich bei jemandem entschuldigte, eine andere, nicht ganz so vertraute Stimme erwiderte etwas, dann wurde die Haustür zugeworfen, und durch den Flur näherten sich Schritte.

Jocasta nahm die Steaks gedankenverloren entgegen, während wir alle zur Tür starrten. Ich war mir nicht sicher, was wir eigentlich erwarteten, auf jeden Fall war ich fast enttäuscht, als unser Vermieter Jasper in die Küche kam und stutzte.

»Oh, tut mir leid«, entschuldigte er sich. »Ich wusste nicht, dass Sie Besuch haben.«

»Das ist nur Martha«, antwortete ich. »Sie erinnern sich sicher an sie. Und Jocasta, sie hilft ihr bei ihrem Kochbuch.«

»Ah, ja. Richtig.« Er nickte erst Martha und dann, etwas unsicherer, Jocasta zu. »Es ist nur so … ich hatte gehofft, mit Ihnen sprechen zu können … allein.«

»Kommen Sie mit in den Salon.« Ich ging voran. Evangeline kam mit und stellte sich an das Panoramafenster, von dem aus man freie Sicht auf die Themse und die alten, zu Luxuswohnungen umgebauten Lagerhäuser am gegenüberliegenden Ufer hatte.

»Also?«, forderte sie ihn zum Reden auf. »Um was geht es?«

»Oh … na ja, eigentlich um nichts. Ich wollte nur wissen … ob alles in Ordnung ist.«

»Soweit ja …« – »Wieso denn auch nicht?« Evangeline und ich sprachen gleichzeitig. Als ich Jaspers Miene musterte, wurde mir klar, dass Evangeline die richtige Antwort gegeben hatte. Irgendetwas lag in der Luft, denn er schaute fast so gerissen drein wie Nigel vor ein paar Minuten.

»Oh. Ach, einfach so. Ich dachte, ich schaue mal vorbei und überzeuge mich davon, dass Sie zufrieden sind. Sind Sie hier glücklich, so alles in allem?«

»Was meinen Sie mit ›alles in allem‹?« Evangeline kniff misstrauisch die Augen zusammen.

»Ach, ich weiß nicht. Ist es hier nicht zu laut geworden? Wir haben jetzt fast alle Wohnungen verkauft, es tut sich was, neue Leute ziehen ein. Machen die nicht zu viel Lärm?«

»Wir hatten zu viel zu tun, um darauf zu achten«, versicherte ich ihm, aber die Antwort schien ihn nicht so ganz zufriedenzustellen.

»Gut, gut«, sagte er, klang jedoch nicht sehr überzeugend.

»Ähm … ich hatte überlegt … Wenn Sie so zufrieden sind, würden Sie die Wohnung dann nicht gerne kaufen?«

Evangeline und ich sahen uns an. Ein solcher Gedanke war uns noch nie gekommen.

»Beste Lage«, redete er weiter. »Luxuriöse Penthouse-Suite … mit Blick auf den Fluss … permanente Wertsteigerung …« Er beging den Fehler, Evangeline anzusehen, und ihr frostiger Blick ließ ihn sofort zurückschrecken. »Aber … ähm … vielleicht würden Sie erst noch gern darüber nachdenken.«

»Ganz sicher würden wir das gerne tun«, entgegnete Evangeline.

»Richtig! Natürlich! Die Sache ist die … es haben einige Leute wegen der Wohnung angefragt. Sie wissen ja … luxuriöse Penthouse-Suite …«

»Das sagten Sie bereits«, fiel Evangeline ihm ins Wort.

»Ähm … ja … stimmt.« Was hatten wir heute nur an uns, dass die Männer gleich wieder den Rückzug antraten? »Also … Sie denken darüber nach … ich mache Ihnen natürlich einen guten Preis … Also … dann … auf Wiedersehen.« Hals über Kopf verließ er das Zimmer.

»Weißt du«, meinte Evangeline, während sie ihm nachschaute, »ich habe so etwas schon energischer und eindeutiger erlebt, trotzdem würde ich sagen, dass uns soeben gekündigt wurde.«

»Entweder wir kaufen, oder wir können verschwinden«, stimmte ich ihr zu.

»Aber diese Wohnung kaufen …?« Nachdenklich sah sie sich um.

»Sie ist zu abgelegen«, stellte ich ihren größten Nachteil heraus. »An die öffentlichen Verkehrsmittel ist man hier auch nicht gut angebunden. Wenn wir Eddie nicht hätten …«

»Momentan haben wir Eddie ja auch nicht.« Wir sahen uns an.

»Der arme Eddie. Ich frage mich, wie es ihm geht. Die können ihn doch nicht wirklich zwingen, die Stadt nicht zu verlassen, oder?«

»Ich weiß so wenig wie du, wozu die Polizei in der Lage ist. Aber ich weiß eines« – sie straffte die Schultern –, »Eddie braucht uns, und wir werden ihn aus diesem Schlamassel herausholen.«

»Das ist das Mindeste«, murmelte ich. »Wie er ja ganz richtig sagt, haben wir ihm die Sache schließlich auch eingebrockt.«

»Morgen früh werden wir zurück nach Brighton fahren«, erklärte Evangeline. »Und diesmal werden wir uns darauf konzentrieren, Eddie zu helfen. Das heißt, wir müssen herausfinden, von wem Mr ›Letzte Klappe‹ umgebracht wurde – und warum.«

»Das dürfte nicht so einfach sein. Es hörte sich nicht so an, als hätte er viele Freunde gehabt, die sich bereitwillig befragen lassen werden.«

»Aber viele Leute haben ihn im Schutz der Nacht aufgesucht«, entgegnete Evangeline. »Mit denen werden wir anfangen.«

»Wie …?« Ihre plötzliche Entschlossenheit traf mich wie ein Schlag ins Gesicht, und ich versuchte dem Gespräch mit meiner Frage in eine andere Richtung zu lenken. »Wie fahren denn morgens die Züge?«

»Die Züge?« Evangeline verzog angewidert den Mund. »Hmm, ich kann wohl nicht davon ausgehen, dass Jocasta …?«

»Das würde ich nicht mal eine Sekunde lang annehmen«, erklärte ich. »Selbst wenn sie nicht die Nase voll hätte von uns, braucht Martha sie hier. Diesmal reisen wir ohne Gepäck, also werden wir wohl oder übel den Zug nehmen müssen.«

15

An zwei Tagen in Folge früh aufstehen zu müssen, war für Evangelines Laune gar nicht gut, aber ich war darüber auch nicht allzu glücklich. Lediglich das Rattern des Getränkewagens, der während der Zugfahrt durch den Mittelgang geschoben wurde, konnte uns etwas besänftigen.

»Wir hatten überhaupt kein Frühstück«, erinnerte sie mich und bestellte Kaffee, Muffins und ein Sandwich mit Hühnchensalat, außerdem zwei kleine Fläschchen Brandy, die sie aber zu meiner Erleichterung in ihre Handtasche gleiten ließ. Dabei murmelte sie: »Für später.«

Ich bestellte ebenfalls Kaffee und Muffins, außerdem zwei Scotch anstelle von Brandy. Evangelines ›Für später‹ störte mich ein wenig, da sie offensichtlich etwas wusste, wovon mir nichts bekannt war … noch nicht jedenfalls.

Später beim Aussteigen ließen wir uns Zeit. Warum auch nicht? Brighton war Endstation, also konnten wir nicht zu irgendeinem anderen Bahnhof weitergefahren werden, nur weil wir ein wenig trödelten. Den Urlaubern, die sich im Gang drängten, ließen wir den Vortritt. Ich saß da und beneidete sie, weil sie so glücklich und sorglos wirkten. Sie lachten, sie trugen Taschen und Picknickkörbe, riefen nach ihren Kindern und freuten sich auf einen Tag oder vielleicht sogar eine Woche am Meer. Keiner von ihnen musste sich mit Brandstiftung, Mord und Polizeiauflagen beschäftigen.

Wir auch nicht, zumindest nicht rund um die Uhr. Meine Laune besserte sich angesichts der fröhlichen, ausgelassenen Stimmung um uns. Es war wieder ein herrlicher Tag, und die Seeluft wirkte sofort belebend auf mich, als wir den Zug verließen und den Bahnsteig entlanggingen. Die Sonne schien durch das Glasdach und warf ein gitterartiges Schattenmuster auf den Boden. Ich versuchte zu ergründen, warum es mir so vorkam wie eine Heimkehr.

Vielleicht lag es an dem lebendigen Gedränge um uns, das so ganz anders war als die nüchterne und ziemlich trostlose Atmosphäre in den Docklands. Trotz aller Anstrengungen waren die Docklands noch immer einer von diesen Orten, bei denen man sich nicht am Ziel fühlt, wenn man dort angekommen ist.

Brighton dagegen sah so aus wie eine Stadt, in der man der Polizei bei ihren Ermittlungen half. Es gab die eine oder andere dunkle Ecke, aber man konnte spüren, dass das Füllhorn des Lebens hier überquoll.

Wir gingen hinaus auf den Bahnhofsvorplatz, sahen an den wartenden Bussen vorbei zu dem flachen Hügel hinüber, der hinunterführte zu den großen Geschäften und zum Meer. Kleinere Läden säumten die Anhöhe zu allen Seiten und lockten mit Souvenirs jeglicher Art. Über dem Ganzen hing ein schwacher Geruch nach Fish'n'Chips, und überall drängten sich Menschen, Menschen, Menschen.

»Das ist schon besser«, verkündete Evangeline und sah zu mir. Das hier war ein Ort ganz nach unserem Geschmack.

»Wir müssen doch nicht sofort zu Matilda gehen?«, flehte ich sie an. »Nicht jetzt auf der Stelle, oder?«

»Tja ...« Evangeline täuschte Widerwillen vor, aber ich konnte ihr ansehen, dass die verlockend lässige Stimmung bei ihr Wirkung zeigte. »Ich nehme an, dass wir im Moment sowieso nicht viel erledigen können. Außerdem waren wir noch nie im Royal Pavilion.«

»O ja! Den Royal Pavilion würde ich gern sehen. Es soll so großartig sein – mit seinem Chinoiserie-Interieur! Und diese schmalen Gassen im Bezirk Lanes! Ich möchte sie bei Tageslicht erkunden, wenn die Geschäfte geöffnet sind.«

»Fehlt dir deine Einkauftherapie?« Doch ihr bereitete dieser Gedanke genauso viel Freude wie mir. Erst langsam wurde uns klar, wie abgeschieden wir eigentlich in den Docklands lebten;

bis zum West End und zurück war es ein weiter Weg. Wenn wir dann erst mal zurückgekehrt waren …

Plötzlich fühlte ich mich Jasper gegenüber nachsichtiger gestimmt. Es würde keine Tragödie sein, aus einer Wohnung mitten im Nirgendwo ausziehen zu müssen. Wenn er mit seinem Luxus-Penthouse einen satten Gewinn einstreichen konnte – warum nicht? Wir konnten uns eine belebtere Wohngegend suchen. Eigentlich war jede Umgebung belebter als die Docklands.

Und Brighton ganz besonders. Mit frisch erwachtem Interesse sah ich mich um und versuchte mir vorstellen, wie es hier an einem düsteren, nasskalten Wintertag aussehen mochte, wenn die Menschenmassen mit ihrer farbenfrohen Kleidung längst wieder abgereist waren. Aber selbst dann wäre das hier viel verlockender als unsere derzeitige Heimat. Theater, Kinos, Kleinkunstbühnen, Stätten von historischer Bedeutung, Restaurants, Cafés und alle Arten von Geschäften – ganz anders als eine von den ermüdend eintönigen Einkaufsstraßen in London mit ihren Ladenketten, die sich mittlerweile auch in den Docklands auszubreiten drohten und vortäuschten, den Kunden nur das anzubieten, was die auch kaufen wollten.

O ja, das hier war schon besser. Wir schlenderten die Lanes entlang, gingen im Zickzackkurs von der linken auf die rechte Straßenseite, um die Auslagen zu betrachten und Preise und Angebote zu vergleichen, bis wir zu dem Schluss gekommen waren, dass wir eigentlich doch nichts kaufen wollten. Dann zogen wir weiter zum nächsten verlockenden Schaufenster.

»Interessant, aber auch nicht interessant genug.« Evangeline wandte sich von der Auswahl an funkelnden Schmuckstücken ab.

Ich stimmte ihr zu. Die kleine Halskette aus Veilchen strahlte in meiner Erinnerung wie ein Leuchtfeuer. Sie war schöner gewesen als alles, was wir bislang gesehen hatten, und ein absolut perfektes Geschenk für Viola. Ich musste zu diesem Laden gehen und die Kette so bald wie möglich kaufen, bevor – welch schrecklicher Gedanke! – mir jemand zuvorkommen konnte.

Noch immer in das Traumbild versunken, wie Viola ihr Geburtstagsgeschenk öffnet und vor Freude quietschte, brauchte ich eine Weile, ehe ich verstand, was ich eigentlich vor mir sah, als wir vor dem nächsten Schaufenster stehen geblieben waren.

Katzen! Überall nur Katzen! Katzenbilder, Katzen aus Zinn, aus Porzellan, aus Schmucksteinen, in jeder nur denkbaren Kombination und Variation, von hübsch und niedlich über würdevoll bis hin zu kitschig. Außerdem gab es hier alles, was das Katzenherz begehrte – von Kratzbäumen bis hin zu bequemen Kissen, von Mäusen aus Katzenminze bis hin zu Leckerchen, Bällen, Spielzeugen ... Oh, Cho-Cho-San würde es lieben, wenn ...

Zu meinem Entsetzen brach ich in dem Moment in Tränen aus. Ich hatte Cho-Cho nicht mehr, und ich hatte auch keine andere Katze.

»Um Himmels willen!« Aufgebracht packte Evangeline mich am Arm und zog mich von dem Schaufenster weg. »Jetzt reiß dich doch zusammen! Wir haben heute Abend zu viel zu erledigen, da kannst du nicht jetzt zusammenbrechen.«

»Ich versuch's ja«, schniefte ich. »Aber ...« Erst dann wurde mir klar, was sie eigentlich eben gesagt hatte. Ich wusste doch, dass sie irgendetwas vorhatte. »Was ist dieses ›zu viel‹? Was haben wir heute Abend zu erledigen?«

Nachdem die Sonne untergegangen war, wurde es kalt – und sie war schon vor einer ganzen Weile untergegangen. Sogar der Mond schien mit dem Gedanken zu spielen, sich zurückzuziehen. Ein kalter Wind wehte vom Meer herüber, der Geruch nach feuchter Asche sorgte dafür, dass sich mir der Magen umdrehte.

»Evangeline ...« Ich war müde, ich fror und ich hatte genug. »Wie lange müssen wir hier denn noch bleiben?«

»Woher soll ich wissen, wie lange das dauern wird?« Sie zog ihren Mantel enger um sich und versuchte so zu tun, als sei ihr nicht kalt. »Hör auf zu jammern!«

»Ich jammere nicht, ich habe dir nur eine einfache Frage gestellt. Und ich habe noch eine auf Lager: Was ist, wenn er nicht auftaucht?«

»Dann versuchen wir es morgen Abend wieder.«

Genau das hatte ich befürchtet. »Es könnte sein, dass er gar nicht herkommt. Vielleicht hat er das Gesuchte längst gefunden. Falls überhaupt jemand nach irgendwas gesucht hat – denn das ist nichts weiter als eine Theorie von dir.«

»Es muss etwas dort sein. Sonst hätte er nicht das Feuer gelegt. Brandstiftung dient dem Zweck, Beweise zu vernichten.«

»Nicht immer. Manchmal steckt auch nur ein Versicherungsbetrug dahinter.« Wir sprachen beide aus Erfahrungen, die den Drehbüchern unserer B-Movies entstammten. Eine innere Stimme sagte mir, dass ich ungern versuchen würde, Superintendent Thursby von einer der beiden Theorien zu überzeugen.

Noch unbehaglicher wurde mir, als ich daran zurückdachte, in welchem Zustand sich das Büro befand, bevor das Feuer ausbrach. Ich hatte Mr ›Letzte Klappe‹ für einen schludrigen Zeitgenossen gehalten, aber vielleicht lag Evangeline mit ihrer Vermutung ja richtig, dass jemand die Akten nach belastendem Material durchwühlt hatte.

»Was auch immer der Grund dafür war, auf jeden Fall hat er ganze Arbeit geleistet.« Ich spähte in die vom Mond beschienenen Ruinen: verkohlte Klumpen, halb verborgen unter den Bergen von Asche, die auf den Überresten des Fußbodens verteilt lagen; die geschwärzten Reste der Wände, die noch standen, die gezackten Scherben des Schaufensters. »Da drinnen kann nichts mehr zu finden sein.«

»Und warum sollte dann jemand immer wieder im Schutz der Dunkelheit herkommen?«

»Vielleicht ein Plünderer. Oder … ich nehme doch nicht an, dass du in Erwägung ziehst, hier könnte tatsächlich ein Geist sein Unwesen treiben, oder?«

»Wenn du das glaubst, bist du so verrückt wie der Kerl

neulich! Nein, hier muss noch immer etwas sein, was jemand unbedingt haben will – und er wird so lange herkommen, bis er es gefunden hat.«

»Möglich.« Sie konnte damit recht haben, aber ich hoffte, das war nicht der Fall. Wenn doch, dann war es ziemlich albern von uns, dass wir hier standen und auf die Rückkehr des Täters warteten. Wir ließen nämlich dabei außer Acht, dass wir bei derart gefährlichen Situationen in unseren Filmen von einer ganzen Crew – Kameramann, Stuntteam, Assistenten – und einem Regisseur umgeben waren, der »Schnitt!« rufen konnte, wenn es brenzlig wurde. Jetzt spielten wir nach unserem eigenen Drehbuch, und niemand würde uns zu Hilfe eilen, wenn wir in Schwierigkeiten gerieten.

Wir hätten Eddie mitnehmen sollen, immerhin versuchten wir seinen Kopf zu retten.

Warum hatte ich nicht früher daran gedacht? Wie sagte man doch gleich? »Zu früh alt, zu spät klug geworden« oder so ähnlich. Wenn Evangeline mich morgen Abend auch wieder herzuschleifen versuchte, würde ich auf jeden Fall Eddie als Verstärkung mitbringen …

»Was ist das?«, unterbrach ich meinen Gedankengang. Ein dunkler Umriss nahm am äußersten Rand der Ruine Gestalt an und schien über den Trümmern zu schweben. Vielleicht wäre Eddie doch keine so große Hilfe gewesen … Vielleicht hätten wir besser eine Pistole mit silbernen Kugeln mitgenommen, oder ein …

»Unser Täter!«, jubelte Evangeline im Flüsterton. »Jetzt sei ruhig und sieh genau hin.«

»Uuuuh-huuu … uuuh-huuu …« Das Schluchzen und Stöhnen bewirkte, dass sich meine Nackenhaare aufstellten, während die Gestalt sich näherte.

Plötzlich wurde die Nacht noch dunkler, und beiläufig wurde mir klar, dass in einigen Häusern ringsum das Licht ausgeschaltet worden war – als fürchte man, die Helligkeit könnte wandernde Dämonen anlocken.

»Uuuuh-huuuuu ...« Die Gestalt beschrieb einen makabren Tanz mal hierhin, mal dorthin, wobei sie noch näher an uns herankam. Die Asche, die mit jeder ihrer Bewegungen aufgewirbelt wurde, stieg in die Luft auf und wurde vom Wind über dem Schutt verteilt.

Mein Hals kratzte von dem feinen Staub, und ich stellte fest, dass ich Angst davor hatte, mich zu räuspern. Schließlich wollte ich keine Aufmerksamkeit auf mich lenken.

Die Gestalt reckte sich so weit, dass sie den milchigen Mond zu verdecken schien, doch dann zog sie sich gleich wieder zusammen und glitt nah über dem Boden weiter, wobei sie sich bei jeder Unebenheit auf und ab bewegte.

Gab es nicht eine Legende von einem Phantom, das als Gestaltwandler bezeichnet wurde? Hatten wir es hier damit zu tun? Aber befanden wir uns dafür nicht im falschen Winkel der Welt? Ich versuchte mich daran zu erinnern, welcher Kultur diese eigenartige Figur entstammte. Orientalen? Asiaten? Amerikanische Ureinwohner?

Was immer es war, es kam beständig näher. Ich merkte, dass ich unwillkürlich zurückwich. Evangeline war auch nicht mehr so entschlossen, sich nicht von der Stelle zu rühren. Genau genommen rempelten wir uns gegenseitig an, während wir versuchten, auf Abstand zu dieser Erscheinung zu gehen.

»Iiiii-aaaah ...« Mit einem klagenden Aufschrei machte das Ding einen Satz nach vorn und warf sich auf einen Haufen Asche, um darin zu wühlen. Staubwolken stiegen auf, die vom Wind in unsere Richtung getragen wurden.

Ich hielt den Atem an.

Die Gestalt zuckte und wand sich. Wäre sie menschlich gewesen, dann hätte ich gesagt, dass sie an etwas zu zerren versuchte. Mit einer letzten Anstrengung und von einer weiteren wabernden Wolke aus grauer Asche umhüllt zog es etwas aus den Trümmern und hob es klagend in die Höhe. Der Wind frischte auf und trieb noch mehr Asche auf uns zu.

Ich konnte nicht anders, ich musste husten.

Die dunkle Gestalt erstarrte, dann drehte sie sich zu uns um. Ihre dünne Stimme klang wie das Echo aus einer anderen Welt. »Wer ist daaaa? Wer ist daaaaaaa?«

Bildete ich mir das nur ein, oder hatte diese Stimme etwas vage Vertrautes? Evangeline war längst alles klar.

»Cecile!« Mit zügigen Schritten ging sie auf die Gestalt zu. »Was zum Teufel suchen Sie denn da?«

»Fleur …«, stöhnte Dame Cecile. »Meine kleine Fleur … jetzt habe ich gar nichts mehr von ihr … gar nichts! Und morgen Abend ist Premiere! Ich ertrage das nicht. Fast zwanzig Jahre lang hat mein kleiner Schatz auf dem Stuhl neben dem Schminktisch gesessen und mir bei meinen Vorbereitungen zugesehen. Ich weiß nicht, wie ich ohne sie weitermachen soll! Wenn sie schon nicht auf dem Stuhl zusammengerollt neben mir liegen kann, dann will ich wenigstens ihre Asche in einer Urne auf den Kaminsims stellen. Das ist mein gutes Recht!«

»Hier gibt es nichts als Asche«, sagte Evangeline. »Wie wollen Sie Fleurs Asche vom Rest unterscheiden?«

»Ich habe sie gefunden, sie ist hier! Hier, wo ich ihr kleines Rückgrat gefunden habe!« Dame Cecile streckte dramatisch eine Hand aus, in der sie ein extrem langes Stück miteinander verbundener Wirbel hielt. Evangeline und ich sahen uns skeptisch an.

»Aber die Kleine war ein Pekinese«, wandte Evangeline ein. »Kein Dackel.«

»Spotten Sie nur, wenn Sie wollen«, gab sie zurück. »Aber ich glaube … nein, ich *weiß* es: Das ist meine liebe kleine Fleur!«

Vor meinen Füßen lag ein Klumpen, und in Gedanken stieß ich mit der Schuhspitze dagegen, wünschte aber sofort, ich hätte das nicht getan. Die Asche rieselte herunter, zum Vorschein kam eine große Kralle. Ich musste an den Steinadler denken, der von der Decke gehangen hatte. Und dann fiel mir ein, was sich in einer Ecke ganz in der Nähe befunden hatte.

»Überlegen Sie sich das lieber gut, Cecile«, riet ich ihr. »Ich möchte wetten, das da sind die Überreste einer Kobra.«

16

Nachdem wir Dame Cecile den Inhalt unserer kleinen Schnapsfläschchen in den Rachen gekippt hatten, damit wir sie dazu bewegen konnten, sich von der Stelle zu rühren, waren wir noch so klug, einen Zwischenstopp beim rund um die Uhr geöffneten Spirituosengeschäft einzulegen und die Vorräte aufzustocken. Erst dann machten wir uns auf den Weg zu Matildas Haus.

Drinnen angekommen, hatte Dame Cecile einen Anflug von Hochmut, da sie unsere Arme abschüttelte, mit denen wir sie gestützt hatten, und darauf bestand, durchaus allein die Treppe hinaufgehen zu können. Nicht nur das, sie wollte generell allein sein.

Beunruhigt standen wir am Fuß der Treppe und sahen sie nach oben schwanken, während wir uns darauf gefasst machten, einzugreifen, falls sie doch noch den Halt verlieren sollte. Glücklicherweise schaffte sie es, sich auf den Beinen zu halten. Immerhin war es für uns ein langer Tag gewesen, und wir waren nun wirklich nicht mehr in Bestform.

»War das Soroya?«, fragte Matilda, die kurze Zeit später am Kopf der Treppe auftauchte.

»Nein, das war Cecile«, antwortete Evangeline.

»Wo ist Soroya?«

»Wer weiß das schon?«, gab ich mit einem Schulterzucken zurück.

»Wen kümmert das schon?«, legte Evangeline nach und traf damit den Nagel auf den Kopf.

»Mich nicht. Jedenfalls nicht um ihretwegen«, sagte Matilda und kam langsam die Treppe herunter. »Aber ich gehe nicht gern zu Bett, wenn sie noch unterwegs ist. Ich weiß zwar, dass sie einen Hausschlüssel hat, trotzdem kommt sie nie auf den Gedanken, hinter sich abzuschließen. Wenn ich schlafen gehe, will ich die Gewissheit haben, dass die Tür abgeschlossen ist.«

»Völlig richtig«, stimmte Evangeline ihr zu und unterdrückte ein Gähnen.

»Wie spät ist es? Ich muss wohl schon eingedöst sein.«

»Ähmmm …« Wir sahen uns kurz an und warfen im Geist eine Münze. Ich verlor. »Es müsste so gegen halb zwei sein.«

»Halb zwei? Und Cecile kommt jetzt erst nach Hause?« Sie hielt inne, als lausche sie einer inneren Stimme, dann lachte sie über sich selbst. »Tut mir leid, ich wollte nicht wie eine entrüstete Mutter klingen. Aber Cecile muss doch klar sein, dass wir morgen … heute Premiere haben. Was macht sie um die Zeit noch da draußen?«

Diesmal sahen wir uns gar nicht erst an, weil wir nicht vorhatten, darauf zu antworten.

»Diese beiden …«, setzte Matilda ihr Klagelied fort, »… Cecile und Soroya … ein ständiges Kommen und Gehen. Bis in die Nacht unterwegs, und das nicht mal gemeinsam. O nein, das wäre ja auch zu einfach. Ich warte ständig auf die eine oder die andere. Sie können mir glauben, Hausgäste sind eine Plage!« Abrupt hielt sie inne. »Anwesende natürlich ausgenommen. Sie beide habe ich nicht gemeint …« Sie ließ den Rest ihrer kühnen Lüge unausgesprochen, schließlich waren wir auch erst um halb zwei zurückgekommen.

Aber wenigstens hatten wir Cecile mitgebracht, was uns doch positiv angerechnet werden sollte.

»Schließen Sie ab und legen Sie sich schlafen.« Diesmal bemühte sich Evangeline nicht, ihr Gähnen zu unterdrücken. »Soroya wird heute Nacht sicher nicht wiederkommen. Zuletzt haben wir sie gesehen, wie sie am Trafalgar Square ausstieg, weil sie irgendjemandem das Leben zur Hölle machen wollte. Mit ein bisschen Glück hat man sie inzwischen um die Ecke gebracht.«

Ich wünschte, Evangeline würde über solche Dingen nicht

scherzen. Immerhin hatten in der letzten Zeit schon einige Leute ihr Leben gelassen.

»Matilda mag sich ja über ihre Gäste beschweren« – es wurmte Evangeline immer noch –, »aber mit ihren Haushälterinnen hat sie auch nicht mehr Glück.«

»Das kannst du laut sagen!« Wir waren in meinem Zimmer und gönnten uns einen Schlummertrunk. Wir konnten ihn wirklich gebrauchen, da wir von unserem nächtlichen Abenteuer erschöpft und vor allem völlig durchgefroren waren. »Was ist mit der letzten Haushälterin passiert? Mit der, die vor der armen Australierin im Keller hier gearbeitet hat? Weißt du, ob sie aus freien Stücken gegangen ist? Ich meine …«

»Du meinst, ob sie zum Teufel gejagt wurde?« Evangeline goss sich noch ein Glas ein. »Soweit ich weiß, ist sie auf die traditionelle Weise gegangen: Wutentbrannt aus dem Haus gestürmt, und ihrer Ansicht nach aus guten Gründen.«

»Und Matilda hat sie einfach im Stich gelassen.« Wir hatten das alle schon mitgemacht, vor allem Evangeline. Den Blick nachdenklich auf mein Glas gerichtet, stellte ich fest, dass der Brandy bei mir einige beunruhigende Gedanken weckte, die nun durch meinen Kopf kreisten. Oder hatten sie das schon die ganze Zeit über getan?

»Evangeline, meinst du, Eddie könnte recht haben mit seiner Vermutung, dass die Stufen präpariert waren? Angenommen, die Falle war für die vorangegangene Haushälterin vorgesehen und hatte nicht der Ärmsten gegolten, die es schließlich erwischt hat …«

»Ich habe mich schon gefragt, wie lange es wohl noch dauern wird, bis du darauf kommst.« Ihr Tonfall war bis zur Beleidigung herablassend.

»Ach? Und du bist lange vor mir darauf gekommen?«

»Schon vor einer Ewigkeit. Wer sollte eine Haushälterin umbringen wollen? Und warum? Es ist eher anzunehmen, dass die Falle Matilda gegolten hatte.«

»Auf der Kellertreppe? Sie wusste ja nicht mal genau, wo sich die Treppe befindet.«

»Es wäre nicht besonders schwierig gewesen, irgendeinen Vorwand zu finden, um sie in den Keller zu schicken.«

»Wer würde Matilda umbringen wollen? Wenn jemand damit Soroya töten wollte, dann könnte ich das noch verstehen. Ja, genau.« Der Gedanke sagte mir mehr und mehr zu, je länger ich darüber nachdachte. »Sicher hätte jeder Soroya umbringen wollen.«

»Matilda eingeschlossen.« Damit brachte sie mich ins Grübeln.

»Nein«, sagte ich. »Ich kann mir Matilda nicht als Mörderin vorstellen.«

»Damit wären einige ihrer Probleme gelöst, und sie wäre Soroya los … dauerhaft.«

»Sieh es mal aus einer anderen Warte: Es würden sich einige von Soroyas Problemen erübrigen, wenn sie Matilda aus dem Weg räumen könnte.«

»Soroya hat keine Probleme. Sie weiß, wann sie es gut getroffen hat. Auch wenn sie ständig herumnörgelt, gefällt es ihr, dass Matilda hier wohnt und sich um das Haus kümmert … und die Steuern zahlt.«

»Es ist Matildas Haus.« Ich hatte nicht vor, mich auf diese Diskussion einzulassen, zumal mir ein besserer Verdächtiger in den Sinn gekommen war. »Was ist denn mit Teddy? Ich möchte wetten, er wäre Soroya liebend gern los. Dann kann er wieder in Frieden leben und muss nicht ständig seine eigene Katze entführen.«

»Da bin ich mir nicht so sicher.« Evangeline starrte auf einen Punkt in der Ferne. »Wir dürfen aber auch nicht Cecile außer Acht lassen. Sie ist sehr temperamentvoll und hat gefühlsmäßig in letzter Zeit einiges mitgemacht. Wenn die Emotionen hochkochen, kann niemand vorhersehen, was passieren wird.«

»Cecile?« Mir stockte vor Schreck der Atem, da ich nicht glauben wollte, dass Evangeline eine ihrer ältesten und besten

Freundinnen für eine Mörderin halten könnte. »Das ist doch lachhaft! Nichts auf der Welt könnte Dame Cecile zu einem Mord veranlassen!«

»Tatsächlich?« Sie zog eine Augenbraue hoch. »Was wäre, wenn Matilda – vielleicht nur versehentlich – etwas getan hätte, wodurch Fleur zu Schaden kam? Was ihren Tod womöglich sogar beschleunigt hat? Meinst du, Cecile würde sie ungeschoren davonkommen lassen? O nein, sie würde Rache schwören. Auge um Auge …«

»Du hast genug getrunken.« Es war nicht einfach, aber es gelang mir, ihr das Glas aus der Hand zu winden und sie von ihrem Platz hochzuziehen. Der restliche Schlummertrunk verteilte sich auf dem Teppich. »Geh jetzt schlafen.«

»Denk doch mal darüber nach.« Mit übertrieben würdevoller Haltung ging sie zur Tür.

In diesem Moment knarrte eine Diele direkt vor dem Zimmer. Jemand hielt sich im Flur auf. Hatte man uns belauscht? Wer immer es war würde über sich selbst nichts Gutes gehört haben, und das geschah ihm auch ganz recht.

»Geh durch das Badezimmer«, flüsterte ich, weil ich dennoch nicht wollte, dass sie dem Lauscher in die Arme lief. »Und sei leise.«

Am Morgen fragte niemand nach Soroyas Verbleib. Sie war noch immer nicht zurück, doch keiner vermisste sie. Dafür waren alle zu sehr mit ihren eigenen Sorgen beschäftigt.

»Ich kann mich nicht an ein einziges Wort erinnern«, sagte Dame Cecile immer wieder, als sei das ihr persönliches Mantra. »Nicht ein einziges Wort.«

»Es wird schon klappen, wenn der Vorhang erst mal aufgegangen ist«, versuchte Matilda sie zu trösten. »Und Frella wird im Souffleurkasten sitzen und Ihnen helfen.«

»Frella hasst mich!«, gab Cecile zurück. »Und Sie hasst sie ebenfalls, weil sie Soroya Unterschlupf gewähren. Es wäre ihr ein Vergnügen, wenn wir beide eine Bauchlandung hinlegen würden – zumindest, solange das kein schlechtes Licht auf sie als Regisseurin wirft.«

»Das ist nicht Ihr Ernst«, konterte Matilda, ohne allzu überzeugend zu klingen. »Frella ist ein Arbeitstier, und sie ist sehr ehrgeizig. Sie wird nicht wollen, dass irgendetwas das Stück in Gefahr bringt. Es ist ihre große Chance.«

»Das habe ich ja gesagt! Aber ihre Chancen stünden besser, wenn sie Teddy rausschmeißen würde.« Dame Cecile war hart in ihrem Urteil. »Er unterhöhlt die gesamte Produktion.«

»Eher wird sie jeden einzelnen von uns feuern«, meinte Matilda seufzend. »Sie ist in diesen Mann vollkommen vernarrt.«

»Ich schätze, er ist charmant – jedenfalls auf seine Art«, gestand Cecile ein. »Ich wünschte nur, er wäre ein fähigerer Schauspieler.«

»Er ist nicht unfähig«, entgegnete Matilda. »Er ist nur faul. Frella lässt ihm viel zu viel durchgehen.«

»Gestern schien sie die Zügel doch etwas anzuziehen«, warf ich ein.

»Das kommt zu spät, und es ist nicht genug.« Matilda schüttelte traurig den Kopf. »Bis heute Abend kriegt sie das nicht mehr hin.«

»Also gut«, rief Dame Cecile plötzlich triumphierend.

Erwartungsvoll drehten wir uns zu ihr um, aber sie strahlte uns nur an.

»Was ›also gut‹?«, wollte Evangeline wissen.

»Also gut! Da sind meine ersten Worte im Stück. Sie sind mir eingefallen. *Also gut!«*

»Glückwunsch.« Evangeline wandte sich ab, da sie jegliches Interesse verloren hatte. »Jetzt fehlen ja nur noch die anderen paar Tausend Wörter.«

»Es ist ein Anfang«, verteidigte Matilda sie und versuchte der Situation hartnäckig etwas Positives abzugewinnen.

Plötzlich ertönte lautes Hämmern und zerriss die friedliche Ruhe; die Wand zitterte.

»Wie soll ich mich bei einem solchen Lärm auf meinen Text

besinnen?«, rief Dame Cecile. »Sagen Sie ihm, er soll damit aufhören!«

»Er ist mit Eifer bei der Arbeit«, murmelte Matilda. »Ich möchte ihn nicht bremsen.«

Nachdem er die Kellertreppe repariert hatte und dafür von uns allen gebührend bewundert worden war, hatte Eddie nun Gefallen an der Arbeit gefunden und zog durchs Haus, um Ausschau nach weiteren Aufgaben zu halten.

»Er hat vor, das lose Brett in meinem Schrank zu reparieren«, sagte ich. »Das muss unbedingt gemacht werden, denn da drunter befindet sich die Kleiderstange, und immer wenn ich etwas aufhänge, wackelt das Brett so sehr, dass ich fürchten muss, es kommt mir jeden Moment entgegen.«

»Und mir hat er versprochen, ein Bücherregal für mein Schlafzimmer zusammenzubauen«, ergänzte Matilda. »Ich glaube, daran arbeitet er gerade. Ich brauche dringend ein Regal, und ich bin so froh, dass er sich angeboten hat, das zu erledigen.«

»So, so ...« Dame Cecile kniff die Augen ein wenig zusammen und sah in der Hoffnung auf Unterstützung zu Evangeline. »Mich überrascht, dass Ihr armer Kopf bei all diesem Lärm nicht längst dröhnt.«

»Wir werden uns sowieso bald auf den Weg zum Theater machen.« Es war ein netter Versuch gewesen, aber Evangeline hatte offenbar nicht vor, ihr zu Hilfe zu eilen. Zu schade, dass Teddy nicht hier war, um ihr beizustehen.

»Außerdem«, fügte Evangeline an, »haben sich in meinem Zimmer einige Dielen gelockert, was mich schier wahnsinnig macht. Erstens knarren die wie in einem alten Horrorstreifen, zweitens habe ich Angst, dass sie irgendwann unter mir nachgeben, wenn ich nicht ganz vorsichtig auftrete.«

»Ach, diese alten Häuser«, seufzte Matilda. »Sie sind ja schön anzusehen, aber ehe man sich's versieht, muss schon wieder etwas anderes repariert werden.«

Wie auf ein Stichwort hin wurde das Hämmern noch lauter, zudem begann Eddie zu pfeifen. Zumindest er war glücklich.

»Ich gehe jetzt!« Da sie keine Mehrheiten gewinnen konnte, gab Dame Cecile den Kampf auf und bereitete sich darauf vor, das Schlachtfeld zu räumen. »Vielleicht habe ich in meiner Garderobe mehr Ruhe als hier.« Sie stolzierte davon, und Augenblicke später flog die Haustür mit einem lauten Knall ins Schloss, der sogar das Hämmern übertönte.

»Schlechte Generalprobe, gute Premiere.« Es war dieser alte Allgemeinplatz aus der Theaterwelt, bei dem die Besetzung Trost suchte.

Ich hätte darauf keine Wette abgeschlossen. So sehr Frella auch auf Teddy eingewirkt hatte, er spielte immer noch ohne jedes Gefühl für seinen Text. Und bei einem so narrensicheren Stück wie *Arsen und Spitzenhäubchen* wollte das nun wirklich was heißen.

Vielleicht war Frella zu nachsichtig mit ihm gewesen. »Mutlos« war das Wort, das Teddy im Moment am besten beschrieb. Und diese Bezeichnung passte ganz sicher nie auf die Figur, die er spielte: die hielt sich immerhin für den Helden von San Juan Hill und späteren Präsidenten der Vereinigten Staaten.

Unser Teddy hätte niemals eine Armee angeführt, sondern wäre den San Juan Hill hinaufgekrochen, natürlich ganz allein (wer hätte ihm folgen wollen?), und hin und wieder hätte er vorsichtig gerufen: »Hey, Leute, können wir nicht darüber reden?«

»Harte Zeiten«, sagte Evangeline düster, »verlangen nach harten Maßnahmen.«

»Meinst du, das Stück sollte abgesetzt werden?« Es war die einzige Maßnahme, von der ich mir vorstellen konnte, dass sie Dame Cecile und Matilda davor bewahren konnte, fortan mit einem völligen Flop in Verbindung gebracht zu werden.

»Auf keinen Fall!« Abrupt wandte sich Evangeline ab. »Ich muss mit Cecile sprechen.«

»Viel Glück.« Ich hatte von all dem genug. »Ich gehe raus, um frische Luft zu schnappen.«

Draußen war es nasskalt, und eben begann es zu regnen, also überlegte ich es mir anders – allerdings nicht so anders, dass ich mich zu Evangeline und Cecile gesetzt hätte. Vielmehr beschloss ich, mich in eine ruhige Ecke hinter den Kulissen zu verziehen und abzuwarten, bis das Stück begann.

Es hatte etwas Beunruhigendes, durch den schmalen Korridor zu gehen und die Geräusche aus den Garderoben zu beiden Seiten zu hören. Das Schluchzen war immer das Schlimmste, doch fast genauso unangenehm waren solche Satzfetzen wie: »... die Miete zahlen ...«, »... und erst die Schulgebühren ...«, »... ein einziges Mal so feiern wie andere auch ...«, »... mein Überziehungskredit ...«

Die an einem Premierenabend übliche Nervosität grassierte hinter den Kulissen, und sie wurde noch zusätzlich gespeist durch Teddys Unvermögen. Oder musste man Frella für diese Situation verantwortlich machen? Vetternwirtschaft war ja schön und gut, und manchmal war sie sogar nützlich. Aber hier war das eindeutig nicht der Fall.

Ich versuchte mir einzureden, dass jemand, der sich so rührend um Cho-Cho-San kümmerte, kein schlechter Mensch sein konnte. Und er war auch nicht schlecht – aber zu nichts zu gebrauchen ... unfähig ... überfordert ... Ein Text wie »Hey, Leute, Lust auf 'n Tennismatch?« wäre für ihn angemessen gewesen, aber leider verlangte dieser Part ihm erheblich mehr ab.

Eine Biegung im Korridor und eine Treppe brachten mich hinauf in ein Stockwerk, in dem entspanntere Atmosphäre herrschte, und ich ließ das vielfältige Elend, das die Garderoben durchdrang, hinter mir.

Wie aus weiter Ferne hörte ich die leisen, einladenden Klänge einer Geige. Ich folgte der Melodie ein paar Stufen hinauf, dann um eine Ecke bis zur offen stehenden Tür eines schwach beleuchteten, von Bücherregalen gesäumten Raumes. Es war ein angenehm heimeliger Anblick, ein krasser Gegensatz zum Chaos in der Etage unter mir.

Jem saß in einem großen Sessel neben einem Kaminfeuer, Garrick hatte es sich auf seinem Schoß bequem gemacht und ließ sich nicht stören von dem Schreibblock, den Jem auf seinen Rücken gelegt hatte, um etwas zu notieren. Auf einem niedrigen Beistelltisch standen eine Karaffe und ein halbvolles Glas, außerdem zwei Teller; auf dem größeren fand sich eine Auswahl an Crackern und ein großes Stück Pastete, auf dem anderen ein kleineres, zerdrücktes Stück Pastete und etwas, das nach einem üpppigen Klecks Rahm aussah. Während ich dastand, reckte Garrick den Hals und nahm einen kleinen Happen von seiner Portion.

»Meine Liebe«, sagte Jem, als er aufsah und mich entdeckte. »Kommen Sie doch rein. Verzeihen Sie, dass ich nicht aufstehe, aber ...« Er zeigte auf den pelzigen Grund für seine Unhöflichkeit. Garrick blinzelte mich zufrieden an, es schien vergeben und vergessen zu sein, dass ich ihm auf den Schwanz getreten war.

»Schon in Ordnung, lassen Sie ihn ruhig liegen. Ich wollte mich nur umsehen und bin durch Zufall bei Ihnen gelandet. Ich möchte Sie nicht stören.«

»Sie stören mich nicht. Jeder ist in meinem kleinen Horst willkommen. Der Sturm hat bereits so manches Waisenkind hier Zuflucht suchen lassen. Gestatten Sie, dass ich Ihnen ein Glas Sherry anbiete? Oder vielleicht etwas Bordeaux, oder ...« Er senkte seine Stimme, um die Parodie eines verführerischen Tonfalls zu liefern: »... wie wäre es mit etwas Madeira, meine Liebste? Sofern ...« Er kehrte zu seiner normalen Stimmlage zurück. »... es Ihnen nichts ausmacht, sich selbst ein Glas zu holen.« Er deutete auf die Vitrine in der Ecke.

Neben einer Auswahl an Schnupftabaksdosen und Netsuke-Figuren stieß ich auf ein Weinglas. Als ich mich wieder umdrehte, sah ich noch, wie Jem den Notizblock verstohlen zwischen Armlehne und Sitzpolster seines Sessels verschwinden ließ. Mir war diese Geheimniskrämerei ein Rätsel, weil es für mich keinen Grund gab, mich für seine Notizen zu interessieren.

»Hier ist es richtig angenehm«, seufzte ich und sank in den Sessel ihm gegenüber.

»Nahezu zivilisiert«, stimmte er mir zu. »Wenn die Premiere erst einmal überstanden ist, kehrt die Normalität zurück, und dann wird es hier wieder friedlicher zugehen.«

»Im Moment herrscht da unten unglaubliche Hektik.« Der Sherry war hervorragend. Ich sah Jem mit Hochachtung an – und mit einer gewissen Neugier. Diesen Sherry hatte er nicht im nächsten Supermarkt gekauft, Jem war vielmehr offensichtlich ein Kenner und Genießer.

»Jem …« – der Gedanke war naheliegend – »Jem, meine Tochter soll ein Theaterkochbuch herausgeben. Eine Sammlung von Rezepten für eine Person, die man nach der Aufführung schnell und einfach in seinem Quartier nachkochen kann. Sie wissen nicht zufällig ein oder zwei Kleinigkeiten, die Sie dazu beisteuern könnten?«

»Hmm, ja, lassen Sie mich nachdenken, was mir da noch in den Sinn kommt. Ich war seit Jahren nicht mehr auf Tournee – nein, seien wir ehrlich: seit Jahrzehnten nicht mehr. Heute ist vieles ganz anders. Die alten Unterkünfte sind nicht mehr das, was sie mal waren. Und die Vermieterinnen von damals gibt es auch nicht mehr, was vermutlich gar nicht so schlecht ist. Die waren für einiges bekannt, aber ganz sicher nicht für ihre Kochkünste.«

»War es so schlimm?«

»Verheerend.« Allein die Erinnerung daran ließ ihn zusammenzucken. »Stellen Sie sich vor, Sie kommen von Ihrem Auftritt zurück und werden begrüßt von drei welken Salatblättern, zwei matschigen Vierteln Tomate und einer vertrockneten Scheibe Salami, die sich schon zusammenrollt; wenn Sie besonderes Pech hatten, war auch noch Rote Beete dabei. Und dazu eine Flasche Dressing, die über dem Ganzen verteilt werden soll. Das war gemeinhin als ›kalte Platte‹ bekannt. Überhaupt hatten diese Damen für die abscheulichsten Gerichte die schillerndsten Namen.«

»Das klingt nach einem Rezept, auf das wir wohl verzichten können.«

»Und im Winter gab es eine sogenannte ›warme Mahlzeit‹, bevor man zum Theater aufbrach. Hackpastete mit einer zwei Fingerbreit dicken Kruste, einer dünnen Schicht Knorpel und Soße; Kohl, der zu einer grünen Pampe verkocht war; Kartoffeln, die schon glasig waren und sich quasi von selbst auflösten; und dazu irgendwas, das sie auf dem Wochenmarkt billig bekommen hatten, das man aber weder identifizieren konnte noch wollte.«

Ich schüttelte mich. »Dagegen wirken unsere ewigen Hamburger mit Pommes Frites ja wie eine Delikatesse.«

»Ich kann mich an eine Geschichte über einen jungen Schauspieler erinnern«, fuhr er fort, »dem eines Tages der Kragen platzte. Er war monatelang auf Tournee gewesen, und in jeder Pension war das Essen schrecklicher und ungenießbarer als in der vorhergehenden. Schließlich erwischte er eine Unterkunft, in der das Essen einfach verheerend war. Also zog er los und kaufte ein dickes, saftiges Steak, mit dem er zu seiner Vermieterin ging. ›Hören Sie mir gut zu‹, sagte er zu ihr. ›Ich möchte, dass Sie das auf jeder Seite für drei Minuten in den Grill legen, anschließend eine halbe Stunde kochen, es dann in den Ofen legen und eine Stunde lang backen. Und zuletzt braten Sie es auf jeder Seite fünfzehn Minuten lang. Werden Sie das für mich tun?‹ Sie nickte und sagte: ›Sie können sich auf mich verlassen. Ich werde Ihre Anweisung ganz genau befolgen.‹ – ›O ja‹, erwiderte er und nahm ihr das Steak weg. ›*Das* habe ich mir gedacht!‹«

Wir mussten beide von Herzen lachen, sodass Garrick es auf Jems Schoß nicht länger aushielt und das Weite suchte.

»Schon gut, alter Junge«, rief Jem ihm nach. »Wir haben nicht über dich gelacht.«

»O weh«, meinte ich. »Ich hoffe, er ist nicht beleidigt.«

»Ganz sicher nicht. Er hatte sein Vergnügen bereits.« Daran war nicht zu zweifeln, denn der kleinere Teller war inzwischen leer. »Es wird Zeit, dass er wieder seinen Pflichten nachgeht.« Jem stand auf. »Wir müssen jetzt beide unsere Runden drehen.«

»Danke für die angenehme Verschnaufpause«, sagte ich zu ihm, während wir in Richtung Bühne zurückgingen.

»War mir ein Vergnügen«, entgegnete er. »Vergessen Sie nicht, Sie sind hier oben jederzeit willkommen. So wie jeder andere auch.«

Mir entging jedoch nicht, dass er die Tür hinter sich abschloss.

17

Erwartungsvolles Raunen machte sich im Saal breit, als der Vorhang aufging, und sofort gab es Applaus für Matilda, die an ihrem Teetisch saß, und für die beiden Schauspieler an ihrer Seite. Die drei verharrten in ihrer Pose, bis der Applaus nachließ und sich das Publikum zufrieden zurücklehnte, in der Erwartung unterhalten, aber nicht beleidigt zu werden. Angesichts der vielen Jahre, die das Stück schon auf dem Buckel hatte, wussten alle, dass keine derben Flüche, Nacktszenen oder willkürliche Gewalt zu befürchten waren, sondern nichts weiter als Serienmorde, sanfter Wahnsinn und tödliche Bedrohungen. Also pure gute Unterhaltung.

Ein weiterer Beifallsausbruch ließ die Handlung kurz ins Stocken geraten, da Dame Cecile die Bühne betreten hatte. Wieder warteten die Schauspieler ab, bis Ruhe eingekehrt war, dann wurde weitergespielt.

Teddy rasselte zwar seinen Text nicht einfach nur herunter, aber sehr viel besser als bei den Proben war er nicht. Entweder hatte ihm Frella nicht lange genug zugesetzt, oder aber er hatte sich während der Proben so verausgabt, dass inzwischen seine Energie aufgebraucht war. Mit fiel auf, wie sich Dame Cecile ihm näherte, als wolle sie ihm genau das zuflüstern.

Neben mir beugte sich Evangeline ein wenig vor und wirkte angespannt.

Teddy legte eine schlaffe Hand auf das Treppengeländer und hob einen Fuß, als sei er ihm eigentlich viel zu schwer. Dame Cecile trat noch etwas näher zu ihm.

»Auf ge-EEEEEHT'S!«, brüllte Teddy plötzlich und stürmte die Treppe hinauf. Seine Reaktion war so heftig, dass sogar die anderen Schauspieler zusammenzuckten. Den letzten Satz trug er mit ungewohntem Nachdruck vor, dann schlug er die Tür so schwungvoll hinter sich zu, dass er beinahe die Kulisse zum Einsturz gebracht hätte. Es gab den zu erwartenden Lacher, gefolgt von weiterem Applaus.

Nachdem auf der Bühne einen Moment lang verblüfftes Schweigen geherrscht hatte, folgte der nächste Dialog, begleitet von weiteren Lachern. Evangeline lehnte sich auf ihrem Sitz zurück und schien etwas entspannter zu atmen.

»Also gut«, flüsterte ich ihr zu. »Was hast du gemacht?«

»Eigentlich gar nichts«, erwiderte sie triumphierend. »Ich sprach mit Cecile nur über die gute alte Zeit, als Frauen noch Haarnadeln trugen. Mit denen ließen sich viele kleine Probleme lösen. Cecile weiß eine Anspielung zu verstehen.«

Während der Pause herrschte an der Bar Gedränge, und nach der Begeisterung des Publikums zu urteilen, war das Stück bereits jetzt ein voller Erfolg. Es würde unzählige Vorstellungen geben, erst hier, dann im West End und schließlich im Rahmen einer ausgedehnten Tournee. Aber im Royal Empire lief es als Erstes, und das war Grund genug, sich selbst zu beglückwünschen.

»Champagner ist wohl angebracht.«

Wir hatten ihn nicht bestellt, aber wir sahen erfreut die geöffnete Flasche an, die uns hingehalten wurde. Unsere Begeisterung ließ ein wenig nach, als wir bemerkten, wer der edle Spender war: Superintendent Thursby.

»Ein wahrer Triumph«, verkündete er. »Das Stück wäre aber noch besser, wenn Sie beide die Hauptrollen spielen würden.« Er hielt drei Champagnergläser hoch. »Darf ich Ihnen einschenken?«

Ich hoffte, sein betont zurückhaltendes Auftreten bedeutete, dass er nicht im Dienst war, doch im Grunde kümmerte es mich nicht wirklich. Der gekühlte Champagner perlte bereits in unseren Gläsern, und das war um Längen besser, als sich einen Weg durch die Menschenmenge an der Theke zu bahnen, bis man an jemanden geriet, der unsere Bestellung aufnehmen würde.

»Natürlich hat man uns die Rollen angeboten«, erwiderte Evangeline, verschwieg aber, dass es das Angebot eines anderen Managements für eine andere Produktion gewesen war. »Aber wir lassen derzeit ein Stück speziell für uns schreiben, und wir wollten uns nicht an ein Projekt binden, das womöglich mit viel Erfolg lange Zeit läuft.«

»Eine kluge Entscheidung.« Thursby reagierte mit einem listigen Lächeln, das sich in seinen Augen nicht so recht widerspiegelte und mir ein leichtes Unbehagen bereitete. Im Geiste murmelte ich: »Großmutter, warum hast du so große Zähne?«

»Mit Ihnen beiden würde es sicher ewig laufen. Aber ich finde es interessant zu hören, dass Sie in einem vollkommen neuen Stück auftreten werden.« Seine Ohren schienen vor Begeisterung zu zucken. »Darf man fragen, um was es gehen wird?«

»Aber, aber!« Evangeline konnte sich ebenfalls zurückhaltend geben und wehrte mit erhobenem Zeigefinger ab. »Da müssen Sie sich noch eine Weile gedulden, es ist ganz und gar geheim. Außerdem ist das Überraschungsmoment das A und O eines jeden neuen Stücks.« Es war eine gute Methode, um über die Tatsache hinwegzutäuschen, dass wir selbst noch nicht die geringste Ahnung hatten, um was es gehen würde.

»Oh, ich weiß, ich weiß, und ich stimme Ihnen voll und ganz zu.« Beide übertrieben es ganz gewaltig, und diese aufgesetzte Freundlichkeit bereitete mir Unbehagen. »Aber ich fühle mich geehrt, dass Sie mir immerhin so viel verraten haben.« Er schenkte Champagner nach. »Ich habe diesbezüglich bisher nicht das kleinst Gerücht gehört.«

Aus gutem Grund. Bislang gab es auch gar nichts darüber zu berichten, was mich ehrlich gesagt nervös machte. Es war schon lange her, seit wir vom Autor oder von seiner geschäftstüchtigen Freundin gehört hatten.

»Genau genommen sind Sie der Erste, dem wir es erzählt

haben – und ich muss schon sagen, Sie haben es ganz schön geschickt aus mir herausgelockt.«

»O nein, das ist nicht Ihr Ernst!« Er lächelte sie affektiert an. Zum letzten Mal hatte ich ein so gekünsteltes Benehmen bei den Schauspielern gesehen, die bei der letzten Oscar-Verleihung so getan hatten, als seien sie gute Verlierer und nicht im Mindesten enttäuscht, dass ein anderer die Auszeichnung bekam.

»O doch, Sie ungezogener Junge.« Evangeline lehnte sich nach vorn und ließ ihre Wimpern klimpern. Hätte sie einen Fächer in der Hand gehalten, wäre sie sicher auf die Idee gekommen, ihm damit einen Klaps zu geben. »Sie *wirklich* ungezogener Junge.«

Ich blendete mich aus der Unterhaltung aus. Am anderen Ende des Foyers sah ich Eddie die Treppe herunterkommen, die zu den oberen Rängen führte. Er kam auf uns zu, doch dann bemerkte er, wer bei uns stand, und im nächsten Moment war er verschwunden. Spurlos.

Zwar konnte ich mitfühlen, warum er so reagierte, doch mich störte, wie mühelos er sich praktisch vor meinen Augen in Luft aufgelöst hatte. Etwas verriet mir, dass dies nicht das erste Mal gewesen war.

Aus heiterem Himmel sah ich vor meinem geistigen Auge dichte Rauchwolken, Flammen schossen in die Höhe und entwickelten sich zu einer wütenden Feuersbrunst. Wieder regte sich Panik in mir, und ich hielt aufgeregt Ausschau nach einem Fluchtweg.

Ein Flashback. Es war nur eine Sinnestäuschung. *Nichts weiter!* Mein wild pochendes Herz versuchte, wieder zur Ruhe zu kommen. Hier gab es nichts, was mir gefährlich werden konnte.

Der helle Schein, der meine geschlossenen Lider durchdrang, stammte von der Beleuchtung rings um die verspiegelte Bar. Die Geräuschkulisse wurde von den Zuschauern verursacht, die alle gleichzeitig redeten und lachten. Das Knistern kam nicht von den alles verzehrenden Flammen, sondern von den Besuchern, die umsichtig genug waren, ihre Süßigkeiten hier im Foyer auszupacken, anstatt das erst nach Beginn des zweiten Akts im Saal zu tun.

Ich versuchte, tief durchzuatmen, um wieder ruhig zu werden, begann dann aber zu husten.

»Trixie? Ist alles in Ordnung?«

Rettung in letzter Sekunde. Die Klingel ertönte und forderte uns auf, wieder unsere Plätze einzunehmen. Die erste Pause war vorbei, die Vorstellung ging weiter.

»Vielleicht noch etwas Champagner in der nächsten Pause?«, fragte uns Superintendent Thursby.

»Besser nicht«, erwiderte Evangeline. »Wir müssen uns später noch mit einigen Leuten unterhalten. Aber warum kommen Sie nicht nach der Aufführung auf die Premierenparty?«

»Nur zu gern!« Seine Augen leuchteten auf, aber sein Blick hatte nach wie vor etwas Berechnendes. Ich fragte mich, ob er es womöglich genau darauf angelegt hatte, indem er uns mit seiner Flasche Champagner köderte. Bei Evangeline kam man mit Schmeicheleien immer zum Ziel, während ich seiner plötzlichen Leutseligkeit mit wachsender Skepsis begegnete.

Die Klingel ertönte zum zweiten Mal und ließ keine weitere Trödelei mehr zu. Gehorsam kehrten wir zu unseren Plätzen zurück.

Nach dem Schlussapplaus und stehenden Ovationen kam es mir so vor, als dränge sich das gesamte Publikum hinter den Kulissen in den Garderoben und in den schmalen Korridoren. Die Stimmen tönten zu schrill, es wurde zu laut gelacht, und das allgemeine Hochgefühl entlud sich im Knallen der Champagnerkorken, aber es war der Erfolg, der sie alle berauschte.

Die Bühnenarbeiter hatten bereits Tische auf die Bühne getragen, und das Büfett würde bald eröffnet werden. Seitlich der Bühne war das Gedränge nicht ganz so schlimm, also hielt ich mich dort auf, nippte an meinem Champagner und sah zu, wie nach kurzer Zeit das Essen hereingebracht wurde. Vielleicht gab es ja etwas, das für Martha interessant wäre.

In erster Linie schien es Salate zu geben, aber womöglich war es lediglich leichter, damit anzufangen. Eine flüchtige Bewegung an einem der Tischbeine zog meine Aufmerksamkeit auf sich, und ich entdeckte Garrick, wie er sich heimlich über ein kleines hartgekochtes Ei hermachte. Mein Blick wanderte zum Tisch, wo eine mit Wachteleiern randvoll gefüllte Schale stand, daneben kleinere Behälter mit verschiedenen bunten, nicht näher identifizierbaren Dips.

Noch während ich sie rätselnd betrachtete, kam hinter einem Blumengesteck eine kleine Pfote hervor und tastete nach den Eiern.

Gefräßiger Garrick, dachte ich, doch dann wurde mir klar, dass Garrick noch immer auf dem Boden saß und die Reste seiner Beute herunterschlang. Abgesehen davon hatte Garrick auch gar keine weißen Pfoten.

»Cho-Cho!«, rief ich erfreut, dummerweise in dem Moment, da sie mit ihren Krallen eine der Leckereien zu fassen bekam. Abrupt zog sie die Pfote zurück, das Ei flog hoch, landete auf der Tischkante und fiel zu Boden, wo Garrick gierig danach schnappte.

Ein kleiner Kopf tauchte zwischen den Blumen auf und sah mich vorwurfsvoll an.

»Tut mir leid, Kleine«, sagte ich. »Aber ich war so froh, dich zu sehen. Hier, nimm ein anderes …« Ich nahm ein größeres Ei aus der Schale und rollte es ihr zu. Sie fiel so gierig darüber her, dass ich mich unwillkürlich fragte, wann man sie zum letzten Mal gefüttert und was man ihr überhaupt gegeben hatte.

»Entschuldigen Sie?«, hörte ich eine ungehaltene Stimme hinter mir.

Ich machte einem jungen Mann Platz, der ein Tablett mit geschnittenem Schinken und Truthahn zum Büfett trug, dann ging er jedoch einen Schritt zur Seite.

»Nehmen Sie die Katze vom Tisch, bevor ich das Tablett absetze«, wies er mich an. »Ich kann Ihnen gar nicht sagen, was für einen Ärger wir kriegen, wenn das jemand sieht. Wissen Sie, es gibt so etwas wie Hygienevorschriften.«

»Ist das wahr?« Das sah ich nicht so, denn nach allem, was ich seit meiner Ankunft in England zu sehen bekommen hatte, wunderte es mich, dass hier überhaupt jemals irgendwer das Wort Hygiene gehört haben sollte. Da war die kleine Bäckerei, in der über Nacht unverpackte Teilchen im Schaufenster liegen gelassen wurden. Passanten konnten bis zum frühen Morgen beobachten, wie die Fliegen auf diesen Teilchen umherspazierten. Als Reaktion auf eine Beschwerde hatte man nicht etwa die Teilchen weggenommen, sondern nur die Jalousie heruntergezogen, damit man nicht mehr sehen konnte, was sich dahinter abspielte. Und im Spätsommer machten sich die Wespen in aller Ruhe über Obstauslagen und die Fleischstücke beim Metzger her. Niemand schien sich daran zu stören, vor allem nicht die Ladenbesitzer.

»Ja, das ist wahr.« Er stand da und sah mich ernst und abwartend an.

»Tut mir leid.« Ich stellte mein Glas weg und nahm Cho-Cho hoch, die das Ei verzehrt hatte und mich im Gegensatz zu dem jungen Mann freundlich musterte – natürlich in der Hoffnung auf Nachschub. Ich lächelte ihn süßlich an und nahm mir die dickste Scheibe Truthahn von seinem Tablett. »Das sieht so köstlich aus.«

»M-hm.« Sein Blick wurde noch etwas ärgerlicher, da er nur zu gut wusste, in wessen Magen das Fleisch landen würde. Meine pelzige kleine Freundin schnurrte bereits laut, um kundzutun, dass sie meine Tat guthieß. Auch Garrick war aufmerksam geworden und beobachtete mich interessiert.

»Verdammte Viecher!« Der Kerl hatte es leise genug gemurmelt, um alles abstreiten zu können, sollte ich darauf reagieren. Ich tat es nicht, sondern schenkte ihm noch ein weiteres zuckersüßes Lächeln und griff mir eine zweite Scheibe, kaum dass er sich abgewandt hatte, um weitere Tabletts zu holen. Diese

Scheibe ließ ich nahe dem Tischbein auf den Boden fallen, damit Garrick beschäftigt war, während ich die auf meinem Arm sitzende Cho-Cho fütterte. Garrick störte sich nicht daran, er legte beim Futter wohl keinen großen Wert auf Etikette.

Ich überquerte die Bühne, um mich auf der anderen Seite umzusehen, da ich auf der Suche nach Eddie war. Ich hoffte nur, dass er sich nicht zu sehr über den Feind in unseren Reihen – auch bekannt als Superintendent Thursby – aufgeregt hatte. Es wäre sicher nicht schlecht, wenn er versuchen würde, sich mit Thursby gut zu stellen, um den Mann auf seiner Seite zu haben. Ich fragte mich, ob das wohl Evangelines Absicht gewesen war, als sie ihre Einladung ausgesprochen hatte.

Die Nebendarsteller und ihre Bekannten feierten auf dieser Seite, aber sie interessierten sich mehr für das Büfett als für die Stars auf der anderen Hälfte der Bühne.

Von Eddie war weit und breit nichts zu sehen. Es war nicht seine Art, eine Party auszulassen. Ich konnte wirklich nur hoffen, dass er nicht zu aufgebracht war. Mir gefiel der Gedanke nicht, er könnte allein in seinem Zimmer sitzen und sich von einer Flasche Bier Trost spenden lassen.

Cho-Cho stieß mich an und leckte die letzten Reste Truthahn von meiner Hand, dann sah sie mich an und verdrehte schließlich den Hals zum Büfett, für das sie sich fast so sehr interessierte wie die Nebendarsteller. Ich wandte mich um und beobachtete den Lieferanten, der von zwei Helfern gefolgt die warmen Speisen herbeitrug. Bœuf Stroganoff und Huhn in Rahmsoße, wenn ich die Diskussion über die Speisenfolge richtig in Erinnerung hatte.

Etwas strich an meinen Beinen entlang – es war Garrick. Offenbar war ich für ihn ein angemessener Ersatz für Jem, der am Bühneneingang seinen Dienst verrichtete, während ich freien Zugang zum Essen hatte. Cho-Cho rieb sich an meinem Kinn und machte mich darauf aufmerksam, dass sie das Vorrecht auf meine Wohltätigkeit besaß.

Gedankenverloren streichelte ich sie und sah mich mit

einem unguten Gefühl um. Wo war Eddie? Ich wollte mit ihm sprechen.

Allmählich zog das Büfett mehr hungrige Gäste an. Ich entdeckte Superintendent Thursby, dem es irgendwie gelungen war, sowohl Evangeline als auch Dame Cecile begleiten zu dürfen. Hinter ihnen hatte Teddy ebenfalls an jedem Arm eine Dame: Matilda und eine Frau, die ich noch nicht kannte, jedenfalls nicht vom Gesicht her. Allerdings sagte mir mein Gefühl, dass mir ihre Stimme bekannt vorkommen würde. Sie musste Frella sein, aber sie sah nicht so aus, wie ich es nach ihrer Stimme zu urteilen erwartet hätte. Sie war nicht der Erdmutter-Typ, aber auf jeden Fall von der besitzergreifenden Sorte. So wie sie sich an Teddys Arm klammerte, erinnerte sie mich an einen Blutegel kurz vor dem Hungertod. Es war offensichtlich, dass Teddy bei dem Tauziehen vor den Altar keine Chance gehabt hatte. Ich begann, mit dem Mann Mitleid zu empfinden – jedenfalls hätte ich das getan, wenn ich nicht in nächster Zeit wieder gezwungen gewesen wäre, ihm Cho-Cho zu überlassen.

Lächelnd und plaudernd steuerten sie auf die Tafel zu, mussten aber alle paar Schritte anhalten, weil irgendwer ihnen gratulieren und alles Gute wünschen wollte. Jeder sonnte sich im Erfolg des Stücks und …

Plötzlich wusste ich, was man mit dem Begriff ›ohrenbetäubende Stille‹ meinte. Abrupt wie Scheinwerferlicht hatte sie sich über die Anwesenden gelegt. Alle blickten in eine Richtung, alle schienen gebannt den Atem anzuhalten. Auch ich drehte mich um.

Soroya. Sie hatte ihren Auftritt von der anderen Seite der Bühne aus und befand sich geradewegs auf Kollisionskurs mit Teddy und seiner Gruppe. In ihren Augen leuchtete pure Entschlossenheit.

Sie sah besser aus als je zuvor und trug einen Sari aus so exquisitem glänzendem und schillerndem Material, dass ich mich zur Ordnung rufen musste, um nicht bei ihrem Anblick mit den Zähnen zu knirschen. Es brachte nichts, außer dass ich dann womöglich neue Kronen benötigen würde. Stattdessen begnügte ich mich mit einem wehmütigen Seufzer.

»Ich komme geradewegs vom Set!«, gab sie unüberhörbar bekannt. »Darum trage ich auch noch mein Kostüm. Aber ich konnte nicht anders, als sofort dieses Theater aufzusuchen, um den Triumph meiner Tochter zu feiern.«

Alles Blut begann aus Teddys Gesicht zu weichen. Er löste Matildas Hand von seinem Arm und schob sie in Soroyas Bahn, während er selbst einen Schritt nach hinten machte und versuchte, Frella mit sich zu ziehen. Im Gegenzug war Frellas Gesicht vor Wut knallrot geworden, und sie warf Soroya einen hasserfüllten Blick zu.

Mir fiel auf, dass Superintendent Thursby das Geschehen noch aufmerksamer verfolgte als jeder andere im Raum. Genoss er nur das Drama, oder hatte er ein berufliches Interesse an den Ereignissen?

Schmatz, schmatz. Soroya bekam Matilda zu fassen, als die vorwärts stolperte, und küsste sie unüberhörbar auf beide Wangen. »Ich bin ja so stolz auf dich! Und was für ein hervorragendes Make-up. Du siehst um Jahre älter aus.«

»Danke.« Zwar zuckte Matilda zusammen, doch da sie sich ihres aufmerksamen Publikums bewusst war, brachte sie ein schwaches Lächeln zustande.

Teddy war nicht so gut wie Eddie darin, sich in Luft aufzulösen, aber Eddie hatte auch nicht versuchen müssen, eine unwillige Partnerin mit sich zu schleifen. Wenn Blicke töten könnten, wäre Soroya auf der Stelle umgefallen. Auf einmal drehte Frella den Kopf zur Seite, und ehe ich es mich versah, traf mich ihr mörderischer Blick.

Was hatte ich ihr denn getan? Ich wand mich unter der Wucht, mit der sie mir ihren Hass entgegenschleuderte. Wir waren einander nicht einmal vorgestellt worden. Hing es damit zusammen, dass Evangeline und ich uns während der Proben unterhalten hatten? Aber Evangeline blieb von diesem Zorn verschont.

»Bedien dich doch am Büfett«, versuchte Matilda, Soroyas Aufmerksamkeit auf etwas anderes zu lenken.

»Vielleicht einen Bissen, aber ich kann nicht lange bleiben«, ließ sich Soroya vernehmen. »Ich muss zurück zu meiner Filmcrew. Heute Nacht ist der Mondschein einfach wunderbar, und aus bestimmten Winkeln aufgenommen, kann der Royal Pavilion wunderbar als Ersatz für den Taj Mahal herhalten.

»Im Dunkeln mit einem Licht dahinter«, murmelte Evangeline.

»Genau!« Soroya strahlte begeistert. »All diese Kuppeln und Minarette. Ein bisschen Weichzeichner und spezielle Nacht-Einstellungen, und schon sieht es aus wie mitten in Indien. Wir drehen hier ziemlich viel.«

Ein fast unhörbares Seufzen ging durch das Publikum. Meine Kronen waren nicht die einzigen, die in Gefahr waren, als eine Welle des Neids über die kleineren Lichter dieser Produktion hinwegschwappte. Ich wettete mit mir selbst, dass später am Abend viele Spaziergänger am Royal Pavilion vorbeischlendern würden, alle darauf hoffend, entdeckt zu werden und vielleicht für eine Rolle in einer zukünftigen Produktion in die engere Wahl zu kommen. Der eine oder andere lächelte Soroya zaghaft zu, einige der Anwesenden rückten unauffällig etwas näher.

Ich hatte mich unterdessen bereits halb abgewandt und hoffte, sie würde nicht bemerken, dass ich Cho-Cho-San festhielt. Wie der Komiker, der scheinbar ahnungslos fragt: »Ein Elefant? Was denn für ein Elefant?«, und so tut, als würde er nicht bemerken, dass ihm ein riesiger grauer Dickhäuter über die Bühne folgt. Es klappte aber nicht.

»Es freut mich zu sehen«, sprach Soroya mich in einem Tonfall an, als hätte sie ein schwachsinniges Dienstmädchen vor sich, das ausnahmsweise einmal etwas richtig gemacht hatte, »wie gut Sie sich um Cho-Cho-San kümmern. In den nächsten Tagen werde ich kaum Zeit haben, aber sobald ich wieder frei bin, werde ich sie abholen.«

»Sicher.« Das war meiner Ansicht nach nicht der geeignete Augenblick, um sie wissen zu lassen, dass Teddy wieder das Sorgerecht übernommen hatte und ich nur ein paar Minuten mit meinem Schatz verbrachte. Wenn Soroya Zeit fand, um sich damit zu befassen, konnten sie und Teddy das immer noch unter sich ausmachen.

Sie neigte gnädig den Kopf und schwebte in Richtung Büfett davon. Ein paar Leute folgten ihr, zweifellos voller Hoffnung, mit ihr Kontakt aufzunehmen.

»Trixie!« Evangeline kam zu mir und schüttelte sich vor Ärger. »Für dich.« Sie presste die Worte heraus und hielt ihr Mobiltelefon so hoch, als wolle sie damit auf mich einschlagen. »Kannst du dieser Frau nicht sagen, sie soll dich nicht immer auf meinem Mobiltelefon anrufen? Warum legst du dir nicht selbst eins zu?«

»Hallo, Martha.« Voller Unbehagen meldete ich mich, aber nicht wegen Evangelines Beschwerde, sondern weil es schon recht spät für einen Anruf von meiner Tochter war. »Ist alles in Ordnung? Hugh? Die Kinder? … Das Buch?«

»Ja, ja, alles bestens. Wie war die Aufführung?«

»Ein grandioser Erfolg. Wenn es im West End ankommt, wird es ewig laufen.«

»Mutter … bist du wirklich glücklich darüber, dass du nicht mitspielst? Bedauerst du es nicht?«

»Überhaupt nicht«, antwortete ich zufrieden. »Es ist viel besser für uns, wenn wir in einem neuen Stück auftreten. Wiederaufnahmen von bekannten Stücken sind ja an sich schön und gut, aber …«

»Überleg mal«, redete sie weiter. »Wenn das Stück sehr lange läuft, dann bleibt vielleicht nicht die komplette Besetzung die ganze Zeit über dabei. Es kann doch sein, dass jemand ersetzt werden muss, weil er krank geworden ist oder er einfach keine Lust mehr hat. Ich weiß, es ist nicht Hughs Produktion, aber er kennt alle anderen Manager, und er könnte ein gutes Wort für dich einlegen …«

»Martha«, unterbrach ich sie schroff. »Was genau willst du mir damit sagen?«

»Was ist los?«, mischte sich Evangeline prompt ein. »Was gibt es?«

»Das versuche ich gerade herauszufinden«, gab ich mürrisch zurück. »Martha, antworte mir. Was ist passiert?«

»Ich war heute Abend auf einer Party.« Es war typisch für Martha, dass sie über einen Umweg auf ihr eigentliches Anliegen zu sprechen kam. »Eine von diesen Showbiz-Partys, bei denen Hugh sich blicken lassen muss, um auf dem Laufenden zu bleiben. Weißt du, ich war richtig froh darüber, dass ich so viele von den Leuten da kannte. Das gibt mir das Gefühl, dass ich so allmählich richtig ein Teil des Londoner Lebens werde …«

»Martha«, fiel ich ihr warnend ins Wort.

Cho-Cho fand den Platz auf meinem Arm nicht mehr so bequem, seit ich eine Hand zum Telefonieren benutzte. Außerdem war ihr wohl Evangeline, die das Gespräch mithören wollte, zu nahe gekommen. Die Katze sprang runter und stolzierte davon.

»Ja, schon gut. Wir wussten nicht, was für eine Party das überhaupt war … bis es zu spät war.«

»Martha!« Erschrocken schnappte ich nach Luft, während mir die peinlichsten, skandalösesten Schlagzeilen durch den Kopf schossen. »Das war doch nicht … warst du etwa …«

»Nein, nein, nicht, was du meinst, Mutter. Es war alles absolut respektabel, einfach eine ziemlich spontane Feier. Ich … ähm … ich sah den Typ … du weißt schon, der für euch angeblich dieses neue Stück schreibt …«

»Was meinst du mit ›angeblich‹?«

»Was?« Evangeline kam noch etwas näher. Cho-Cho wäre längst erdrückt worden, hätte sie nicht frühzeitig die Flucht angetreten. »Was?«

»Erst als wir alle in unsere Wagen stiegen und zusammen nach Heathrow fuhren, wurde mir klar, dass es sich um eine Abschiedsparty gehandelt hatte. Aber da war es bereits zu spät.«

»Eine Abschiedsparty für wen?« Meine innere Stimme und Marthas unüberhörbarer Widerwille, mit der Sprache herauszurücken, verrieten mir, dass ich die Antwort ebenso gut selbst hätte geben können.

»Für deinen Autor und dessen Freundin. Sie sagten, sie seien zu etwas Geld gekommen und wollten sich für ein Jahr oder länger eine Auszeit nehmen, um sich die Welt anzusehen. Jemand sprach von sechs Monaten in der Südsee für den Anfang. Mutter, du hast ihm doch keinen Vorschuss gegeben, oder?«

»Ich nicht«, antwortete ich bedeutungsvoll und sah Evangeline an. Diese Schecks, die sie Nigel übergeben hatte … hatte Nigel den Mittelsmann gespielt, um mir zu verheimlichen, dass sie wirklich so dumm war?

»Ich auch nicht!« Evangeline hielt ihr Ohr von der anderen Seite an das Telefon gedrückt. Sollte ich ihr das abnehmen? Es war doch klar, dass sie im Nachhinein genau das behaupten würde.

»Ich dachte, ich lasse es dich so bald wie möglich wissen, Mutter. Dann kannst du frühzeitig deine Pläne danach ausrichten. Oder ein anderes Angebot annehmen, das sich vielleicht ergibt.«

»Das ist sehr aufmerksam von dir, Liebes«, entgegnete ich.

»Als ob nach dem heutigen Abend noch irgendjemand Cecile von der Bühne fernhalten könnte!«, meinte Evangeline schnaubend.

18

Aah, da ist sie ja.« Teddy tauchte wie aus dem Nichts wieder auf, ganz allein und von der Aura eines Mannes umgeben, der beinahe etwas Wichtiges vergessen hätte. »Dann haben Sie also auf mein kleines Wollknäuel aufgepasst.« Mit diesen herzlosen Worten nahm er mir Cho-Cho-San ab und ging.

Nach Marthas Anruf war das gleich der nächste Tiefschlag. Mein einziger Trost war es gewesen, Cho-Cho wiedergefunden zu haben und mich mit ihr beschäftigen zu können.

»Komm jetzt.« Ungewöhnlich taktvoll nahm Evangeline meinen Arm, der nichts mehr hatte, was er festhalten konnte, und führte mich zum Ausgang. »Zeit, nach Hause zu gehen. Ich würde ja eigentlich sagen: Morgen ist auch noch ein Tag. Aber es ist inzwischen längst morgen.«

Wie benommen folgte ich ihr nach draußen. Eddie wartete bereits in seinem Taxi auf uns. Eigentlich hätte ich ihn fragen sollen, wohin er verschwunden war, doch ich war nicht sicher, ob ich mich auf meine Stimme verlassen konnte. Außerdem hatte ich genug damit zu tun, die Tränen zurückzuhalten, die mir in die Augen stiegen. Ich wollte weder Eddie noch Evangeline um mich haben, sondern allein Cho-Cho mit nach Hause nehmen. Ermattet ließ ich mich in eine Ecke der Rückbank sinken und ignorierte alle Versuche, mich aufzuheitern.

Am Morgen fühlte ich mich nicht besser.

»Reiß dich zusammen!«, herrschte mich Evangeline mit den nutzlosesten Worten der Welt an.

»Das werde ich nicht tun.« Ich brütete über einer Schüssel mit aufgeweichten Cornflakes und matschigen Bananenscheiben, die ihr Mindesthaltbarkeitsdatum seit Langem überschritten hatten. Je eher eine gute Haushälterin gefunden war, umso besser.

»Ist Ihnen eigentlich klar, dass das meine erste Premiere seit fast zwanzig Jahren war, bei der mich meine kleine Fleur nicht angefeuert hat?« Die Begeisterung über den Beifall am Vorabend war für Dame Cecile längst zu einer Erinnerung verblasst, und inzwischen saß sie da und brütete ebenfalls vor sich hin. »Ich weiß nicht, wie ich das geschafft habe.«

»Sie waren großartig, Cecile.« Evangeline war bereit, ihrer alten Freundin gegenüber mehr Nachsicht walten zu lassen als bei mir. »Und Sie ebenfalls, Matilda«, fügte sie hastig an.

»Es ist ganz gut gelaufen.« Matilda schaffte es, bescheiden zu klingen und zugleich triumphierend zu strahlen. Nichts konnte ihren Triumph schmälern.

Zumindest bis Soroya die Küche betrat und mit finsterer Miene die Cornflakespackung betrachtete. »Ist das alles, was es zum Frühstück gibt? Keine gebratenen Nierchen? Kein würziges Reisgericht? Ich habe bis Sonnenaufgang gearbeitet, ich brauche etwas Gehaltvolleres als das hier, wenn ich bei Kräften bleiben soll!«

Wir drehten uns alle gleichzeitig zu ihr um und warfen ihr einen so frostigen Blick zu, dass die Temperatur im Raum um mindestens zehn Grad sank.

»Das ist schier unerträglich.« Soroya war wieder ganz die Alte. Alle Freude über den Erfolg ihrer ›Tochter‹ war verflogen, nachdem nun kein Publikum mehr zugegen war, das sie hätte beeindrucken können. »Hast du bereits die Vermittlung angerufen? Wir brauchen unbedingt eine Haushälterin.«

»Ich musste mich um ein paar andere Dinge kümmern«, gab Matilda in eisigem Tonfall zurück.

»O ja, du kommst ganz nach deinem Vater, schon klar«, sagte Soroya. »Ihr seid alle gleich … eure Generation …«

Matilda versteifte sich, sie richtete den Kopf auf, aus ihren Augen schienen Flammen hervorzuschießen.

»Egoistisch und rücksichtslos!« Ohne die Warnhinweise zu

erkennen, begann Soroya weiter die genetischen Mängel aufzulisten. »Immer kommt ihr selbst an erster Stelle, ihr verschwendet keinen Gedanken an andere …«

»Das reicht jetzt.« Abrupt stand Matilda auf. »Ich lasse mich nicht vor meinen Gästen in meinem eigenen Haus von dir beleidigen!«

»Im Haus deines Vaters«, berichtigte Soroya sie. »Ohne ihn wärst du heute nicht hier.«

Das Gleiche konnte man auch über Soroya sagen. Matilda atmete tief durch und wollte wohl etwas sagen, erinnerte sich aber daran, dass Gäste anwesend waren, und begnügte sich stattdessen mit einem aufgebrachten Blick.

»Ich erwarte ja keine Dankbarkeit von dir.« Nun spielte Soroya die Märtyrerin. »Ich gestattete dir, während meiner Abwesenheit mietfrei in meinem Haus zu wohnen. Ich habe mich noch nie darüber beklagt, dass du deine Freunde und deine Entourage hierher einlädst …«

»Versuch doch mal, Miete von mir zu fordern!«, brauste Matilda auf. »Das ist mein Haus. Mein Vater hat nie einen einzigen Penny beigesteuert – weder zum Haus noch zu meinem Lebensunterhalt. Nicht mal zum Lebensunterhalt meiner Mutter! Er hat sein Geld lieber rausgeworfen für seine … seine Flittchen!«

»Kein Wort mehr!« Soroya nahm eine gebieterische Pose ein. »Ich werde mir nicht anhören, wie du das Andenken an deinen Vater besudelst. Und ich werde auch nicht so dumm sein, von dir irgendeine Art von Entschuldigung zu erwarten – weder jetzt noch in Zukunft. Wir werden dieses Thema nicht wieder zur Sprache bringen.« Dann machte sie auf dem Absatz kehrt und schwebte aus dem Zimmer.

»Von allen Frauen, mit denen sich mein Vater rumgetrieben hat«, setzte Matilda schließlich dem Schweigen ein Ende, »musste er ausgerechnet diese eine heiraten!«

»Besser gesagt«, warf Evangeline ein, »sie war die eine, mit der er verheiratet war, als er starb. Sie wäre nicht länger an seiner Seite geblieben als alle anderen vor ihr, wenn er länger gelebt und so wie gewohnt weitergemacht hätte.«

Es war wohl als Trost gemeint, doch das hätte man auch taktvoller ausdrücken können. Immerhin war Matilda selbst eine mehrfache Ex-Frau.

»Ich muss in der Sache etwas unternehmen.« Matilda ließ sich verzweifelt auf ihren Stuhl sinken und vergrub das Gesicht in ihren Händen. »Nachdem sie die Dreharbeiten verstärkt nach England verlegt haben, plant sie, sich hier häuslich niederzulassen. Für kurze Zeit kann ich sie ertragen, aber nicht Tag für Tag, ohne dass ein Ende in Sicht ist. Ich muss etwas unternehmen.«

»Machen Sie eine Kopie des Grundbucheintrages und hängen sie die bei ihr im Zimmer an die Wand«, schlug Dame Cecile vor. »Aber geben Sie bloß kein Original aus der Hand.«

»Setzen Sie sie vor die Tür.« Evangeline befürwortete den direktesten und einfachsten Weg. »Tauschen Sie die Schlösser aus, wenn sie am Drehort ist, und stellen Sie ihre gepackten Koffer vor die Tür.«

»Das wäre doch ein gefundenes Fressen für die Klatschblätter.« Matilda sah die Situation nüchterner. »Ich kann diese Art von Publicity nicht gebrauchen.«

»Ganz genau«, meinte Dame Cecile. »Und unserem Stück wäre es auch nicht förderlich. Es kann zwar ein Erfolg werden, aber wir dürfen nicht träge und selbstgefällig werden.«

Am Hintereingang war ein Klappern zu hören, im nächsten Moment ging die Tür auf und Eddie kam in die Küche, bepackt mit Werkzeugkiste, Farbdosen und Pinsel.

»Diese Regale werden noch bis zum Mittagessen fertig sein«, sagte er zu Matilda. »Danach kann ich sie lackieren. Und morgen« – er sah zu mir – »werde ich mir das Brett in deinem Schrank ansehen.«

»Wunderbar«, begeisterte sich Matilda. »Ich wüsste gar nicht, was ich ohne Sie machen sollte, Eddie.«

»Ja, das ist alles schön und gut, und ich will nicht unhöflich sein, aber ich wünschte, Sie *müssten* alles ohne mich machen. Ich meine, wie lange wollen die mich noch zwingen, die Stadt nicht zu verlassen? Ich habe mein eigenes Leben, und das findet in London statt. Ich würde gerne in dieses Leben zurückkehren.«

»Du hättest gestern Abend Superintendent Thursby danach fragen sollen«, hielt ich ihm vor. »Er war bei der Premiere, du hast ihn gesehen – und dann bist du einfach in die entgegengesetzte Richtung weggegangen.«

»Na ja, mir fiel ein, dass ich noch was zu erledigen hatte.« Er wich meinem Blick aus. »Außerdem will man die Bullen nicht ständig daran erinnern, dass man noch da ist.«

»Wenn sie sich nicht daran erinnern, dass du noch da bist«, hielt ich dagegen, »können sie dir auch nicht sagen, dass du womöglich längst gehen kannst.«

»Stimmt, aber ich kann den Kerl nicht ausstehen. Ich sag euch was: Die Bullen von heute sind anders als damals, als ich ein Taxi voller benachteiligter Kinder zu ihrem jährlichen Ausflug ans Meer fuhr. Das war das einzige Mal, dass ich mit den hiesigen Bullen zu tun hatte.«

»Ja, aber jetzt stehst du auf der anderen Seite «, erklärte Evangeline freundlich.

»Tja …« Er sah sie mit zusammengekniffenen Augen an. »Und ich weiß auch, wem ich das zu verdanken habe!«

»Eine Verkettung unglücklicher Umstände …« Evangeline machte eine flüchtige Handbewegung. »So etwas kann jedem passieren.«

»Aber es passiert nicht jedem, sondern nur dir.« Er warf ihr einen deprimierten Blick zu. »Und mir, wenn ich in deiner Nähe bin.«

»Ja«, sagte sie. »Ich fürchte, wir waren ein wenig nachlässig, was dich angeht. Keine Sorge.« Sofort macht er eine besorgte Miene. »Wir sprechen mit Superintendent Thursby und erklären ihm alles.«

»Hör zu«, gab er zurück. »Du musst nicht zur Polizei gehen.

Was ist mit dem Anwalt, der mich auf Kaution rausgeholt hat? Lass ihn das erledigen.«

»Unsinn! Es ist Thursbys Fall. Er wird wissen, was zu tun ist. Wir essen mit ihm zu Mittag oder vielleicht auch zu Abend, und dann unterhalten wir uns ausführl-« Ihr Handy schnarrte und unterbrach sie mitten im Satz.

»Verdammt noch mal!« Sie zog das Telefon aus der Tasche und warf es mir zu. »Sag dieser Frau, sie soll dich über das Festnetz anrufen und aufhören, ständig meine Nummer zu wählen! Ich habe das Telefon nicht, um ihr das Leben zu erleichtern – oder dir.«

»Tut mir leid.« Ich fing das Telefon auf und nahm das Gespräch an. »Sie meint es nicht so …« Ich hielt inne, da sich meine Entschuldigungen und Ausflüchte als verfrüht entpuppten. Es war Nigels Stimmte, die aus dem Gerät plärrte.

»Evangeline? Evangeline? Wer ist denn da? Ich muss Evangeline sprechen.«

»Für dich.« Ich gab ihr das Telefon zurück und beobachtete, wie sich ihr Gesichtsausdruck veränderte, als sie dem hektischen Nigel zuhörte.

»Was soll das heißen?« Ihre Stimme war so aufgebracht wie ihre Miene. »Du hast mir gesagt, ich könnte nichts verlieren!«

Ich konnte nicht verstehen, was er sagte, aber seine Stimmlage ließ keinen Zweifel daran, dass er hektische Erklärungen und Beteuerungen von sich gab. Damit war ein weiterer von Nigels Über-Nacht-reich-Plänen gescheitert – und diesmal hatte er Evangeline mit ins Unglück gerisssen.

»Du hast es mir versprochen!« Ihr ungläubiger Tonfall täuschte über die Tatsache hinweg, dass wir beide schon vor langer Zeit gelernt hatten, niemandem zu vertrauen, ganz gleich wer er war und was er versprach.

Nigel redete wie ein Wasserfall. Evangelines Miene glättete sich nach und nach, je länger er beschwichtigend auf sie einwirkte – offenbar mit immer neuen Versprechen.

»Ja, sorg dafür!«, herrschte sie ihn an und beendete das Gespräch. »Das wäre erledigt«, wandte sie sich an mich. »Und jetzt nehmen wir uns Superintendent Thursby vor.«

Irgendwann zwischen der Hummersuppe und dem Pfeffersteak überkam mich der Verdacht, dass Superintendent Hector Thursby ein Spielchen mit uns trieb. Als die Birne Helene serviert wurde, war ich mir dessen ziemlich sicher. Und als Mokka, Petit Fours und Pfefferminzbonbons an den Tisch gebracht wurden, war ich restlos davon überzeugt, dass er uns nur zum Narren hielt.

Er ging es genau richtig an, indem er sich auf Evangeline konzentrierte und sie zu immer verstiegeneren Spekulationen veranlasste. Soeben hatte sie ihre Meinung als eine Tatsache kundgetan, dass Mr ›Letzte Klappe‹ sicher in internationale Juwelendiebstähle verwickelt war. Die Diebe versteckten die Edelsteine in den Körperöffnungen toter Tiere und schmuggelten sie auf diesem Weg ins Land – und auch wieder hinaus.

»Hmm, ja«, überlegte er. »Ich glaube mich zu erinnern, dass ich diesen Krimi auch im Fernsehen gesehen habe.«

»Und wie sieht es mit Drogen aus?« Evangeline wollte nicht aufgeben. »Es wäre doch die perfekte Methode, um Drogen ins Land zu schaffen. Haben Sie die Asche auf Spuren von Drogen untersuchen lassen?«

»Da ist eine Menge Asche angefallen«, murmelte er zurückhaltend, doch seine Mundwinkel zuckten verräterisch. »Hätten Sie denn einen Vorschlag, wo wir am besten mit der Suche anfangen sollten?«

Ich versuchte, ihr ein Zeichen zu geben, damit sie aufhörte zu reden, doch sie nahm gar keine Notiz von mir.

»Wie wäre es mit dem Pferd? Das war groß genug, um eine riesige Menge an Drogen darin zu verstecken.«

»Ja, es war sehr groß, nicht wahr? Das Problem ist nur, dass es aus dem Jahr 1937 stammt. Es gehörte einem Lord hier aus der Gegend und musste erschossen werden, als es sich bei einem schweren Sturz den Hals brach. Er ließ es ausstopfen und stellte es in seinem Wintergarten auf. Nach seinem Tod im Jahr 1981 schenkte die Familie es einem kleinen Privatmuseum – und war zweifellos sehr erleichtert, es loszuwerden. Seitdem stand es dort, und zwar bis vor etwa sechs Monaten. Da brachte man es für ein paar kleinere Schönheitsreparaturen zu ›Letzte Klappe‹. Nach der Fertigstellung sollte es auf direktem Weg ins Museum zurückkehren.«

»Oh.« Das nahm ihr den Wind aus den Segeln, aber nur für einen kurzen Moment. »Und wie wäre es …«

»Es ist alles erstaunlich gut dokumentiert, nicht wahr?«, fiel ich ihr ins Wort. Was mich aber wirklich erstaunte, war die Tatsache, dass Thursby all diese Informationen aus dem Kopf herunterrasseln konnte. Er hatte seine Hausaufgaben gründlicher gemacht, als Evangeline wahrhaben wollte.

»Das Pferd ist eine Art lokales Kuriosum«, redete er weiter und tat mein Lob über sein Wissen mit einem Schulterzucken ab. »Die Zeitungen schreiben darüber, wenn sonst nicht viel los ist. Und manchmal leihen sich irgendwelche Organisationen das Tier für Paraden und Werbeaktionen aus.«

»Schmuggel, Juwelenraub, Drogen …« Plötzlich wischte sie das alles mit einer Handbewegung beiseite. »Was ich sagen will: Eddie kann mit all diesen Dingen nichts zu tun haben. Es wird höchste Zeit, dass Sie ihn nach London zurückkehren lassen.«

»Ach, ich weiß nicht.« Thursby grinste sie breit an. (»Großmutter, was hast du so große Zähne?«) »Manche Leute würden sagen, ein Taxifahrer wäre geradezu die Idealbesetzung für einen Schmuggler oder Drogendealer. Er fährt den ganzen Tag durch die Stadt, niemand wird misstrauisch, wenn er irgendwo anhält. Das würde auch zu den zwielichtigen Kunden passen. Sie können ihn anrufen, er kann sie abholen, wo immer sie wollen.«

»Niemals«, eilte ich zur Verteidigung. »Nicht Eddie!« Wenn das seine Überlegungen waren, dann verwunderte es nicht, dass er Eddie nicht gestattete, die Stadt zu verlassen.

»Völliger Unsinn!«, meinte Evangeline. »Kein Wunder, dass

Sie mit dem Fall nicht vorankommen, wenn Sie Ihre Zeit damit vergeuden, Beweise gegen einen Unschuldigen zu suchen.«

Oha, jetzt war sie zu weit gegangen. Seine Miene verhärtete sich, in seinen Augen entdeckte ich ein gehässiges Funkeln.

»Sie hat das nicht so gem…«, setzte ich an.

»Ich finde, sie hat ihre Meinung sehr deutlich zum Ausdruck gebracht«, unterbrach er mich.

Mir lief es kalt den Rücken herunter, und mit einem Mal erinnerte ich mich an Heyhoes Geschichte von der Knieverletzung, die Thursby ihm vorsätzlich zugefügt hatte. Wir waren noch so amüsiert gewesen, als Heyhoe uns mit der Bemerkung an ihn verwies, er habe noch was bei ihm gut. Voller Unbehagen dachte ich an die vielen Male, bei denen Evangeline Ron in Schwierigkeiten gebracht hatte. Fand er, dass zwischen ihm und uns auch noch eine Rechnung offen war?

»Wieso meinen Sie, wir kämen mit dem Fall nicht voran?« Seine funkelnden Augen waren so kalt und bedrohlich, wie die der Kobra zu deren Leibzeiten gewesen sein mussten. Evangeline saß in diesem Moment so reglos auf ihrem Platz wie ein Kaninchen beim Anblick der Schlange.

»Sie haben uns überhaupt nichts erzählt. Wie sollen wir da zu dem Schluss kommen, Sie hätten etwas herausgefunden?« Nein, Evangeline war mehr Mungo als Kaninchen. Sie fügte sich nicht in ihr Schicksal, sondern kämpfte weiter.

»Sie könnten zum Beispiel denken, dass es Sie überhaupt nichts angeht. Oder Sie könnten denken, die Polizei hat mehr als nur einen Fall zu bearbeiten. Und Sie könnten sogar denken, dass Ihre eigene Position ein wenig fragwürdig ist. Sie waren am Tatort, Sie besitzen einen ausgeprägten Sinn für das Dramatische – und wohl auch ein furchterregendes Temperament, wie mir zu Ohren gekommen ist. Angenommen, Sie haben sich mit dem Mann gestritten, aus einem Impuls heraus haben Sie ihn geschlagen, und zwar fester, als Sie es eigentlich beabsichtigten …?« Er lächelte kühl und hielt inne, als erwarte er ein Geständnis.

»Das ist ja lächerlich!« – »Es ist sogar durchaus plausibel, das kann ich Ihnen versichern. Und es ist möglich, dass Ihr Freund Eddie es in Kauf nimmt, für den Hauptverdächtigen gehalten zu werden, nur um Sie zu schützen.«

»Nein!«, rief ich erschrocken aus und lenkte seinen eisigen Blick auf mich.

»Um Sie beide zu schützen«, sagte er unbefangen.

»Also wirklich!« Evangeline wich zurück, ihre Nasenflügel blähten sich. »Als Nächstes werden Sie bestimmt auch noch Cecile verdächtigen!«

»Wir können sie nicht aus dem Kreis der Verdächtigen ausschließen. Meine Informationen besagen, dass sie in letzter Zeit sehr aufgewühlt ist und dass man ihr jüngstes Verhalten durchaus als ... exzentrisch bezeichnen könnte ... vielleicht sogar als gestört.«

»Von wem haben Sie diese Information?«

»Aber, aber.« Er schüttelte den Kopf. »Sie sollten doch wissen, dass wir unsere Quellen nie nennen.«

»Außer wenn es Ihnen in den Kram passt.«

Ich entdeckte den Kellner in unserer Nähe, während unsere Diskussion hitzigere Züge annahm, und gab ihm ein Zeichen, unverzüglich an unseren Tisch zu kommen. Im Handumdrehen hatte er die Rechnung geschrieben, die er nach kurzem Zögern dem Gentleman vorlegte.

Evangeline war so aufgebracht, dass sie es darauf beruhen lassen wollte, also nahm ich die Rechnung an mich.

»*Wir* haben ihn eingeladen«, flüsterte ich ihr zu.

»Und das war ausgesprochen nett von Ihnen.« Ihm entging wirklich nichts. »Eine köstliche Mahlzeit und ein sehr unterhaltsames Gespräch.«

Ich war froh, dass wenigstens er so dachte.

19

Am nächsten Morgen war ich nicht in der Lage, Eddie gegenüberzutreten, obwohl ich wusste, dass er nicht erwartet hatte, unser Gespräch mit Superintendent Thursby könnte erfolgreich verlaufen. Aus Feigheit beschloss ich, das Frühstück im Haus ausfallen zu lassen und stattdessen loszuziehen und die Halskette für Viola zu kaufen. Unterwegs konnte ich sicher in irgendeinem Café etwas essen. Sollte Evangeline ihm die schlechte Neuigkeit überbringen, sobald Eddie vorbeikam. Immerhin war das Treffen ihre Idee gewesen – und eindeutig nicht die beste, die sie je gehabt hatte. Wir konnten uns jetzt Thursbys voller Aufmerksamkeit sicher sein, und natürlich betrachtete er uns nun als Verdächtige.

Mein Plan war dagegen nicht schlecht; dennoch hätte ich wissen müssen, dass er nicht funktionieren würde. Als ich zurückkehrte, lag Evangeline noch im Bett. Damit erledigte sich auch mein triumphierendes Strahlen über meine Einkäufe. Ich hatte für Orlando noch eine schicke Armbanduhr mitgebracht, damit er sich nicht zurückgesetzt fühlte, außerdem ein paar Küchenspielereien für Martha.

»Sie hat Kopfschmerzen«, ließ Dame Cecile mich wissen. »Und dieser entsetzliche Gestank des Lacks trägt auch seinen Teil dazu bei.«

Jetzt, da sie es erwähnt hatte, bemerkte ich den intensiven Geruch von frischer Farbe. Eddie legte letzte Hand an Matildas neues Bücherregal. Vielleicht würde er Zeit haben, sich um meinen Schrank zu kümmern, während der erste Anstrich trocknete.

Ich beschloss, die Kleiderstange freizuräumen, damit Eddie mehr Platz hatte. Es hing ohnehin nicht allzu viel auf der

Stange, und ich erlaubte mir den kleinen Luxus, mir vorzustellen, ich könnte alles in meinen Koffer werfen und die Rückfahrt nach London antreten.

Aber noch war das nicht möglich. Wir konnten Eddie nicht im Stich lassen, und vielleicht erstreckte sich das Verbot, die Stadt zu verlassen, inzwischen ja auch auf uns. Hector Thursby schien etwas im Schilde zu führen, das gegen einen von uns oder vielleicht sogar gegen uns alle gerichtet war; ihm wäre jedes Motiv recht, und jeder Verdächtige.

Die unbenutzten Drahtbügel am anderen Ende der Stange bildeten ein hoffnungsloses Gewirr. Sie waren achtlos aufgehängt worden, die Haken zeigten mal nach vorn, mal nach hinten, sie waren ineinander verkeilt, und vermutlich hingen sie schon so lange dort, dass der Rost sie inzwischen zu einem Klumpen hatte zusammenwachsen lassen. Ungeduldig zerrte ich an ihnen.

Plötzlich gab das Durcheinander nach. Mir blieb gerade noch Zeit für einen entsetzten Aufschrei, während das Brett nach vorn kippte und eine ganze Lawine auf mich niederging.

»Trixie! … Trixie! …« Aus weiter Ferne riefen Leute nach mir, ihre Stimmen klangen schwach, aber aufgeregt. »Trixie! …«

Ich stöhnte und drehte mich zur Seite. Nein, ich wollte noch nicht aufwachen, sondern für immer in diesem schönen, bequemen Bett liegen bleiben.

»Trixie!«

Als ich versuchte, mir das Kissen auf die Ohren zu drücken, ging ein stechender Schmerz durch meinen Kopf und brachte mich dazu, die Augen aufzureißen.

Wieder musste ich stöhnen.

»Sie wacht auf.«

»Tue ich nicht. Geht weg und …« Jemand richtete mich in eine sitzende Position auf und drückte ein Glas Wasser an meine Lippen. Dabei stellte ich fest, dass ich sehr durstig war.

»Trixie, was ist passiert?«

»Das Brett hat mich erwischt«, antwortete ich. »Bevor Eddie es reparieren konnte.«

»Ich wollte mich gleich nach dem Mittagessen an die Arbeit machen«, verteidigte er sich. »Konntest du nicht so lange warten?«

»Ich hatte nur vor, schon einmal die Kleiderstange freizuräumen, aber die Bügel waren ineinander verhakt, und als ich an ihnen zog, da ...«

»Eddie hat völlig recht«, sagte Evangeline. »Wenn du nicht immer alles so überstürzen würdest ...«

»Das Brett hat Sie aber nicht mit der Kante erwischt, oder?« Matilda musterte mich gründlich. »Ich kann nirgendwo Blut sehen.«

»Sie könnte eine Gehirnerschütterung haben.« Dame Cecile hatte, genau wie Evangeline, stets einen aufmunternden Kommentar parat. »Wie viele Finger halte ich hoch?«

»Darauf werde ich nicht antworten.« Meine Kopfschmerzen milderten sich allmählich zu einem gleichmäßigen Pochen. »Warum gibt mir niemand ein Aspirin?«

»Das wäre vielleicht nicht das Richtige für Sie«, meinte Matilda besorgt. »Ich werde einen Arzt kommen lassen. Das Brett könnte Sie ernsthaft verletzt haben.«

»Ich brauche keinen Arzt ...«

»Es war nicht das Brett.« Eddie war zum Schrank getreten, um ihn sich genauer anzusehen. »Es ist immer noch da, wo es hingehört. Aber auch nur so gerade eben ...« Er drang tiefer in den Schrank ein, bis wir auf einmal einen Lärm hörten, als sei er in einen ganzen Stapel von Kleiderbügeln getreten. Dann folgte ein erstickter Fluch.

»Alles in Ordnung?«, rief Matilda.

»Geht so.« Er tauchte wieder in der Tür auf, in einer Hand einen großen Koffer, unter den anderen Arm einen Haufen Bügel geklemmt. »Das ist gefährlich da drin.«

»Das hatte Trixie auch schon festgestellt«, sagte Evangeline.

»Es heißt, die meisten Unfälle ereignen sich im Haushalt«,

steuerte Dame Cecile bei. »Und dieser Haushalt ist auf dem besten Weg, den Beweis dafür zu liefern.«

»Ich brauche da drinnen mehr Platz zum Arbeiten«, wandte sich Eddie an mich. »Wohin soll ich deinen Koffer stellen?«

»Das ist nicht mein Koffer«, entgegnete ich. »Mein Koffer steht da drüben.«

Er drehte sich zu Matilda um.

»Mir gehört er ganz sicher nicht«, erklärte sie. »Ich habe ihn noch nie gesehen.«

»Nicht …?« Er stand da und hielt den altmodisch anmutenden, etwas ramponierten Koffer in der Hand, drehte ihn langsam herum und inspizierte ihn von allen Seiten.

»Halt!«, rief Evangeline. »Dreh ihn nicht weiter.«

Er hielt inne und dann sahen wir es alle: auf einer Seite befand sich ein Aufkleber von Qantas Airways.

»Woher war Ihre Haushälterin noch gleich?«, fragte Evangeline.

»Australien«, antwortete Matilda leise, während sie auf den Aufkleber starrte. »Glauben Sie, er hat ihr gehört?«

»Wir können ihn öffnen und es herausfinden. Leg ihn auf den Stuhl, Eddie, dann werfen wir einen Blick hinein.« Evangeline trat nachdenklich zu dem Koffer. »Ich nehme an, du hast nicht zufällig irgendwo den Schlüssel dazu gefunden, oder?«

»Vermutlich müssen wir ihn aufbrechen.« Eddie betätigte versuchsweise das Schloss.

»Das können wir doch nicht machen«, protestierte Matilda.

»Wieso nicht?«, wollte Eddie wissen. »Wer sollte etwas dagegen haben?«

»Er hat recht.« Evangeline stocherte mit einer Nagelfeile im Schloss herum. »Solange wir den Koffer nicht öffnen, wissen wir nicht, wer möglicherweise einen Grund hätte, etwas dagegen einzuwenden. Außerdem werden wir niemanden benachrichtigen können, wenn wir den Koffer nicht öffnen.«

»Ich hole mein Werkzeug.« Eddie eilte aus dem Zimmer. »So kommen wir nicht weiter.«

»Vermutlich werden wir es tun müssen«, lenkte Matilda ein. »Die Polizei hat mich nach ihren nächsten Verwandten gefragt, aber ich konnte dazu gar nichts sagen. Ich würde es ja selbst auch gern wissen. Ich müsste ihnen schreiben, um mich zu erkundigen, ob wir in Bezug auf die Tote irgendwelche Arrangements ...«

»*Falls* der Koffer überhaupt Informationen enthält«, versuchte ich den allgemeinen Enthusiasmus ein wenig zu dämpfen, damit die anderen nicht zu große Hoffnungen hegten.

»Es muss ein Hinweis zu finden sein.« Evangeline wollte sich nicht entmutigen lassen. »Eddie ...« Im gleichen Moment kehrte er zurück. »Leg los.«

»Alles klar.« Mit Hammer und Meißel machte er sich ans Werk.

Ich sank zurück auf das Bett, und diesmal gelang es mir, mir das Kissen auf die Ohren zu drücken. Allerdings dämpfte es den Lärm nicht wirklich. Mir wurde bewusst, dass es, wenn es nicht das Brett war, das mich am Kopf getroffen hatte, der Koffer gewesen sein musste, der aus dem oberen Fach gerutscht war. Folglich hatte ihn jemand so weit nach hinten geschoben, dass er praktisch nicht mehr zu sehen war. Um ihn zu verbergen? Oder hatte die Haushälterin ihn nur aus dem Weg geräumt?

Plötzlich wurde das Hämmern eingestellt. Ich hörte Evangelines zufriedenen Ausruf und rappelte mich wieder hoch, stand auf und gesellte mich zu den anderen, die den Koffer umstanden.

»Na, bitte!« Eddie klappte den Deckel auf, und wir blickten auf einen Stapel ordentlich zusammengelegter Kleidung.

Die vollgestopften Innentaschen im Deckel waren die naheliegendste Stelle, um nach Dokumenten zu suchen. Dennoch konnte sich keiner von uns dazu durchringen. Ich war mir sicher, dass die anderen genau wie ich einen Kloß im Hals verspürten. Die arme Frau hatte nicht mal Zeit gehabt, ihren Koffer auszupacken.

»Es muss erledigt werden!« Evangelines Aufruf schien ihr selbst genauso wie uns allen zu gelten. Sie begann in der Innentasche zu wühlen, die sich am stärksten wölbte.

Traurig und bestürzt sahen wir uns an, welche dubiosen Schätze sie zutage förderte: einen halb aufgebrauchten Tiegel mit Grundierung, einige Lippenstifte, einen Augenbrauen-Stift, einen Eyeliner – Kosmetika für ein Gesicht, das diese Dinge nie wieder benötigen würde.

Betroffen legte Evangeline alles auf eine der gefalteten Blusen und suchte mit weit weniger Begeisterung in der nächsten Innentasche. Diesmal untersuchte sie den Inhalt eingehender, um sicherzugehen, dass ihr nächster Fund sich als nützlicher für unsere Suche erweisen würde. Der dicke braune Umschlag, den sie schließlich hervorzog, war schon deutlich vielversprechender.

Er war nicht zugeklebt, sondern nur mit einer Klammer verschlossen. Evangeline bog die beiden Enden nach vorn, dann öffnete sie die Lasche. Der Umschlag war so dick, dass ganz bestimmt etwas dabei wäre, das uns weiterhelfen würde.

»Warum gehen wir damit nicht nach unten …?«, begann Matilda, aber Evangeline zog die Papiere bereits heraus.

Einige Briefe in vergilbten Umschlägen kamen zum Vorschein, die sicherlich nützliche Informationen enthielten. Allerdings würde es einige Zeit beanspruchen, sie alle aufmerksam zu lesen. Evangeline suchte etwas, das schneller ein Ergebnis lieferte. Sie schob die Briefe zurück in den Umschlag und blätterte die losen Dokumente durch, bis … Volltreffer!

»Ein Reisepass«, sagte sie. »Gleich werden wir mehr wissen.«

Sie schlug ihn auf, doch als sie darin las, huschte ein sonderbarer Ausdruck über ihr Gesicht. Wortlos reichte sie ihn an Matilda weiter.

»Alison Temple-Jordan«, las sie laut vor. »Aber was …?«

»Warten Sie.« Evangeline hatte ein weiteres Dokument entdeckt, das einen amtlichen Eindruck machte. »Hier ist eine Geburtsurkunde.« Auch die las sie erst durch, bevor sie sie Matilda gab, die das Papier nur zögerlich entgegennahm.

»Mutter … Margaret Temple. Vater …« Matildas Stimme begann zu zittern. »… Gervaise Jordan.«

»Der alte Mistkerl«, rutschte es Evangeline heraus. »Entschuldigen Sie, Matilda, aber …«

Doch Matilda hatte sie gar nicht gehört. Sie stand nur wie erstarrt da. Ich trat ein paar Schritte vor und betrachtete die Dokumente. Ich fühlte einen Stich im Herzen, als ich voller Mitleid an die arme Frau dachte, die zu jenem fadenscheinigen Bindestrich gegriffen hatte, um zumindest den Anschein zu erwecken, ihr Kind sei ehelich geboren – was in jenen Tagen so verdammt wichtig gewesen war.

»Sie … sie war meine Halbschwester«, flüsterte Matilda. »Und ich … habe es nicht gewusst.«

»Sie wollte Sie vermutlich erst einmal kennenlernen, bevor sie Ihnen die Wahrheit eröffnet«, meinte Dame Cecile und klopfte ihr tröstend auf die Schulter, doch Matilda bekam davon nichts mit.

»Sie war mir sympathisch … gleich von der ersten Minute an. Darum hatte ich sie auch eingestellt. Ich dachte, wir könnten vielleicht Freunde werden …« Ihre Stimme versagte.

»Nach unten!«, befahl Evangeline energisch. »Nach unten! Drinks für alle! Die haben wir jetzt dringend nötig!«

»Wenigstens wissen wir jetzt, wer ihre nächste Verwandte ist.« Matilda verzog zynisch einen Mundwinkel. »Ich.«

20

Natürlich tritt sie heute Abend auf«, beharrte Evangeline gegenüber Dame Cecile. »Es ist das Beste, was sie machen kann. In der Routine bleiben, sich von … alledem ablenken.«

»Aber Sie kommen doch mit, oder?« Cecile hatte Evangelines Arm in einen stählernen Griff genommen. »Sie kennen die Rolle – zumindest können Sie so tun als ob.«

»Das wird nicht nötig sein«, gab Evangeline kühl zurück, während ich überlegte, wie wohl Matildas zweite Besetzung auf diesen Vorschlag reagieren würde. Er konnte ihr wohl kaum gefallen. Es war sogar denkbar, dass sie bei der Schauspielergewerkschaft Einspruch einlegen würde.

»Evangeline«, begann ich behutsam, »Ich weiß wirklich nicht so recht …«

»Sie beide müssen uns helfen!« Nun war auch mein Arm in ihrem stählernen Griff gefangen. »Sie ist wie benommen, in einem Schockzustand. Niemand weiß, wie sie damit umgehen wird.«

»Wir werden da sein«, versprach ihr Evangeline. »Aber nicht, weil wir uns Sorgen um Matilda machen. Sie haben Teddy so weit gebracht, dass er die Premiere besteht. Mich beunruhigt eher, ob er das Niveau halten kann.«

Die Nervosität des Premierenabends war verschwunden, und die Mitwirkenden hatten sichtlich Spaß an ihrer Arbeit; das Publikum vergnügte sich noch mehr. Teddy hatte offenbar seine Lektion gelernt und trug seinen Text lebendig und glaubwürdig vor, auch wenn er Cecile zwischendurch immer wieder mal einen Seitenblick zuwarf. Matilda spielte ihre Rolle tadellos und ließ sich nichts von ihren privaten Sorgen anmerken.

Noch besser aber war, dass Frella mich nicht mehr hasste. Als ich ihr vorgestellt wurde, lächelte sie sogar freundlich – so, als hätte sie mich noch nie vorher gesehen, jedenfalls nicht privat.

Hätte mich ihre vorausgegangene Feindseligkeit nicht so tief getroffen, wäre ich vielleicht davon zu überzeugen gewesen, dass ich sie mir nur eingebildet hatte. Vor allem, als sie mich mit den anderen zum Abendessen zu sich nach Hause einlud.

Sie und Teddy hatten sich eine hübsche, dezent eingerichtete Wohnung gemietet, die nur einen Katzensprung vom Theater entfernt war. Mit mehr als nur flüchtigem Interesse sah ich mich um, aber es war nicht die Einrichtung, die mich interessierte. Vielmehr war ich auf der Suche nach Cho-Cho-San.

»Es ist leider nichts Besonderes«, meinte Frella knapp und hatte damit wirklich recht. Sie schüttelte den Inhalt mehrerer Packungen Fertigsuppe von der Sorte, die von sich behauptete, wie selbstgemacht zu schmecken, in einen großen Topf, dann holte sie aus dem Kühlschrank fertig belegte und bereits diagonal durchgeschnittene Sandwiches, wie es sie im Supermarkt gibt.

»In letzter Zeit hatten wir nicht die Muße, uns viel um den Haushalt zu kümmern.« Teddy dirigierte uns ins Wohnzimmer, bevor wir Zeuge von noch mehr kulinarischen Kurzschlüssen werden konnten, und öffnete die Weinflaschen.

Beim Klang seiner Stimme lugte auf einmal ein kleiner Kopf um die Ecke und sah sich vorsichtig im Zimmer um. Cho-Cho-San. Eigentlich hätte sie beim ersten Geräusch der Kühlschranktür in die Küche sausen müssen, aber vielleicht hatte sie geschlafen.

»Da ist ja mein kleiner Schatz!«, rief Teddy, als er sie bemerkte.

Mutiger werdend durchquerte sie das Wohnzimmer, da sie sich nun sicher sein konnte, dort willkommen zu sein. Ich schnippte mit den Fingern und rief leise nach ihr, doch aus einem unerfindlichen Grund zog sie es vor, Cecile anzusteuern, die sie noch nicht mal bemerkt hatte.

»Bin gleich so weit …«, rief Frella aus der Küche.

»Keine Eile«, erwiderte Teddy. »Wir haben es uns hier bequem gemacht. Ich bringe dir was zu trinken.« Er schenkte uns ein und ging mit einem Glas in die Küche.

Dame Cecile gab ein ersticktes »Oh« von sich, da Cho-Cho ihr kurz entschlossen auf den Schoß gesprungen war. Sie wollte die Katze wegschieben, doch als ihre Finger das weiche Fell berührten, wurde aus der Geste ein zaghaftes Streicheln, das sie sogleich wiederholte. Fleur fehlte ihr so sehr, dass auch jedes andere pelzige Wesen Trost spendete. Cho-Cho ließ sich auf ihrem Schoß nieder, während ich mit einer gewissen Eifersucht zu kämpfen hatte. Warum war Cho-Cho nicht zu mir gekommen?

»Die Suppe ist gleich fertig«, verkündete Teddy und trug eine große, angeschlagene Platte herein, auf der die Sandwiches lagen, die nun mit winzigen Essiggurken, Cherrytomaten und irgendwelchem undefinierbarem Zeug garniert waren, bei dem es sich um Kresse, Schnittlauch oder Bohnensprossen handeln mochte. Ich hatte nicht vor, es herauszufinden.

Matilda war sehr ruhig geworden. Das Adrenalin, das ihr geholfen hatte, die Aufführung durchzustehen, war verpufft. Sie steckte in einem Tief. Ich fragte mich, ob ihr wohl klar war, dass sie am Morgen mit der Polizei würde reden müssen, um unseren Fund zu melden. Und ich überlegte, ob Superintendent Thursby daraufhin den Tod der Haushälterin näher untersuchen würde. Immerhin war nun ihre Identität bekannt, und man konnte durchaus vermuten, dass Matilda ein Motiv hatte, sich ihrer zu entledigen. Schließlich stellte es für Thursby kein Problem dar, alles und jeden zu verdächtigen – nur Matilda war bislang verschont geblieben.

Einen Moment lang begann ich selbst in die Richtung zu spekulieren. Wenn die Haushälterin eingezogen war und sofort ihre Identität preisgegeben hatte, hätte Matilda dann einen Grund gehabt, sie zu ermorden? Mit ihrer unausstehlichen Stiefmutter hatte sie eigentlich genug am Hals, und nun trat auch noch aus heiterem Himmel eine Halbschwester in ihr Leben. Ein weiteres unerwünschtes Vermächtnis ihres Vaters, ein möglicher weiterer Klotz am Bein. Unter solchen Umständen war nicht auszuschließen, dass eine Sicherung bei ihr durchgebrannt war.

Matilda schaute mich an und lächelte mir schwach zu, und augenblicklich fühlte ich mich so schuldig, als hätte sie meine Gedanken gelesen. Aber nein – die Falle war schon früher gestellt worden. Vielleicht für Soroya? Nein, von diesem Verdacht konnte ich sie freisprechen. Wenn sie vorgehabt hätte, sich ihrer Lasten zu entledigen, dann wäre Soroya ihr bereits vor Jahren zum Opfer gefallen. Aber ich fürchtete, Superintendent Thursby würde sich davon nicht so leicht überzeugen lassen.

»Teddy, würdest du bitte ...« Frella stand in der Tür und erstarrte abrupt. Eine fast greifbare Woge von abgrundtiefem Hass ging von ihr aus und wogte durch den gesamten Raum. Ich konnte kaum glauben, was sich da abspielte.

Diesmal war dieser Hass gegen Cecile gerichtet. War diese Frau womöglich gestört?

»Die Suppe ist fertig.« Frella senkte ihren Blick und wandte sich ab, doch die Schockwelle verebbte nur langsam.

»Bin schon da.« Teddy hatte nichts mitbekommen, die anderen ebenso wenig. Er folgte ihr in die Küche und kam mit einem schweren Tablett voller Suppentassen zurück, die er an uns verteilte.

Cho-Cho hob den Kopf und schnupperte, als Dame Cecile ihre Suppentasse entgegennahm, verlor aber gleich wieder das Interesse. Karotten und Koriander waren nicht nach ihrem Geschmack.

Ich war mir nicht so sicher, ob diese Kombination nach meinem Geschmack war, dennoch lächelte ich Teddy an, als er mir meine Portion reichte.

Evangeline rutschte unbehaglich auf ihrem Platz hin und her und sah sich im Zimmer um. Die unangenehme Stimmung war nun auch bei ihr angekommen, aber sie konnte die Ursache nicht ausmachen. Als sie mich fragend ansah, nickte ich bestätigend, konnte ihr aber vor den anderen nichts erklären.

Nachdem die Suppe verteilt war, reichte Teddy die Sandwichplatte herum. Cho-Cho ließ Dame Cecile spontan im Stich und machte sich lieber daran, dem Mann mit dem Essen um die Beine zu streichen.

»Nein, nein, meine Kleine, du bringst mich noch ins Stolpern«, sagte Teddy lächelnd zu ihr und schaffte es, sie mit der Schuhspitze unter dem Kinn zu kraulen, ohne dabei das Gleichgewicht zu verlieren. Aber es war knapp, beinahe wären die Sandwiches auf Matildas Schoß gelandet, und eine Cherrytomate rollte vom Teller und landete auf dem Teppich.

»Ich nehme das!« Wieder war dieser intensive Hass zu spüren, nur dass er sich diesmal gegen Teddy richtete. »Du lässt noch alles fallen!« Frella riss ihm den Teller aus der Hand, Teddy leistete keinen Widerstand, sondern nutzte die Gunst des Augenblicks und hob Cho-Cho hoch. Die Katze schmiegte sich an ihn und ließ sich von ihm streicheln, dennoch entging mir nicht, dass ihr Blick weiterhin den Sandwiches galt.

»Achten Sie nicht auf Teddy.« Frella bot Dame Cecile die Sandwiches mit einem geübten Lächeln und ohne eine Spur von Feindseligkeit an, stattdessen galt ihr Hass nun Teddy. »Ihm liegt mehr an der Katze als an mir.«

Was auch kein Wunder war, verfügte die Katze doch über einen wesentlich angenehmeren Charakter. Es war sicher nicht leicht, mit einer Frau verheiratet zu sein, deren Gefühle so abrupt umschlugen, wie es bei Frella der Fall war. Man konnte nie wissen, wann sie einen hassen würde und wann nicht! Wie schaffte sie es bloß, bei einem Erfolgsstück Regie zu führen? Diese Frau war alles andere als rational.

»Mehr als an jedem von uns«, berichtigte sich Frella fast beiläufig, während Evangeline sich ein paar Sandwiches aussuchte.

»Trixie?« Ich spürte, dass mich ein Augenpaar dabei beobachtete, wie ich das Angebot begutachtete. Als ich mich für Krabben mit Mayonnaise entschied, war ich mit einem Mal wieder beliebt. Cho-Cho wand sich aus Teddys Armen, sprang zu Boden und kam zu mir getrottet.

Teddy sah verständnisvoll zu, wie ich für Cho-Cho eine große Krabbe aus meinem Sandwich zog.

Frella dagegen schnappte entrüstet nach Luft, und ich spürte abermals, wie mich ihr Hass mit voller Wucht traf. Erschrocken sah ich hoch und erkannte, dass Dr Jekyll und Mr Hyde wieder zugeschlagen hatten: Ihr Zorn galt nun wieder mir.

Wie konnte Teddy das nur tagaus, tagein ertragen? Andererseits hatte er ursprünglich an Soroya Gefallen gefunden; offenbar hatte er also eine Neigung zu schwierigen Frauen. Oder sie zu ihm? Vielleicht konnte ein Pantoffelheld wie Teddy nur in Symbiose mit derart übermächtigen Persönlichkeiten existieren.

Cho-Cho spürte es ebenfalls, denn sie machte einen großen Bogen um Frellas Beine, um zu mir zu gelangen. Frellas Gesicht war zur Maske erstarrt, dennoch gelang es ihr nicht, den Ausdruck in ihren Augen zu überspielen, als sie Cho-Cho anblickte. Sie war extrem eifersüchtig – und zwar *auf eine Katze.* Sie würde dem Tier bereitwillig und mit dem größten Vergnügen Schaden zufügen. Teddy sollte Cho-Cho besser nicht aus den Augen lassen, sonst drohte ihr Gefahr für Leib und Leben.

Aber genau das hatte er einmal getan – und Cho-Cho war nur knapp einem schrecklichen Schicksal entgangen. Wären wir nicht dazwischengekommen …

»*Sie* waren es!«, rief ich und sprang auf, um mich vor Frella aufzubauen. »Das war *Ihr* Werk!«

»Ich glaube, du hast recht«, sagte Evangeline und durchbohrte die Frau mit ihren Blicken.

»Was war sie?« Teddy sah uns verständnislos an, da er nicht nachvollziehen konnte, wie aus einem friedlichen Beisammensein auf einmal eine todernste Auseinandersetzung entstanden war.

»Sagen Sie es ihm nicht«, zischte Frella. Es war halb Flehen, halb Befehl, aber im Gegensatz zu einigen anderen ließ ich mir von ihr nichts befehlen.

»Was ist denn?« Matilda war so ratlos wie Teddy, Cecile dagegen verfolgte das Ganze schweigend und nickte verstehend.

»Was soll sie mir nicht sagen?« Teddy begann die Situation allmählich zu erfassen und sah Frella misstrauisch an. »Was soll ich nicht erfahren?«

»Nichts.« Frella wich seinem Blick beharrlich aus.

Da Cho-Cho inzwischen die Krabbe verzehrt hatte und ihr klar wurde, dass es keinen Nachschlag geben würde, schlenderte sie zurück zu Teddy und stieß ihn mit dem Kopf an. Einem Reflex folgend, bückte er sich und hob das Tier hoch.

»Du und deine verdammte Katze!«, explodierte Frella.

»Ich dachte, du magst sie.« Nicht einmal Teddy konnte die von seiner Frau ausgehende Feindseligkeit ignorieren.

»Da liegen Sie leider falsch.« Evangeline war ganz auf meiner Seite. »Ihre Frau hat versucht, Cho-Cho-San zu töten.«

Von Frella kam ein erstickter Laut.

»Was?« Er drückte die Katze beschützend an sich. »Was sagen Sie da?«

»Sie brachte Ihre Katze zu ›Letzte Klappe‹, dem Tierpräparator. Von dort sollte sie ausgestopft und in einem Schaukasten drapiert an Sie geliefert werden.« Erst nach einer dramatische Pause fuhr Evangeline fort: »Und aus irgendeinem Grund hat sie dann den Geschäftsinhaber umgebracht.«

»Das ist nicht wahr!«, rief Frella. »Ich habe den Mann nicht angefasst. Er war quicklebendig, als ich sein Geschäft verließ!«

Evangeline und ich sahen uns an. Wie oft hatten wir diesen Satz in einem unserer Drehbücher gelesen? Selbst in ihren schlechtesten Momenten hatte Evangeline ihn überzeugender vorgetragen als Frella.

»Augenblick mal. Dann warst du also tatsächlich …« Teddy war etwas schwer von Begriff, aber er konnte eins und eins zusammenzählen. »Du hast es gerade eben zugegeben! Du wolltest wirklich …« Er drückte Cho-Cho so fest an sich, dass sie mit einem lauten Miauen protestierte.

»Und dann hat sie das Geschäft in Brand gesteckt!«, warf Dame Cecile ein.

»Das habe ich nicht gemacht!« Frella wurde lauter und

machte einen vorsichtigen Schritt auf Teddy zu. »Teddy, ich schwöre dir …«

Teddy ging einen Schritt nach hinten, Cho-Cho legte die Ohren an und fauchte Frella an. Von wem hatte eine junge und unschuldige Katze wie sie nur ein solches Benehmen gelernt?

»Du …« Er wich weiter vor ihr zurück. »Du hast versucht, Cho-Cho-San umzubringen!«

»Deine Katze ist dir wichtiger als ich!« Sie schleuderte ihm ihre Anklage voller Bitterkeit entgegen, dann brach Frella in Tränen aus.

»Frella, nicht …« Er beendete seinen Satz nicht und versuchte, sich nicht von ihren Tränen erweichen zu lassen.

»Warum nicht? Was kümmert es dich schon? Du hast doch deine verdammte Katze!«

»Ich dachte, du magst Cho-Cho. Du hast nie etwas gesagt …«

»Weil ich hoffte, Soroya würde sie zu sich nehmen, mit ihr das Land verlassen und sie niemals wieder herbringen!«

»Aber das hat sie nicht getan. Und daraufhin hast du meine kleine Cho-Cho-San zu einem …« Entsetzen schwang in seiner Stimme mit. »… zu einem Tierpräparator gebracht.«

»Ganz genau! Ohne sie hätte ich wenigstens den Hauch einer Chance gehabt, deine Aufmerksamkeit auf mich zu lenken. Aber ich habe niemanden umgebracht, das schwöre ich dir, Teddy. Und ich habe auch kein Feuer gelegt!«

Diesmal klangen ihre Worte ehrlich. Sie mochte ein Ungeheuer sein, krank vor Eifersucht und bereit, eine unschuldige Katze zu töten. Aber einen Menschen würde sie nicht ermorden, und ebenso wenig war sie eine Brandstifterin.

»Was wirst du nun tun?« Trotzig sah Frella Teddy an.

»Ich … ich weiß nicht«, sagte er. »Ich kann dir nie wieder vertrauen.«

»Nicht, was die Katze angeht. Es ist so weit, Teddy. Du musst dich entscheiden. Wen willst du bei dir haben? Deine Katze? Oder mich?«

Cho-Cho beklagte sich miauend, da er sie nach wie vor zu fest an sich drückte. Er betrachtete sie, dann Frella. Mehr widerstrebende Regungen flackerten über sein Gesicht, als man auf der Bühne je bei ihm hatte beobachten können. Er liebte die Katze von ganzem Herzen, aber so süß und anhänglich Cho-Cho auch war, konnte sie ihn finanziell nicht unterstützen, wenn sein Stern zu sinken begann – was praktisch jetzt schon der Fall war. Frella dagegen war auf dem besten Weg zu weiteren Erfolgen am Theater und damit zu vielen lukrativen Engagements.

Vielleicht liebte er Frella ebenfalls, so schwer es mir auch fiel, mir das vorzustellen. Er sah zwischen den beiden hin und her, Tränen stiegen ihm in die Augen.

»Ich werde sie nicht Soroya überlassen«, erklärte er schwach.

»Das müssen Sie auch nicht«, bot ich mich schnell an. »Sie ist ein wahrer Schatz. Jeder würde sich glücklich schätzen, sie zu haben.«

»Aber wie kann ich sie weggeben ... sie niemals wiederzusehen ...« Seine Stimme zitterte, während Frella ihn abwartend ansah.

»Sie haben natürlich Besuchsrecht«, bot ich ihm unbekümmert an. »Sie können jederzeit vorbeischauen.« Ungeduldig ging ich auf ihn zu.

»Na ja ...« Er streichelte Cho-Cho liebevoll zum Abschied, sie schnurrte unablässig weiter.

»Dann wäre das ja geklärt.« Dame Cecile war mit wenigen Schritten bei Teddy und nahm ihm die Katze aus den Armen, bevor ich etwas dagegen unternehmen konnte. »Sie können vorbeikommen und sie besuchen, wann immer Sie wollen.«

»Augenblick mal ...«, begann ich, aber Evangeline packte mich am Arm und zog mich zurück.

»Ich hatte eine Eingebung, als sie vor ein paar Minuten auf meinem Schoß saß.« Dame Cecile drehte sich hingerissen zu uns um. »Mir fiel die Geschichte von Sir Henry Irving und seinem treuen Hund ein. So wie Fleur saß der Hund immer in seinem Lieblingssessel in der Garderobe und beobachtete Irving, wenn dieser sich für seinen Auftritt schminkte. Und wenn er von der Bühne zurückkam, wurde er von seinem Hund freudig begrüßt. Als der Hund starb, war Sir Henry am Boden zerstört. Als er sich danach zum ersten Mal wieder zu seiner Garderobe im Lyceum begab, war sein Herz schwer, da er sich davor fürchtete, den leeren Sessel zu sehen. Aber der Sessel war nicht leer. Die Theaterkatze, die sich, solange der Hund lebte, der Garderobe nie auch nur genähert hatte, war hereingekommen und hatte es sich auf dem freien Platz gemütlich gemacht. Sie wurde anstelle des Hundes sein Schutzengel. Sofort schickte Sir Henry seinen Ankleider los, um Fisch für die Katze zu besorgen. Sie entwickelte sich zu einem verwöhnten Schoßtier und wachte so über ihn wie zuvor der Hund. Als Sir Henry sich von der Bühne zurückzog, nahm er die Katze mit.« Dame Cecile sah in unsere verblüfften Gesichter und nahm es wortlos mit jedem von uns auf, sollten wir es wagen, ihr zu widersprechen. »Und ich weiß es – ich kann es nicht erklären, aber ich *weiß* es –, dass meine liebe kleine Fleur mir diese Katze geschickt hat, um ihren Platz einzunehmen und mir in meiner Trauer Trost zu spenden.«

»Aber ...«, setzte ich erneut an, doch Evangelines Griff wurde noch fester.

»Wir sind alle müde«, erklärte sie. »Ich glaube, wir sollten uns jetzt auf den Heimweg machen.«

»Ich bringe Sie zur Tür.« Frella trat sofort in Aktion, um ihre Gäste so schnell wie möglich aus der Wohnung zu schaffen. Zweifellos erwartete sie eine große Versöhnungsszene, sobald wir aufgebrochen waren. Teddy sah aus, als würde er jeden Moment zusammenbrechen.

21

Ich konnte es nur als ausgleichende Gerechtigkeit betrachten. Als Matilda die Haustür aufschloss, kam uns Soroya entgegen.

»Da bist du ja endlich!«, rief sie vorwurfsvoll. »Ich warte schon die ganze Zeit auf dich.«

»Dann weißt du jetzt ja, wie es mir sonst ergeht«, gab Matilda müde zurück, ging an Soroya vorbei und die Treppe hinauf. »Du kannst gleich mal die Tür hinter mir abschließen.«

»Und Sie!« Soroya stürzte sich sofort auf Cecile. »Was machen Sie mit meiner Katze? Ich habe das Tier überall gesucht.« Im nächsten Moment riss sie ihr Cho-Cho aus den Armen und folgte Matilda nach oben.

»Aber das ist meine …« Diesmal musste Dame Cecile einsehen, dass ihr Protest vergebens war. Beleidigt wollte sie Soroya nacheilen, aber Evangeline hielt sie davon ab.

»Sie hat einen berechtigten Anspruch auf die Katze«, warnte sie Cecile. »Lassen Sie es für heute Abend gut sein.«

»Ich werde mich morgen früh bei Teddy beschweren!«

»Tun Sie das«, sagte ich, schloss die Tür ab und machte das Licht aus. Sie begriffen meinen Wink mit dem Zaunpfahl und folgten mir nach oben.

Das einzig Gute – so tröstete ich mich – war die Tatsache, dass Cho-Cho wenigstens im gleichen Haus übernachtete wie ich. Außerdem war sie Soroya schon zuvor entwischt, und sie wusste, wo mein Zimmer war. Als ich zu Bett ging, war meine Laune um einiges besser als früher an diesem Abend.

Ich wollte meinen Augen nicht trauen, als ich am nächsten Morgen aufwachte. Evangeline war vor mir aufgestanden und hatte das Haus verlassen. Wohin war sie gegangen? Und warum?

»Eine wichtige Besorgung, soweit ich weiß.« Dame Cecile saß bei Kaffee und Toast am Küchentisch. »Das muss es jedenfalls sein, wenn sie so früh aus dem Haus geht.«

»Stimmt.« Ich schenkte mir einen Kaffee ein und setzte mich zu Dame Cecile. Ich würde erst zur zweiten Tasse etwas essen. »Sie wissen wohl nicht zufällig, wann sie zurück sein wird?« Ich rechnete mit dem Schlimmsten. Falls Nigel etwas damit zu tun hatte, konnte der Tag gar nicht schlechter anfangen.

»Sie hat nicht gesagt …« Etwas an der Tür ließ sie innehalten. Ich drehte mich um.

»Cho-Cho!«, rief ich erfreut. »Du bist entkommen!«

»Sie weiß eben, wo sie hingehört«, erklärte Dame Cecile zufrieden. »Hier, Cho-Cho, komm zu mir.«

Cho-Cho blieb stehen und sah sich um.

»Es fehlt ihr noch ein wenig an Erziehung.« Dame Cecile stand auf und ging zu ihr. »Man muss resolut sein. Freundlich, aber resolut. Komm, Cho-Cho, bei Fuß!«

»Ich glaube, bei Katzen funktioniert das nicht, Cecile.« Sie war diejenige, die erzogen werden musste. Ich gab einige liebevolle Laute von mir. »Komm her, Cho-Cho. Komm zu Trixie.«

»Bei Fuß, Cho-Cho!«, befahl Dame Cecile und kehrte zum Tisch zurück. »Bei Fuß!«

Die Katze warf ihr einen verächtlichen, mir dagegen einen freundlichen Blick zu, dann traf sie ihre Entscheidung: Sie ging geradewegs zum Kühlschrank und stieß mit einer Pfote an die Tür.

»Geben Sie ihr etwas Fisch«, befahl mir Cecile; offenbar hatte sie vor, sich an Sir Henry Irving zu orientieren.

»Es ist keiner mehr da.«

»Was ist denn noch da?«

Cho-Cho miaute ungeduldig, offenbar war es eilig.

»Ich weiß es nicht. Sehen Sie doch selbst nach.« – »*Pfui!*« Verärgert über meinen mangelnden Gehorsam begab sie sich zum Kühlschrank und schaute hinein. »Viel Auswahl scheint es hier nicht zu geben«, beklagte sie sich. »Weder für Mensch noch für Tier.« Sie drang in die Tiefen des Kühlschranks vor und tauchte mit einem kleinen Schälchen wieder auf. »Meinen Sie, sie mag grüne Bohnen?«

»Kommt darauf an, wie hungrig sie ist. Versuchen Sie's.«

»Also gut.« Sie wählte eine lange Bohne aus und hielt sie über Cho-Chos Kopf. »Sitz«, befahl sie ihr. »Sitz und mach Männchen.«

»Katzen sind anders als Hunde, Cecile. So wird es nicht funktionieren.« Meine Laune besserte sich von Minute zu Minute. Die gute Cecile würde schon bald einsehen müssen, dass sie und Cho-Cho nicht zusammenpassten, ganz gleich was ihre Fleur für sie im Sinn gehabt haben mochte.

Ungläubig betrachtete Cho-Cho das schlaffe Gemüse über ihrem Kopf und stolzierte davon. Mit einem Satz war sie auf dem Küchentisch und schnupperte an meinem Kaffee.

»Der wird dir nicht schmecken«, warnte ich sie, »aber du bekommst etwas anderes zu trinken.« Ich goss den Inhalt des Milchkännchens in meine Untertasse und schob sie ihr hin. »Dann hast du erst mal was im Magen, bis wir etwas Besseres für dich gefunden haben.«

»Sie ist sehr wählerisch.« Dame Cecile setzte sich wieder und musterte uns beide unzufrieden. »Fleur hätte diese Bohnen mit Begeisterung gefressen.«

»Katzen haben Geschmack«, erklärte ich, »Hunde dagegen nicht. Das unterscheidet den Gourmet vom Vielfraß.«

»Fleur war kein Vielfraß.«

»Das habe ich auch nicht gesagt.«

»Sie haben es angedeutet«, sagte sie und ließ ein ersticktes Schluchzen folgen. »Meine arme kleine ...«

»Wo ist Eddie?« Es wurde Zeit, sie auf ein anderes Thema zu lenken. »Normalerweise ist er um diese Zeit längst hier.«

»Evangeline hat ihn abgepasst, damit er sie irgendwohin fährt. Sie dachten doch nicht, dass sie den Bus nehmen würde, oder?«

»Nein, davon wäre ich niemals ausgegangen.« Allerdings

hatte ich gedacht, ihr Ziel wäre zu Fuß erreichbar; wenn sie ein Taxi zur Verfügung hatte, dann konnte sie wer weiß wohin unterwegs sein.

Das Telefon klingelte, aber nachdem ich einige Augenblicke lang gewartet hatte, war mir klar, dass Matilda nicht drangehen würde. Also nahm ich den Hörer in der Küche ab. »Hallo?«

»Ach, Mutter, ich bin ja so froh, dich am Apparat zu haben. Ich hatte die andere Nummer versucht, aber …«

»Ich wünschte, du würdest das anders handhaben, Liebes. Das ist Evangelines Mobiltelefon, und sie regt sich jedes Mal auf, wenn du mich auf ihrer Nummer anrufst.«

»Das hat sie mir gesagt. Jedenfalls nehme ich das an, aber im Hintergrund war so viel Lärm, dass ich sie nur schwer verstehen konnte.«

»Lärm? Wo war sie denn?«

»Das weiß ich nicht«, meinte Martha in bitterem Tonfall. »Aber es klang so, als gehöre sie da auch hin.«

»Hat sie nicht … ?«

»Lass gut sein, Mutter. Ich brauche deinen Rat. Wir haben ein ziemlich seltsames Rezept bekommen, und ich würde gern deine Meinung dazu hören.«

»Ganz recht, Liebes.« Ich nahm das Telefon mit zum Tisch und machte es mir bequem. Wie üblich war Marthas Stimme so laut und deutlich, dass Dame Cecile mühelos mithören konnte. »Um was geht es denn?«

»Es nennt sich ›Wenn du nach einer verlorenen Wette einen Besen fressen musst‹.«

»Das muss ein altes Rezept sein«, sagte Dame Cecile. »Seit Jahrzehnten hat doch alle Welt einen Staubsauger.«

»Meinst du ein Rezept für einen Kuchen in Besenform?«

»Nein, ich meine einen richtigen Besen. Du weißt schon, wenn jemand wettet, dass er einen Besen essen wird, wenn er bei irgendeiner Sache nicht recht hat und sich am Ende herausstellt, dass er tatsächlich im Irrtum ist.«

»Ich kann mich nicht daran erinnern, wann ich diese

Redewendung das letzte Mal gehört habe.« Dame Cecile beteiligte sich wie selbstverständlich an unserer Unterhaltung.

»Vermutlich, weil das mit dem Besen recht altmodisch ist«, stimmte ich ihr zu. »Ist angegeben, ob es sich um einen bestimmten Besen handelt, Liebes? Ein Handfeger? Einen Reisigbesen? Oder eher eine Art Schrubber?«

»Irgendein Besen. Es spielt keine Rolle. Der Trick besteht darin, dass man ihn zu Asche verbrennt und die Asche einer Mahlzeit zugibt. Für das Rezept braucht man Hafermehl und Ahornsirup, aber Jocasta meint ...«

»Tun Sie das nicht, Martha!« Cecile riss mir den Hörer aus der Hand. »Sie wissen nicht, woraus die Besen heute hergestellt werden. Da werden alle möglichen synthetischen Materialien verwendet. Allein die Dämpfe beim Verbrennen einzuatmen, kann tödlich sein, ganz zu schweigen davon, was passiert, wenn man sie äße!«

»Und die alten Besen waren da vermutlich keinen Deut besser.« Ich nahm den Hörer wieder an mich, um ebenfalls Einspruch zu erheben.

»Nehmen Sie das Rezept auf keinen Fall in ihr Buch auf, Martha!« Abermals wurde mir der Hörer entwendet. »Nicht mal zum Spaß. Irgendein Trottel wird es nachkochen wollen, und sei es aus reiner Angeberei, aber die Folgen könnten verheerend sein!«

»Da hat sie recht, Liebes.« Das Hin und Her mit dem Telefonhörer war nervenaufreibend, aber wenigstens war Cecile auf diese Weise von ihren eigenen Problemen abgelenkt worden. »Es ist sicherer, das Rezept wegzulassen.«

»Ja, das werde ich tun. Ich bin froh, dass wir darüber gesprochen haben. Und Jocasta auch, denn um ehrlich zu sein«, sie kicherte leise, »wollte keine von uns das Rezept ausprobieren.«

»Man muss wirklich sehr vorsichtig sein«, sagte Dame Cecile, als ich das Telefon zurück an seinen Platz stellte. »Ich werde nie vergessen, was meine Mutter mir von einem Kochbuch aus dem Ersten Weltkrieg erzählte, das von irgendeinem

Ministerium herausgegeben worden war. Natürlich hatten sie es von einem Beamten zusammenstellen lassen, der rein gar nichts übers Kochen wusste. Es ging darum, Nahrungsmittel nicht zu vergeuden. Ein Ratschlag besagte, die Rhabarberblätter nicht wegzuwerfen, wenn man aus den Stängeln Pasteten oder Desserts gemacht hat, sondern die Blätter zu kochen und wie Kohl zu servieren.«

»Aber die sind hochgiftig!«, rief ich.

»Zum Glück bemerkte das jemand, als das Buch noch keine allzu große Verbreitung gefunden hatte. Sie mussten es zurückrufen und einstampfen.«

»Dem Himmel sei Dank!«

»Ja.« Ihre Augen hatten einen entrückten Ausdruck angenommen. »Aber ich dachte immer daran, wie nützlich das Wissen sein kann, dass es so leicht ist, an tödliches Gift zu gelangen. Denken Sie nur … keine Lügen beim Arzt, um das richtige Mittel verschrieben zu bekommen … keine Auseinandersetzungen mit dem Apotheker … nur ein gemütlicher Spaziergang durch ein Gartenbeet …«

Einen Moment lang fragte ich mich, ob es wirklich ein Zufall war, dass Cecile in *Arsen und Spitzenhäubchen* den Part einer exzentrischen Giftmörderin hatte.

Nein, nein, das konnte nicht sein. Sie war mit uns unterwegs gewesen, als Eddie beim Präparator den Toten entdeckt hatte, und sie konnte auch keinen Grund gehabt haben, um Matildas neue Haushälterin aus dem Weg zu räumen. Außerdem war keines der Opfer vergiftet worden. Dennoch betrachtete ich sie mit einem gewissen Misstrauen.

Ich war erleichtert, als ich hörte, dass die Hintertür geöffnet wurde, und Evangeline und Eddie hereinkommen sah. Evangeline trug einen großen Karton, in dem sich Löcher befanden und dessen Deckel immer wieder nach oben gedrückt wurde, weshalb sie ihn die ganze Zeit über festhalten musste. Aus dem Karton drangen seltsame leise Geräusche nach draußen.

Cho-Cho spitzte die Ohren und kam mit vorsichtigen

Schritten näher, um den Geräuschen auf den Grund zu gehen. Sie war fast so misstrauisch wie ich.

»So.« Evangeline stellte den Karton auf den Tisch, hielt aber weiterhin den Deckel fest.

»Was haben Sie da?« Auch Dame Cecile war von Argwohn erfasst worden. »Es sieht nicht so aus, als würde mir das gefallen.«

»Sind Sie sicher?« Nun wackelte der Karton hin und her, sodass Evangeline ihn mit beiden Händen halten musste. »Das ist aber schade, weil es nämlich für Sie ist. Jedenfalls gilt das für den Inhalt.«

Aus dem Karton war ein deutliches Bellen zu hören.

»Nein!« Dame Cecile erstarrte. »Das ist nicht Ihr Ernst! Das ertrage ich nicht! Kein anderer Pekinese könnte jemals Fleur ersetzen.«

»Das dachte ich mir auch.« Evangeline kippte den Karton um, sodass der Deckel aufging und der Inhalt auf Ceciles Schoß purzelte. Es erinnerte an ein Gewirr kleiner schwarzer Wollknäuel … die sich unablässig bewegten.

»Was um alles …?« Dame Cecile zuckte zusammen und sah ungläubig darauf hinab. »Was ist das?«

Das Etwas schüttelte sich, richtete sich auf spindeldürren Beinen auf und wedelte; Beine wie Schwanz endeten jeweils in einer Art Fellbommel. Cho-Cho, die sich auf meinem Schoß in Sicherheit gebracht hatte, machte einen langen Hals, um besser sehen zu können, da sie ihren Augen wohl nicht traute. Schließlich drehte sie sich zu mir um, blinzelte mich an und zuckte mit den Ohren.

»Sie«, Evangeline betonte das Wort, »ist ein Zwergpudel mit einem Stammbaum, der Ihren um Längen schlägt. Ich habe ihre Papiere mit der Ahnentafel hier in meiner Tasche.«

»Und da können Sie sie auch lassen.« Dame Cecile wehrte das übermütige Hündchen ab, das beschlossen hatte, über ihre Nase zu lecken. »Ich will nichts zu tun haben mit dieser … dieser *Parodie* eines edlen Tiers!«

»Angeblich wächst das Fell nach«, sagte Eddie. »Nächstes Mal können Sie den Hund ja anders scheren lassen, vielleicht in Form eines Löwen. Dann sieht er vielleicht passabler aus.«

»Da wart ihr also heute Morgen«, folgerte ich. »Bei einem Züchter.« Plötzlich erklärte sich auch Marthas kleine Stichelei.

»Ich habe Stunden damit zugebracht den richtigen Hund für Cecile auszusuchen.« Evangeline seufzte, als Cecile auch den nächsten Annäherungsversuch des Pudels abzuwehren versuchte. »Ich dachte, so was wäre das Richtige. Aber vermutlich hätte ich besser nach einem Scotchterrier Ausschau gehalten, der sähe einem Pekinesen vielleicht etwas ähnlicher.«

»Oh!« Matilda kam in die Küche. »Bin ich etwa als Letzte aufgestanden?«

»Vermutlich nicht«, antwortete ich. »Von Soroya haben wir bislang nichts gehört und gesehen.«

»Gut.« Mit langsamen, unsicheren Schritten ging sie zu einem Stuhl. Eddie musste nur einen Blick auf ihr fahles Gesicht werfen, und schon beeilte er sich, ihr eine Tasse Kaffee zu bringen.

»Ist alles in Ordnung, Matilda?«, fragte ich besorgt.

»Ich habe letzte Nacht nicht viel geschlafen«, gab sie zu. »Vielen Dank, Eddie.«

»Toast?«, bot er ihr an. »Cornflakes?«

»Nein, danke … oh!« Der kleine Pudel wedelte freudig mit dem Schwanz, während er den Neuzugang musterte. »Wo kommt der denn her?«

»Das fragen Sie noch?« Dame Cecile warf Evangeline einen verächtlichen Blick zu. Als der Hund ihre Stimme hörte, wandte er sich gleich wieder zu ihr um und versuchte, ihr Gesicht abzulecken.

»Die Kleine hat Sie schon ins Herz geschlossen«, versuchte Evangeline sie zu überzeugen.

»Hmpf!«

»Ich habe mit der Polizei gesprochen.« Matilda war noch immer in ihre eigenen Probleme vertieft. »Sie schicken jemanden her, um die Sachen abzuholen, die wir gefunden haben. Ich weiß zwar nicht, was sie damit zu tun gedenken …« Sie zuckte mit den Schultern. »Das weiß ich wirklich nicht …«

Unbeeindruckt von der Zurückweisung eilte der kleine Pudel zu dem Karton, in dem er hergebracht worden war, und versuchte mit einem schelmischen Blick, Dame Cecile zum Spielen aufzufordern, indem er hineinsprang.

»So!« Cecile war nicht zum Spielen aufgelegt, stattdessen legte sie rasch den Deckel zurück auf den Pappkarton. »Und jetzt schaffen Sie das weg«, verlangte sie von Evangeline.

Cho-Cho saß auf meinem Schoß und wurde sichtlich unruhig, da der uralte Lockruf sie erfasst hatte, den alle Kartons und Taschen auf Katzen ausübten – erst recht, wenn aus einem der Löcher ein kleine Pfote hervorlugte. Neugierig stellte sie eine Vorderpfote auf die Tischkante und beobachtete aufmerksam das Geschehen.

Plötzlich ging der Deckel auf und wie ein Clownskopf auf einer Spirale kam der Pudel herausgesprungen. Diesmal hielt er etwas im Maul und brachte es zu Cecile.

»Mein Handschuh! Wo hast du den denn her?« Sie griff danach, woraufhin der Hund vor ihr herumtänzelte und wieder versuchte, sie zum Mitspielen zu bewegen.

Ich sah Evangeline an. Es war ein alter Trick, aber er funktionierte noch immer. Sie hatte den Handschuh genommen, an dem Ceciles Geruch haftete, und ihn zu dem Hund gelegt, damit er sofort auf Cecile zuging, sobald er aus dem Karton gelassen wurde.

Cecile bekam einen Finger des Handschuhs zu fassen, und der Pudel stürzte sich sofort darauf und zerrte vergnügt knurrend daran.

»Ist ja gut!« Abrupt ließ sie los, woraufhin der kleine Hund unversehens auf seinem Hinterteil landete. »Du kannst ihn behalten«, meinte sie und machte eine abwehrende Geste.

Der Hund beobachtete ihre Hand, dann machte er eine Rolle rückwärts, die so überraschend kam, dass sogar Cecile lachen musste.

»Mach das noch mal.« Evangeline ahmte Dame Cecils Geste nach, aber die strahlenden Augen des Welpen blieben auf Cecile gerichtet.

»Allez hopp!« Cecile bewegte abermals die Hand, und wieder machte der Pudel eine Rolle rückwärts.

»Bei ihr können Sie aber nicht sagen, dass es ihr an Erziehung fehlt«, merkte ich an.

»Das werden wir noch sehen.« Fasziniert nahm Cecile das Wollknäuel, setzte es auf den Boden und entfernte sich ein paar Schritte. »Bei Fuß«, rief sie über die Schulter.

Der Pudel gab sein Bestes und schwirrte beständig um ihre Füße herum, damit sie ihm ja nicht entwischte.

»Na ja …« Sie kehrte zu ihrem Stuhl zurück. »Na ja …« Sie setzte sich, und sofort sprang ihr der Hund auf den Schoß.

»Nicht schlecht für ein so kleines Ding«, lobte ich den Pudel. »Natürlich muss er noch ein wenig erwachsener werden.«

Evangeline schwieg, da sie ahnte, dass ihre Taktik von Erfolg gekrönt war.

»Nein!« Plötzlich verhärtete sich Ceciles Miene, sie nahm den Hund und setzte ihn zurück in den Karton. »Nein, es ist noch zu früh. Und es ist auch nicht Fleur.«

»Es gab nur eine Fleur«, stimmte ich ihr zu. Während ich Cho-Cho über den Kopf streichelte, wusste ich genau, was in ihr vorging. »Es wird nie eine zweite Fleur geben.«

»Niemals«, bekräftigte sie. Cho-Chos Neugier wurde übermächtig, sie wollte jetzt unbedingt herausfinden, was das für eine Kreatur war, die den Karton besetzt hielt, den Cho-Cho längst für sich auserkoren hatte. Leise erklomm sie den Tisch und näherte sich mit vorsichtigen Schritten ihrem Ziel.

Der Hund bemerkte ihre Annäherung, glaubte, einen neuen Spielkameraden entdeckt zu haben, und sprang aus dem Karton, um auf Cho-Cho zuzueilen.

Sofort sträubte sich ihr Fell, sie machte einen Buckel und holte fauchend und mit tödlicher Präzision mit einer krallenbewehrten Pfote aus.

Jaulend trat der Hund den Rückzug an und suchte Zuflucht in Dame Ceciles Armen.

»Ach, du armes Baby«, sagte sie mitleidig und drückte den kleinen Pudel an sich. »Du armes, armes Baby. Hat diese böse Katze dich gekratzt?«

Dem Hund war offensichtlich bewusst, dass er diese günstige Gelegenheit nicht ungenutzt verstreichen lassen durfte, und er schmiegte sich jämmerlich winselnd an ihren Busen.

Cho-Cho hatte für ihn nur einen verächtlichen Blick übrig und nahm den Karton in Besitz.

»Armes Baby!« Cecile tupfte die winzige Hundenase mit einem Spitzentaschentuch ab. »Oh! Sehen Sie sich das nur an!« Entrüstet hielt sie das Tuch hoch. »Diese brutale Katze hat ihr einen blutigen Kratzer zugefügt!«

Also wirklich! Man konnte diesen angeblichen Kratzer kaum erkennen. Außerdem war Cho-Cho kein Vorwurf zu machen, dass sie sich zur Wehr setzte, wenn wie aus dem Nichts ein fremdartiges Wesen auf sie losstürmte.

»Arme Frou-Frou«, beklagte sich Dame Cecile.

»Clo-Clo, Margot, Frou-Frou …«, stimmte Evangeline das Lied aus *Die lustige Witwe* an. Wie gut der Name passte! – immerhin war es ein französischer Pudel.

Cecile hatte der Kleinen bereits einen Namen gegeben, der ihr schon vor einiger Zeit in den Sinn gekommen sein musste. Evangeline und ich sahen uns triumphierend an. Die beiden verstanden sich bereits jetzt prächtig.

Die angenehme Atmosphäre wurde im nächsten Moment jäh gestört, als jemand energisch an der Hintertür anklopfte.

22

Dieses Klopfen gefiel mir überhaupt nicht – und mein Unwillen sollte sich als berechtigt herausstellen. Eddie öffnete die Tür und zog sich schneller zurück als Ceciles Pudel nach Cho-Chos Attacke.

Ein großer Strauß Rosen erschien in der Küche, doch meine Bewunderung war schlagartig dahin, als ich sah, wer ihn trug: Superintendent Thursby.

»Meine Damen«, begrüßte er uns. »Verzeihen Sie, wenn ich so unangemeldet vorbeikomme, aber ich wollte mich noch für Ihre Gastfreundschaft neulich abends bedanken.« Er überreichte Evangeline den Strauß.

Ach ja? Wenn er nur hier war, um sich zu bedanken, warum standen dann zwei uniformierte Beamte – davon eine Frau – hinter ihm?

»Wie nett von Ihnen.« Evangeline legte die Rosen auf den Tisch und wartete auf seinen nächsten Schachzug.

»Nun …« Er wandte sich Matilda zu. »Ich hörte, Sie haben etwas für uns.«

»Ja.« Sie stand bedächtig auf. »Ich werde es Ihnen holen.«

»Constable Martin wird Ihnen helfen.« Er nickte knapp, daraufhin trat die Polizistin ein.

»Das ist doch nicht nötig …«, setzte Matilda an.

»Kein Problem, Madam. Dafür wird sie schließlich bezahlt.« Wieder nickte er, und die Frau folgte einer nervösen Matilda aus der Küche. Ihr Kollege blieb an der Tür stehen, zwar in lässiger Haltung, aber äußerst wachsam. An ihm würde niemand vorbei nach draußen gelangen.

Ich versuchte mir zu sagen, dass ein solch unbehaglicher Gedanke völlig überflüssig war. Doch dann sah ich zu

Thursby – dem Mann mit dem aalglatten, listigen Lächeln, das nie so recht auf seine Augen überspringen wollte –, und mir kam ein noch unerfreulicherer Gedanke: Wenn er später das Haus wieder verließ, würde er nicht nur den Koffer der toten Haushälterin mitnehmen.

»Was will denn die Polizei hier?« Um diese unangenehme Situation zu komplettieren, hatte nur noch Soroya gefehlt, und da war sie auch schon. »Wird Matilda verhaftet?«

»Warum sollten wir denn so etwas tun?«, fragte Thursby mit gespielter Ahnungslosigkeit.

»Warum wird sie sonst von einer Polizistin verfolgt?«, gab Soroya zurück. »Ich bin den beiden auf der Treppe begegnet, als ich nach unten kam. Kein Wort haben sie zu mir gesagt. Was ist hier los?«

»Eine reine Routineangelegenheit«, versicherte er ihr. »Es wird nicht lange dauern.« Wie beiläufig schlenderte er zur Kellertür, öffnete sie und sah die Treppe hinunter. »Wie ich sehe, haben Sie die Stufen repariert.«

»Sie haben kein Wort davon gesagt, dass ich das nicht darf.« Eddie fühlte sich augenblicklich angegriffen.

»Ja, richtig.« Thursby drehte sich um und sah Eddie lange an, ehe er den Lichtschalter umlegte. Als das Licht im Keller anging, nickte er. »Und die Glühbirne haben Sie auch ersetzt.«

»Es war ja auch viel zu gefährlich.« Eddie wich zurück und rieb sich die Handgelenke, als könnte er bereits spüren, wie sich die Handschellen um sie schlossen.

»Extrem gefährlich, wie wir alle wissen.« In der sich anschließenden Stille schien Thursby auf die Geräusche im ersten Stock zu achten.

Der Mann hatte seinen Beruf verfehlt. Jemand, der sein Publikum derart in seinen Bann ziehen konnte, gehörte auf die Bühne. Wir konnten den Blick nicht von ihm abwenden.

Er schloss die Kellertür und kam gemessenen Schrittes zum Tisch, um jeden von uns eindringlich zu mustern. Er würde nicht derjenige sein, der als Erster blinzelte.

Frou-Frou wurde in Ceciles Armen unruhig, und die Töne, die sie dabei von sich gab, klangen mehr wie ein Weinen denn ein Winseln. Cecile legte eine Hand um die kleine Schnauze, damit das Tier ruhig war.

»Was ist das?« Soroya stellte sich an den Tisch. »Was macht denn dieses … dieses *Ding* hier?«

»Das ist mein Hund«, erklärte Cecile. »Meine kleine Frou-Frou.«

»Die können Sie gleich wieder rausbringen! In meinem Haus dulde ich keine Tiere!«

»Sie haben doch eine Katze.« Angesichts ihres neuen Schatzes gab Cecile alle Ansprüche an Cho-Cho auf. »Sie können also ganz still sein!«

Thursby stand wie erstarrt da, nur seine Augen bewegten sich und wanderten von der einen zur anderen.

Evangeline beobachtete die Szene ebenfalls, hatte aber die Stirn so in Falten gelegt, wie sie es sonst nur tat, wenn sie ein Kreuzworträtsel löste.

Genau in diesem Moment kam Cho-Cho mit einem großen Satz aus dem Karton, in dem sie gelauert hatte, und wollte zu mir zurückkommen, machte aber einen Abstecher, um den Rosenstrauß zu inspizieren. Thursby richtete seine Aufmerksamkeit auf sie.

»Ein bemerkenswertes Tier«, stellte er fest. »So eine Katze habe ich noch nie gesehen. Was ist das für eine Rasse? Eine Manx mit einem Schönheitsfehler?«

»Cho-Cho-San ist eine Japanese Bobtail«, erklärte ihm Soroya. »Sie hat eine sehr lange Ahnenreihe. Ihre Vorfahren können Sie auf japanischen Drucken und Malereien sehen, die viele Jahrhunderte alt sind. Hierzulande sind sie ausgesprochen selten«, fügte sie herablassend hinzu. »Man bekommt sie hier überhaupt nicht«, flüsterte sie. Mir wurde klar, dass sie sich meinetwegen zurückzuhalten versuchte.

»Tatsächlich?« Thursby nickte bedächtig. »Das ist ja überaus interessant. Dann haben Sie sie importieren lassen?«

»So kann man das nicht sagen. Ich habe sie als kleines Kätzchen gekauft, als ich in Fernost auf Tournee war, und habe sie hierher mitgebracht.«

Und dann Teddy als Verlobungsgeschenk überlassen, nur um sie ihm anschließend wieder wegzunehmen, als er mit Frella durchbrannte. Doch davon erwähnte sie Thursby gegenüber kein Wort.

»Und sie hatten keine Schwierigkeiten, sie ins Land zu bringen?« Es kam mir so vor, als ahne er bereits, dass mehr dahintersteckte als das, was Soroya preisgab. »Keine Probleme mit der sechsmonatigen Quarantäne?«

»Oh, da hatten sich die Vorschriften bereits geändert, und sie hatte ja alle nötigen Impfungen und die Papiere waren in Ordnung.«

Cho-Cho nieste und wandte sich von den Rosen ab. Sie war nun nahe genug bei mir, dass ich sie auf den Arm nehmen konnte. Soroya bemerkte es gar nicht.

»Hübsches kleines Ding«, sagte Thursby beiläufig, dann blickte er über unsere Köpfe hinweg und schien alarmbereit.

Ich drehte mich um und sah Matilda mit der Polizistin zurückkehren. Die Frau nickte, und ich sah gerade noch schnell genug zu Thursby, um mitzubekommen, dass er ihre Kopfbewegung wiederholte. Ein zufriedenes, aber nicht gerade erfreutes Lächeln umspielte seine Lippen.

Matilda machte einen benommenen Eindruck und ging wie ein Roboter zum Tisch, wo sie zwischen Cecile und mir Platz nahm. Ihr Blick war nach unten gerichtet, ihr Gesicht ausdruckslos. Sie hätte sich ebenso gut ein Schild umhängen können, auf dem zu lesen stand, dass etwas vorgefallen war.

»Sie hatten recht, Sir.« Die Polizistin kam mit dem Koffer der Haushälterin zu Thursby, die beiden lächelten sich kurz an und schienen sich im Geist gegenseitig auf die Schulter zu klopfen.

Irgendetwas stimmte hier nicht, aber was war es? Evangeline und ich schauten uns kurz an, sie hatte denselben Eindruck. Sogar Cho-Cho reagierte auf die plötzlich angespannte Stimmung und drückte sich wie verängstigt an mich. Matilda saß mit eingezogenem Kopf da, als erwarte sie jeden Moment einen Schlag in den Nacken. Eddie war nahezu unsichtbar geworden.

»Gute Arbeit, Constable Martin«, lobte Thursby die Beamtin und nahm ihr den Koffer ab. Den großen, nein, sogar sehr großen Koffer, auf dem sich kein Aufkleber befand.

Das war die Lösung! Das hier war nicht der Koffer, den wir entdeckt hatten!

»Was machen Sie da mit meinem Koffer?«, wollte Soroya wissen. »Geben Sie ihn mir sofort zurück! Sie haben kein Recht … woher haben Sie ihn überhaupt? Sie müssen in meinem Zimmer gewesen sein! Wie können Sie es wagen? Ich werde Sie anzeigen! Ich werde mich über Sie beschwe…«

»Sie haben einen Durchsuchungsbefehl, Soroya«, sagte Matilda müde. »Ich musste Constable Martin in dein Zimmer lassen. Sie hat kein großes Durcheinander hinterlassen, weil sie ziemlich genau wusste, wonach sie suchte.«

»Du kleine Schlampe! Du hast mich schon immer gehasst!«

»Nicht halb so sehr wie du mich.«

Thursby legte den Koffer auf den Tisch und öffnete ihn.

Cho-Cho zeigte sofort Interesse und wand sich aus meinen Armen, um den Koffer zu inspizieren. Sie erreichte ihn genau in dem Moment, als Thursby den Riegel fand, der den Deckel eines Geheimfachs aufspringen ließ.

»Nein, nein, Kleine.« Thursby schob sie weg. »Du darfst nicht mit den Beweisen in Kontakt kommen. In diesem Geheimfach sind nach dir noch viele andere exotische Tiere transportiert worden.«

»Exotische Tiere, gefährdete Arten.« Evangeline durchschaute die Situation sofort. »Tiere für den Präparator. Tiere wie der Steinadler …«

»Nein, der Steinadler eher nicht«, erwiderte Thursby. »Der wäre zu groß. Aber auf jeden Fall die Kobra. Ich frage mich, ob sie sie einem Schlangenbeschwörer abgekauft hat.« Abrupt wirbelte er zu Soroya herum. »Liege ich richtig?«

»Nein!« Sie leugnete reflexartig, wie auch nicht anders zu erwarten gewesen war. »Ich habe nichts bekommen, von niemandem. Ich weiß gar nicht, von was Sie reden!« Sie zitterte vor Verärgerung. Oder war es Angst?

»Wenn ich das richtig sehe, reisen Sie häufig ins Ausland«, sagte Thursby, »zu Dreharbeiten an allen möglichen exotischen Orten.«

»Ja, ich bin sehr gefragt. Leider wird meine Schauspielkunst anderswo mehr geschätzt als hierzulande. So ist das oft.« Über etwas Vertrautes zu sprechen, schien sie ruhiger werden zu lassen. »Aber Bollywood-Filme ziehen inzwischen ein größeres Publikum an, und wir drehen immer häufiger hier. Mein Durchbruch ist wirklich überfällig.«

»Sie reisen mit viel Gepäck.«

»Man muss doch an seine Fans denken. Ich werde im Ausland zu zahlreichen gesellschaftlichen Anlässen eingeladen. Das macht es erforderlich, dass ich eine entsprechende Auswahl an Kleidern mitnehme. Im Ausland bin ich ein Star, ich muss entsprechend auftreten.«

»Davon bin ich überzeugt.« Thursby zeigte sich nicht beeindruckt. »Und hat jeder Ihrer Koffer ein Geheimfach?«

»Ich nehme oft wertvollen Schmuck mit, den will ich natürlich sicher verwahrt sehen.« Sie verhielt sich völlig überzogen, aber das war wohl nichts Ungewöhnliches. Allerdings erinnerte mich ihr aufgesetztes Benehmen an etwas anderes als einen Bollywood-Film.

»Und Sie führen deutlich mehr Schmuck ein, als Sie ausführen!« Evangeline konnte sich nicht länger zurückhalten. »Ohne dafür Zoll zu zahlen! Und vermutlich handelt es sich um Schmuck, den Ihre Komplizen gestohlen haben!« Sie wandte sich siegesgewiss an Thursby. »Ich sagte Ihnen doch, dass es mit Juwelenschmuggel zu tun hat!«

»Ich weiß.« Er warf ihr einen giftigen Blick zu. »Leider spielen Juwelen bei dieser Art von Schmuggel eine eher untergeordnete Rolle, nicht wahr, Mrs Jordan?«

Matilda gab einen erstickten Laut von sich, was man ihr nicht verübeln konnte. Es war schon schlimm genug, Soroya zur Stiefmutter zu haben, man musste nicht auch noch ständig auf die Namensgleichheit hingewiesen werden.

»Ich weiß nicht, wovon Sie reden«, beharrte Soroya. »Und ich werde nicht untätig herumstehen und mich von Ihnen beleidigen lassen.«

»So, so.« Thursby musterte sie kühl. »Wenn es Ihnen hier nicht gefällt, können wir unsere Unterhaltung ja auf der Wache fortsetzen.«

»Was hat sie denn verbrochen?« Eddie fasste etwas Mut, da er merkte, dass die Polizei ihn nicht länger im Visier hatte.

»Gar nichts!«, fauchte Soroya ihn an, dann richtete sie ihre Wut wieder auf Thursby. »Überhaupt nichts.«

»Ach, seien Sie doch nicht so bescheiden. Sie haben sogar eine ganze Menge getan, Mrs Jordan.«

Wieder zuckte Matilda zusammen.

»Wir haben ›Letzte Klappe‹ eine ganze Weile observiert, und zwar in Zusammenarbeit mit dem Worldwide Fund for Nature und der Steuerbehörde. Dabei stellten wir fest, dass Sie zu den Stammkunden gehörten, so wie auch einige andere Personen, die häufig ins Ausland reisen.«

»Niemals!« Soroya wurde bleich.

»Jedes Mal nach Ihrer Rückkehr führte Ihr erster Weg zu dem Präparator, der vor allem spät nachts zahlreiche Kunden empfing. Sie waren vielleicht nicht die Hauptakteurin, aber es war doch ein lukrativer Nebenverdienst, nicht wahr, Mrs Jordan?«

»Müssen Sie sie eigentlich ständig so nennen?« Matildas überstrapazierte Geduld war nun wirklich am Ende. »Ihr Künstlername ist Zane. Benutzen Sie den!«

»O ja, das könnte dir so passen, nicht wahr?«, fuhr Soroya sie an. »Ich habe das Recht, den Namen Jordan zu tragen. Ich war mit Gervaise verheiratet! So wie du seine legitime Tochter warst!«

Die Atmosphäre war extrem aufgeladen, und Thursby war

klug genug, nicht einzuschreiten. Stattdessen wartete er ab und verfolgte das Geschehen.

»Ein interessanter Aspekt«, warf Evangeline ein, die sich auf ein Terrain vorwagte, um das alle anderen einen Bogen machten. »Haben Sie viele von Gervaise' unehelichen Kindern kennengelernt?«

»Mehr als genug! Vor allem diese eine grässliche Kreatur!« Soroya wechselte in eine groteske Parodie eines australischen Akzents. »›Ooh, Sie waren mit ihm verheiratet? Erzählen Sie mir, wie war Dad denn so?‹ *Dad!* Grauenvoll!« Soroya schüttelte sich und beschrieb mit den Händen eine Geste, als würde sie jemanden zur Seite schieben. »Diese anmaßende Art! Diese Unverfrorenheit!«

Es mochte sein, dass die – wirklich empfundene – Wut mit ihr durchgegangen war, doch Soroya verhielt sich schon wieder maßlos überzogen. Es war so, wie sie erst mir und dann Jocasta gegenüber aufgetreten war, als sie jede von uns für die neue Haushälterin hielt. Obwohl sie wusste, dass die Frau in Wahrheit tot am Fuß der Kellertreppe lag. Weil sie sie die Treppe runtergestoßen hatte.

»Sagen Sie mal«, meldete sich Eddie zu Wort, der einem ganz anderen Gedanken nachgegangen war. »Wenn Sie ›Letzte Klappe‹ die ganze Zeit beobachtet haben, wie konnte es dann passieren, dass der Besitzer ermordet und sein Laden in Brand gesteckt wird?«

»Wir haben ihn nicht rund um die Uhr observiert. So ein großzügiges Budget hatten wir nicht zur Verfügung.« Thursby wirkte leicht gekränkt. »Wir haben uns vor allem auf die Nächte konzentriert, wenn mit einer Lieferung zu rechnen war.«

»Also haben Sie versucht, mir was anzuhängen« – Eddie klang mindestens so gekränkt wie Thursby –, »obwohl Sie wussten, dass da alle möglichen Typen rumhingen, die im Gegensatz zu mir ein Motiv hatten.«

»Sie hatten wir eigentlich gar nicht im Verdacht.« Thursby besaß nicht genug Anstand, um verlegen dreinzuschauen, auch wenn er sich ein klein wenig unbehaglich zu fühlen schien. »Unsere Überlegung war Folgende: Wenn wir uns nach außen hin auf Sie konzentrierten, dann würden die wahren Täter sich wohl in Sicherheit wähnen und unachtsam werden.« Er warf Soroya einen vielsagenden Blick zu.

»Sie verlor die Beherrschung und schlug dem Präparator mit einem stumpfen Gegenstand auf den Kopf!« Evangeline war ganz in ihrem Element. »Dann durchsuchte sie die Akten nach Unterlagen, die sie hätten belasten können. Irgendwann wurde ihr klar, dass die ausgestopften Tiere im Laden mindestens so beweiskräftig waren wie jedes beliebige Dokument, also legte sie den Brand.«

»Ich glaube, es wird Zeit, zur Wache zu fahren.« Es gefiel Thursby gar nicht, dass das Publikum sich in seine Arbeit einmischte. Er nickte den Constables zu, die daraufhin auf Soroya zugingen. »Es sind noch etliche Fragen offen.«

»Wie konnten Sie nur?« Ich hatte auch eine Frage an Soroya. »Als Sie die Unterlagen durchsuchten, da müssen Sie Cho-Cho-San doch in dem Büro gesehen haben. Wie konnten Sie nur weglaufen und in Kauf nehmen, dass das arme Tier in den Flammen umkommt?«

»Ohne einen Anwalt an meiner Seite werde ich kein Wort mehr sagen!« Soroya presste die Lippen aufeinander und gab keinen Ton mehr von sich.

»Meinen Anwalt werden Sie ganz sicher nicht bekommen«, meinte Eddie. »Der ist viel zu gut für Sie.«

23

Es war eine Wohltat, in die Wohnung in den Docklands zurückzukehren. Auch wenn sie ihre Nachteile hatte und wir schon bald würden ausziehen müssen, fühlten wir uns dort doch zu Hause. Ein Ort, an den man sich vor der Welt zurückziehen konnte, selbst wenn es nur für kurze Zeit war. Eddie hatte nach London fahren wollen, um wieder sein gewohntes Leben aufzunehmen, und es gab auch für uns keinen Grund, noch länger in Brighton zu bleiben.

Wir hatten es uns vor dem Panoramafenster gemütlich gemacht, unter uns zog der Fluss vorüber, die Wolken nahmen im Schein der untergehenden Sonne eine rosa Färbung an. Auf dem Wohnzimmertisch stand eine Vase mit Thurbys Rosen, die einen herrlichen Duft verbreiteten.

Ich nahm mir vor, eine Handvoll Blätter in die Flasche Weißweinessig zu geben, um ihm eine exotischere Note zu verleihen. Exotisch … nein, ich würde diese Assoziation nicht weiter verfolgen.

»Auf jeden Fall«, sagte ich zu Evangeline, »war Frou-Frou ein voller Erfolg. Letzten Endes zumindest.« Cho-Cho lag neben mir und war in Sicherheit. Soroya konnte sie dorthin, wo sie hingehen musste, nicht mitnehmen – selbst wenn sie es gewollt hätte. Ein kurzes Telefonat mit einem zuvorkommenden Teddy hatte genügt, um das Sorgerecht für die Katze auf mich zu übertragen. Mir wurde bewusst, dass ich damit vermutlich auch das Sorgerecht für Teddy übernommen hatte, zumindest zeitweise. Aber das nahm ich in Kauf.

»Soroya muss fieberhaft versucht haben, die Leiche zu beseitigen«, meinte Evangeline. »Aber da Cecile Tag und Nacht zugegen war, bot sich keine Gelegenheit. Also konnte sie nur so tun, als halte sie jede ihr unbekannte Frau für die neue Haushälterin. Sie hoffte, damit den Eindruck zu erwecken, dass die Tote in Wahrheit noch unter den Lebenden weilte.«

»Und die kaputte Stufe und die fehlende Glühbirne waren nie als Falle für Matilda oder sonst jemanden vorbereitet worden«, fiel ich ein. »Soroya arrangierte das alles erst, nachdem sie die plötzlich aufgetauchte neue Stieftochter aus einem Impuls heraus die Treppe hinuntergestoßen hatte. Da sie die Leiche nicht aus dem Haus schaffen konnte, sollte es zumindest nach einem Unfall aussehen, wenn man die Tote entdeckte.«

»Ich weiß nicht, ob sie aus einem Impuls heraus gehandelt hat«, wandte Evangeline ein. »Soroya war so paranoid, dass sie bestimmt fürchtete, die Frau könnte einen Anteil an Gervaise' Erbe fordern.«

»Das aber nur in ihrer Fantasie existierte«, meinte ich seufzend.

»Genau. Das Haus gehört ganz allein Matilda, und das konnte sie auch beweisen. Gervaise hatte keinerlei Vermögen hinterlassen.«

»Dafür aber eine ganze Menge Lasten für die arme Matilda.«

»Na, sieh es von der positiven Seite«, sagte Evangeline völlig herzlos. »Soroya hat für die nächsten Jahre ein Dach über dem Kopf. Bei einem Mord wäre sie vielleicht noch mit einer geringen Strafe davongekommen, aber bei zwei Morden könnte man schon meinen, dass es ihr zur Gewohnheit geworden ist.«

»Das kann gut sein. Wäre Matilda gestorben, ohne ein Testament zu hinterlassen, hätte Soroya als ihre nächste Verwandte auftreten können und hätte das Haus und alles andere geerbt. Und Teddy wäre wohl auch chancenlos gewesen, falls Soroya wirklich Geschmack am Töten gefunden hat.«

»Sie wird nicht mit einem milden Urteil davonkommen, auch wenn sie alles enthüllt, was sie über den Schmuggel mit seltenen Tieren weiß …«

Die Türklingel unterbrach Evangelines Ausführungen. Wir sahen uns an. Besuch hatte sich nicht angekündigt. Martha und

Jocasta wollten erst am nächsten Morgen vorbeikommen, damit wir den ganzen Tag Rezepte testen konnten. Aber heute Abend sollte es eigentlich ruhig und friedlich zugehen.

»Vielleicht hat Martha noch zusätzliche Zutaten gekauft und will sie gleich hier abliefern«, überlegte ich. »Ich mache auf.« Cho-Cho folgte mir durch den Flur, da sie auf keinen Fall etwas verpassen wollte.

»Ja? Was ist denn? *Uuaaah!*« Als ich die Tür öffnete, sah ich vor meiner Nase den breiten Schnabel eines übergroßen gefiederten Tieres. Cho-Cho-San genügte ein Blick auf den fremdartigen Besucher, dann stieß sie einen durchdringenden Heulton aus und ergriff die Flucht.

»Was ist das denn?«, wiederholte ich leise, da ich nicht glauben wollte, was ich sah.

»Ah, Trixie. Das war Evangelines Investition.« Erst jetzt bemerkte ich Nigel, der neben dem Ding stand, das er an einer Art Leine hielt.

»Ich sagte ihr ja, ich würde dafür sorgen, dass sie ihr Geld nicht verliert«, erklärte er voller Stolz.

»Ein Strauß«, stellte ich verblüfft fest, während verschiedene Begebenheiten sich zu einem Bild zusammenfügten, das nun einen Sinn ergab. Die Federboa … die Steaks … »Du hast ihr Geld in eine Straußenfarm gesteckt. Eine Straußenfarm, die bankrott gegangen ist.«

»Richtig, aber die Vermögenswerte gehen nicht verloren, anders als bei Internet-Unternehmen. Diese Vermögenswerte kann man retten. Ich habe ihren Anteil herausgeholt, bevor der Insolvenzverwalter seine Arbeit aufnimmt.«

»Ein Strauß«, sagte ich erstickt. »Du hast für Evangeline einen Strauß herausgeholt.«

Das Tier sah mich traurig an.

»Nein, nicht *einen* Strauß«, korrigierte er mich fast beleidigt. »Ich habe nur Desdemona mit raufgebracht, um sie ihr zu zeigen, weil sie die zahmste ist.«

»Sie ist zahm?« Das Vieh hob einen Fuß und stampfte auf.

Erst dann wurde mir die Bedeutung seines Satzes bewusst. »Die zahmste?«

»Richtig!« Er strahle mich triumphierend an. »Ich habe ihr versprochen, dass sie ihr Geld nicht verliert – und ich habe Wort gehalten. Unten sind noch sechzehn.«

»Sechzehn …«

»Trixie?« Evangeline tauchte am anderen Ende des Flurs auf. »Wer ist denn da? Und was ist mit der Katze? Sie hat sich unter dem Sofa verkrochen. Was ist los?«

»Evangeline …«, brachte ich mit schwacher Stimme heraus. »Es ist für dich.«

Weltbild Buchverlag
–Originalausgaben–
Deutsche Erstausgabe 2009

Published by Arrangement with Ruth Stenstreem

Steinerne Furt, 86167 Augsburg
Dieses Werk wurde vermittelt durch die
Literarische Agentur Thomas Schlück GmbH, 30827 Garbsen.

Projektleitung: Gerald Fiebig
Übersetzung: Ralph Sander
Redaktion: Carmen Dollhäubl
Umschlag: Zeichenpool, München
Umschlagabbildung: Antoine Thisdale/shutterstock
Satz: Dirk Risch, Berlin
Gesetzt aus der Adobe Garamond 11,2/12,5 pt
Druck und Bindung: CPI Moravia Books s.r.o., Pohorelice

Gedruckt auf chlorfrei gebleichtem Papier

Printed in the EU

ISBN 978-3-86800-102-0

2014 2013 2012